*BEGINNING*

*SPANISH*

*COURSE*

# Beginning

**DONALD K. BARTON,** *University of Utah*

**RICHARD W. TYLER,** *University of Texas*

# SPANISH

▶ *Course*

D. C. HEATH AND COMPANY Boston

# PREFACE

BEGINNING SPANISH COURSE is a complete basal course
whose primary objective is to provide a solid foundation for the use of
the language in all situations. It gives a sound general preparation in
the language through a well-developed conversational approach. This
is not, however, a text for conversation courses exclusively; its aims
are much broader than the mere development of a vocal skill in the use
of common words and set phrases. Certain basic essentials of grammar
and vocabulary are indispensable to the efficient use of a language in
any situation — reading, writing or speaking. The authors have se-
lected the conversational approach because they believe that with it,
based upon a simple, lucid explanation of important points of grammar
and a careful integration of all learning exercises, these fundamental
elements may be learned more effectively and full mastery of the language accelerated.

### Organization

The text begins with a discussion of the principles of Spanish pronunciation including exercises which point out the pitfalls of the English-
speaking student and which suggest ways for him to develop a good
pronunciation. In general, each of the thirty-one lessons comprises
four parts, in this order: 1) a basic vocabulary and short narrative in
Spanish; 2) a dialogue in Spanish and a supplementary vocabulary;
3) an explanation of important items of grammar; and, 4) a set of
exercises. This plan of presenting lesson materials permits an orderly
progressive sequence of study. The vocabularies and Spanish passages
thus grouped together at the beginning lend themselves to convenient
use for pronunciation practice, and make it easy to refer from one to
the other for comprehension purposes. Following a discussion of the
various individual phases of the lesson, the exercises amalgamate them
so as to help the student view the unit as a whole.

ç

The vocabularies are practical and up-to-date. The initial vocabulary in each lesson is considered to be the minimum from which every student must work, and should be learned faithfully. The supplementary vocabulary is to aid in understanding the **Conversación.** Important or difficult words and idioms are repeated in different ways throughout several successive lessons.

The language of the text in Spanish conforms to current usage and emphasizes everyday speech patterns. In addition these sections demonstrate the use of specific grammatical points.

Explanations of grammar are stated simply. Verb study receives special attention; a well-organized presentation greatly facilitates the learning of even the irregular forms. Wherever there are several ways of expressing a thought the authors try to avoid confusing the student by giving only one or two of them.

The exercises of a typical lesson touch upon every phase of language. They progress from simple to difficult, first stressing the individual parts of the lesson, and ending with activities which summarize these and which allow for original expression in the new tongue.

### Exercises

An outstanding feature of *Beginning Spanish Course* is the variety, number, and originality of the exercise materials. The authors believe a student should know how to *use* what he studies, and therefore have arranged these materials so as to give him the most effective aid in acquiring a *functional* knowledge of Spanish.

The pronunciation exercises provide activities which develop both fluency and accuracy. Besides the customary oral preparation of a given text, they call for the memorization of short selections, a device which permits the teacher to concentrate on the improvement of such refinements as intonation and linking. Review drills high-light common recurrent difficulties and aid greatly in overcoming them.

The means of learning specific items of grammar and vocabulary include many traditional as well as some new procedures. Such types as blank filling, substitution, recognition, multiple choice, conjugation, and matching exercises are fully exploited and often receive new application. Repetition and the study of words in pairs (i.e., synonyms, antonyms, negative-affirmative, etc.) facilitate the assimilation of new and difficult vocabulary. A new audio-recognition technique helps to improve aural comprehension and gives further ear training. All of these methods focus the attention on specific details of vocabulary and grammar.

### PREFACE

A dictation gives regular practice in writing. While this aspect of language is not stressed, if the instructor desires more of the same, he can use to advantage such parts as the translation, most of the sections requiring oral composition, the idiom studies and a few of the more mechanical exercises.

The most satisfying and rewarding activities are those which create the impression of a natural language situation; which give an opportunity for original self-expression by requiring the student not only to formulate correct sentences but also to develop mature thought sequences and to express them in everyday speech patterns. All this is accomplished by a series of exercises which include the study of common idioms, oral composition (i.e., prepared statements, questions, conversations, and talks on assigned topics), translation, and reading and aural comprehension. Some of these, in order to realize impromptu response, call for class use only. The give-and-take of such techniques promotes enthusiasm and confidence in the use of the new tongue.

Six **Repasos** (review lessons), numbered separately and introduced at regular intervals, furnish a comprehensive review of the important parts of the text. The vocabulary and syntax of each **Repaso** are cumulative for the five lessons covered. The types of exercises used in a **Repaso** are the same as are found in a regular lesson. Common to all review lessons are those which emphasize: a) verbs (stressing tense and usage); b) vocabulary (matching devices; idiom study); c) salient items of grammar; d) oral composition on given themes; and e) aural comprehension.

To THE INSTRUCTOR: *Suggestions for the Use of This Text.*

The rate at which the material of each lesson is covered and the specific procedures for doing so will be determined by the capacity of each group of students and the exact aims of the teacher. For a maximum benefit from the text the authors recommend the following sequence in lesson presentation:

*First Step:* 1) Read aloud, the students pronouncing after you, the vocabulary and the beginning section in Spanish. Repeat together difficult words and expressions. Encourage students to guess at the general meaning of the Spanish text, but do not discuss vocabulary at this point; 2) Assign Exercise A, and any other pertaining to pronunciation. When a poem must be memorized, explain it briefly and read it aloud several times with the class; 3) Introduce approximately half of the grammatical material; study the examples carefully. Assign, to be prepared orally, the exercises which pertain to the points of grammar discussed, and have a student demonstrate the first one or two.

*Second Step:* 1) Have each student read a sentence from Exercise A. Correction as needed. Recite the poem, if assigned, first as a group and then by several individuals; 2) Oral report of grammar exercises; 3) Discuss the remaining parts of the grammar and assign for oral preparation the exercises which refer to them.

*Third Step:* 1) A dictation, four or five lines, which the students correct in class; 2) Report of grammar exercises and clarification of doubtful points; 3) Read the questions aloud; assign them to be answered orally with books closed; assign all other exercises as far as the translation.

*Fourth Step:* 1) Conduct a conversation based on the questions. Emphasize accuracy first, then speed; always require the repetition of answers which lack fluency. Explain why such repetitions are necessary, otherwise some students may become discouraged when asked to repeat; 2) Report of other assignments. Some of these call for simultaneous group discussions. In such cases divide the class into small groups — four or five in each —; appoint a leader for each group; pass frequently from one to the other to make sure all are participating. This procedure permits more people to recite at the same time and students usually feel freer to express their own thoughts than in the more formal exercises; 3) Assign the translation and **Conversación,** the latter for comprehension only.

*Fifth Step:* 1) Translation, written or spoken, as desired; 2) Have two students read **Conversación** while the others listen with books closed. Ask two or three students to summarize its content in Spanish. Bring out other details through additional questions.

These steps may be taken up each on a separate day (if there are five periods a week), or they may be combined in various ways. For example, in a three-period course, it would be easy to combine the second and third steps into one assignment, fourth and fifth into another. Or the teacher might prefer to cover all the grammar on one day, thus combining the first step and a part of the second; the remaining material could then be easily covered in two days.

The exercises of the **Repaso** should be used impromptu as far as possible. Assign for home preparation only the most difficult ones. A single fifty-minute class period should be adequate for the entire review lesson.

PREFACE

Some instructors will find this study program too extensive for their purposes. Each will have to select those parts of the lesson plan which best help him to achieve his particular objectives. However, *Beginning Spanish Course*, with its abundance of varied materials, can easily be adapted to meet the needs of any teacher of elementary Spanish.

The authors hope that the numerous illustrations, covering all aspects of Hispanic life, will serve as a basis for additional practice in conversation.

D.K.B. and R.W.T.

## ACKNOWLEDGMENTS

The authors wish to express sincere appreciation to the following friends and colleagues who have aided in the preparation of this text: to Professor C. E. Cousins of the Romance Language Department of the University of Iowa for his encouragement and cooperation in the use of these materials in their initial form; to Professors E. K. Mapes, Jerónimo Mallo, David Sisto, and to all of the Spanish Assistants of the Romance Language Department of the State University of Iowa, whose suggestions as to pedagogical procedure and word usage have been of invaluable help; to Professors L. R. McKay and E. de la Casa, head of the Language Department and Professor of Spanish, respectively, at the University of Utah, for recommendations on form and usage; to Miss Cuarta Barcia and Miss Marta Gutiérrez for their assistance in the preparation and revision of the dialogues and many of the exercises; to Professor Robert E. Luckey of the Romance Language Department of the University of Minnesota for his careful reading of the manuscript and his friendly criticisms, which have greatly improved the original; and finally, sincere thanks to the editors of D. C. Heath and Company for their patience and cooperation during the preparation of the manuscript.

D.K.B. and R.W.T.

# CONTENTS

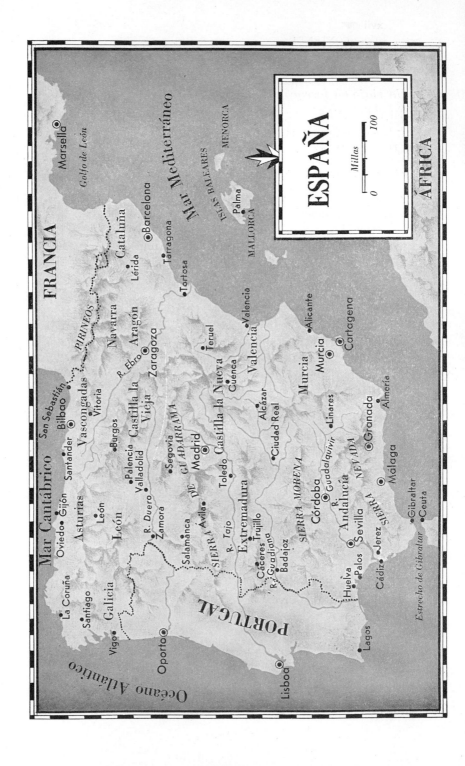

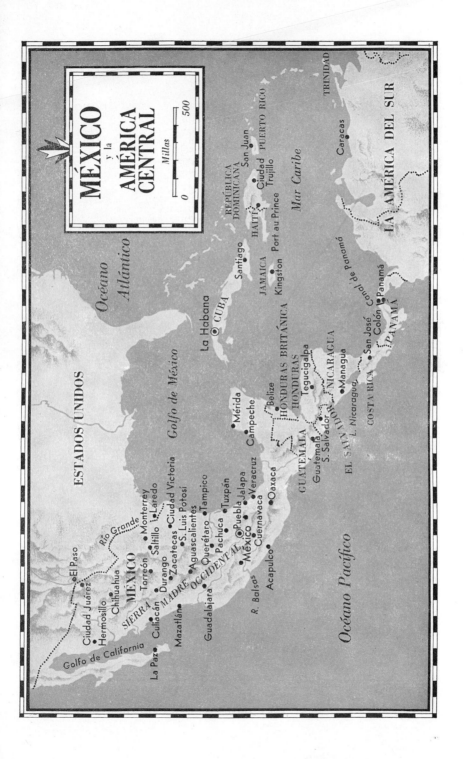

MÉXICO
y la
AMÉRICA
CENTRAL

Millas

0        500

ESTADOS UNIDOS

Océano
Atlántico

El Paso
Ciudad Juárez
Hermosillo
Chihuahua
Río Grande
MÉXICO
SIERRA
Monterrey
Torreón
Saltillo          Laredo
Durango
Culiacán
Zacatecas    Ciudad Victoria
Mazatlán          S. Luis Potosí
MADRE          Aguascalientes
OCCIDENTAL    Querétaro    Tampico
Guadalajara          Pachuca    Tuxpán
México    Puebla Jalapa
Cuernavaca    Veracruz
R. Balsas          Oaxaca
Acapulco

La Paz

Golfo de California

Océano Pacífico

Golfo de México

La Habana
CUBA

Santiago

Mérida
Campeche

Belize
HONDURAS BRITÁNICA
HONDURAS
GUATEMALA    Tegucigalpa
Guatemala
S. Salvador
EL SALVADOR    NICARAGUA
L. Nicaragua    Managua
COSTA RICA
San José    Colón
Panamá
PANAMÁ
Canal de Panamá

REPÚBLICA
DOMINICANA
Ciudad    San Juan
HAITÍ    Trujillo    PUERTO RICO
JAMAICA
Kingston    Port au Prince

Mar Caribe

PUERTO RICO

TRINIDAD

Caracas

LA AMÉRICA DEL SUR

LA AMÉRICA
DEL SUR

Millas

0          500

*BEGINNING*

*SPANISH*

*COURSE*

# PRONUNCIATION

Spanish is the official language of Spain, Mexico, Cuba, Santo Domingo, Central America, and of all South American countries with the exception of Brazil and the Guianas. In addition, it is spoken in Puerto Rico, in parts of the American Southwest, and in the Philippines.

Because of the geographical distribution of Spanish-speaking peoples and a number of differences in vocabulary and pronunciation, there is a tendency to distinguish two types of Spanish, namely, Castilian Spanish and American Spanish. However, both follow the same rules of grammar and, except for a few letters, are pronounced in the same way. The principal features of the pronunciation of both types will be explained in the following pages.

## General Differences Between English and Spanish Pronunciation

The fundamental differences between Spanish and English pronunciation are not only concerned with the relative positions of the vocal organs, but also are directly connected with breath control, with the manner of linking one sound to another, and with the comparative length and manner of holding the position of lips, tongue, and jaw while pronouncing. As a result of these basic differences every sound in Spanish — vowel and consonant alike — is pronounced clearly and distinctly. Vowels, for example, are not slighted or slurred in Spanish as happens in many English words such as arrival, Samson, nor are they followed by a glide sound, as in day, why, hope.

Learning to pronounce Spanish correctly will require the development of new speech habits. Although this may not be easy, always strive for *good* pronunciation. To achieve this goal practice in correct listening will be necessary in addition to practice in actual pronunciation. Listen attentively to the instructor and to yourself so that you can reproduce all sounds accurately. Don't be in a hurry to "say something" in Spanish. First learn to pronounce well; you will then be able to handle difficult words with comparative ease in a speaking situation.

## Spanish Alphabet

The Spanish alphabet, including both the letters and their names in Spanish, is as follows:

3

| LETTER | NAME | LETTER | NAME |
|--------|------|--------|------|
| a | a | n | ene |
| b | be | ñ | eñe |
| c | ce | o | o |
| ch | che | p | pe |
| d | de | q | cu |
| e | e | r | ere |
| f | efe | rr | erre |
| g | ge | s | ese |
| h | hache | t | te |
| i | i | u | u |
| j | jota | v | ve |
| k | ka | w | doble u (*or* doble v) |
| l | ele | x | equis |
| ll | elle | y | ye (*or* i griega) |
| m | eme | z | zeta (*or* zeda) |

All letters of the Spanish alphabet are of feminine gender.[1]

In most texts and dictionaries words beginning with **ch, ll,** and **ñ** follow those beginning with **c, l,** and **n** respectively.

Some of the letters of this alphabet have more than one pronunciation. The following discussion treats each letter of the Spanish alphabet with its important variations.

*Spanish Vowels*

Spanish vowels are uniform in quality, having no off-glide or secondary vowel sound as frequently happens in English with such words as rope, my, fate. The position of tongue, lips, and jaw required to produce any one vowel sound remains unchanged throughout the articulation of that particular sound. Vowels in Spanish are distinct, very precise, and short in duration. The English approximations of the following Spanish sounds must not be taken as exact equivalents. They are suggested to the beginning student to help him acquire some idea of the general nature and quality of the corresponding Spanish sounds. The specific tonal value of each of these sounds must be learned by listening carefully to the instructor.

**Practice Procedure**

Repeat after the instructor the following sounds and word exercises. Pause briefly after each vowel in a series. Make sure

[1] See Lección 1, p. 22.

PRONUNCIATION

the position of the jaw doesn't change during the articulation of any one series. Keep the vowels short. The pause between vowels will lessen the tendency to glide from one sound to the next. Make the quality of each vowel as uniform as possible. The words which accompany each group of vowels are divided into syllables. Pronounce each word slowly several times as separate syllables, and finally as a single word.

**a**   as *a* in *father:*

a  a  a  a      a  a  a  a      a  a  a  a
la, a-la, sa-la, ca-ra, ca-ma, ma-sa, pa-sa

**e**   (1) as *e* in *they* without the diphthongal glide, when *e* ends the syllable [1] or when *e* is followed by *m, n, s, d,* or *z:*

e  e  e  e      e  e  e  e      e  e  e  e
le, se, en, e-le, es-te, pe-la, me-sa, tren

(2) as *e* in *let* when a consonant other than *m, n, s, d,* or *z* ends the syllable:

e  e  e  e      e  e  e  e      e  e  e  **e**
el, co-mer, ho-tel, pa-pel, ver-dad, ter-cer

*e* has this same sound also:

  (a)  in contact with *rr:*
  (b)  before *j:*
  (c)  in the diphthong *ei (ey)*:

e-rre, ce-rrar, ce-jo, de-jar, pei-na

**i**   as *i* in *marine:*

i  i  i  i      i  i  i  i      i  i  i  i
si, mi, ti. sin, fin, di, gris, fi-li-pi-no, dis-tin-to

The letter *y* at the end of a word: *buey, hay,* and the conjunction *y* 'and' especially before consonants are pronounced in the same way.

**o**   (1) about like *o* in *over* without the diphthongal glide, when *o* ends the syllable:

o  o  o  o      o  o  o  o      o  o  o  o
no, lo, o-ro, o-so, to-mo, o-lo-ro-so, co-sa, bro-ta

(2) as *o* in *for,* when a consonant ends the syllable:

o  o  o  o      o  o  o  o      o  o  o  o
los, dos, con, con-sor-te, com-pra, sol, pol-trón

---

[1] See *Syllabication*, p. 12.   Some Spanish-speaking people pronounce only one *e* sound, which is somewhere between the two sounds listed above.   This also occurs in the pronunciation of the *o*.

*o* has the same sound also:
   (a) in contact with *rr:*
   (b) before *j:*
   (c) in the diphthong *oi (oy):*

go-rra, co-rrer, o-ji-to, voy

**u**   as *oo* in *moon:*

u   u   u   u        u   u   u   u        u   u   u   u
un, su, sus, Sur, tú, tu-mul-to, pu-ro, es-cu-char

*Exercises:*

A. Reading across, pronounce after the instructor.   Pause after each vowel.   Make each sound short and distinct.

| a | a | a | a | | | a | a | a | a | |
|---|---|---|---|---|---|---|---|---|---|---|
| e | e | e | e | *(e as in they)* | | e | e | e | e | *(e as in let)* |
| o | o | o | o | *(o as in over)* | | o | o | o | o | *(o as in for)* |
| i | i | i | i | | | i | i | i | i | |
| u | u | u | u | | | u | u | u | u | |

B. In the following exercise the vowel sounds have been mixed. Reading across, pronounce each group slowly.   Pause briefly after each sound.   Repeat this exercise several times.   Gradually increase the speed, but above all avoid *gliding* from one sound to the next.   Repeat this exercise reading from top to bottom of each group.

| a | e | o | i | u | *(e as in they)* | a | e | o | i | u | *(e as in let)* |
|---|---|---|---|---|---|---|---|---|---|---|---|
| u | i | o | e | a | *(o as in over)* | u | i | o | e | a | *(o as in for)* |
| a | o | i | e | u | | a | o | i | e | u | |
| u | e | i | o | a | | u | e | i | o | a | |
| e | i | o | u | a | | e | i | o | u | a | |

C. Tell whether the italicized vowel in each of the words below is pronounced as *e* in *they*, or as *e* in *let*.   Explain your choice.

| | | | |
|---|---|---|---|
| b*e*b*e* | h*e*rmoso | hot*e*les | n*e*gro |
| *e*nviar | d*e*spués | past*e*l | m*e*s |
| *e*rror | hac*e*r | qu*e* | p*e*ro |
| esp*e*jo | m*e*jor | m*e*dicina | d*e*jado |

D. Indicate whether the italicized vowel in the following words has the sound of *o* as in *over*, or of *o* as in *for*.   Explain your choice.

| | | | |
|---|---|---|---|
| clar*o* | t*o*car | *o*jo | b*o*ga |
| es*o*s | p*o*r | z*o*rra | pur*o* |
| pr*o*nto | sid*o* | h*o*mbre | d*o*ctrina |
| recuerd*o* | n*o*rte | c*o*mo | r*o*jo |

E. Below is a list of words containing the vowel sounds thus far explained. Repeat them after the instructor. The following procedure is recommended for learning to pronounce these or any new and especially difficult words:

Pronounce each word slowly: (1) as a group of separate syllables, placing a consonant with the *following* vowel (i.e. sa-la, a-ma), pausing briefly between syllables; and (2) as a word unit at normal speed.

| | | | |
|---|---|---|---|
| tener | entender | intento | como |
| ante | tumba | otros | papel |
| conformo | fusil | cartera | donde |
| esto | frente | disparo | poner |
| son | perro | sostener | mundo |

## Spanish Diphthongs and Triphthongs

**I. Diphthongs.** A diphthong is composed of a weak vowel (*i, y,* or *u*) and a strong one (*a, e,* or *o*), or of two weak ones which unite to form a single syllable: *ia, ai, ui.* A strong and weak vowel combination always stresses the *strong vowel:* deuda, while one composed of two weak vowels stresses the second one: vi*u*da, ru*i*do. When the weak vowel of a diphthongal combination (or the *first* of two weak vowels) has a written accent (´) each vowel retains its full syllabic value and there is no diphthong: ríen rí-en; flúido flú-i-do. Likewise, two strong vowels together make two separate syllables, never a diphthong: traen tra-en; leal le-al.

When *i* stands first in diphthongal combinations it has a sound like *y* as in *yes; u* in the same position is pronounced like *w* as in *was:* diosa, cuando. Study and compare the following groups of diphthongs:

| STRONG-WEAK | | WEAK-STRONG | | WEAK-WEAK | |
|---|---|---|---|---|---|
| ai, ay | baile, hay | ia | viaje | iu | ciudad |
| au | causa | ua | cuatro | ui (uy) | cuida, muy |
| oi, oy | oigo, hoy | io | Dios | | |
| ou | bou | uo | antiguo | | |
| ei, ey | afeitar, rey | ie | diez | | |
| eu | deudo | ue | puede | | |

Although in a diphthong two different vowel sounds occur within a single syllable, still each sound must be clearly heard in Spanish, with no intervening glide between them. To learn to pronounce Spanish diphthongs correctly without this gliding from sound to sound, especially in the strong-weak diphthongs (*ai, au,* etc.), the practice procedure described below for the *ai* diphthong should be followed:

Pronounce each sound separately, stressing the strong vowel, and pausing briefly between the two sounds. Now repeat, pronouncing them more quickly in succession. Make sure each sound is clearly and distinctly heard. As the diphthong is repeated the total duration will be shortened but still without being slurred. Listen to the instructor.

a    i     a    i     a    i     a   i     ai

Practice the following diphthongs in the same way:

au, oi, ou, ei, eu

ia, ua, io, uo, ie, ue, iu, ui (Remember that in these combinations initial *i* sounds like *y* as in *yes*, and initial *u* like *w* as in *was*.)

*Exercises:*

A. Reading across, pronounce the following diphthongs. Be sure that both vowels in every diphthong are sounded distinctly.

| | | | |
|---|---|---|---|
| ai | ei | io | ua |
| ia | oi | ui | au |
| iu | ou | ue | ie |
| eu | ia | uo | oi |

B. Pronounce after the instructor:

aire, peina, oigo, causa, deudo, bou, hay, afeite, hoy, laurel, deuda, naipe, reino, estoy, gaucho, Europa

C. Repeat after the instructor:

diablo, fiel, comió, ciudad, cuando, bueno, cuota, piano, miedo, Dios, viudez, cuarto, después, acentúo, muy, hacia, quiere, furioso, agua, fuente, antiguo, cuita

**II. Triphthongs.** A strong vowel between two weak ones forms a triphthong. In triphthongs initial *i* has the sound of *y* as in *yes*, and initial *u* the sound of *w* as in *was*. The practice procedure for learning to articulate triphthongs is the same as that recommended above for diphthongs.

i   a   i     i   a   i     i   a   i     iai

Practice in like manner: iei, uai (uay), uei (uey)

*Exercises:*

A. Pronounce after the instructor:

despreciáis, acentuéis, Uruguay, limpiáis, continuéis, Paraguay, buey, actuéis, estudiáis, despreciéis

B. Point out the stressed vowel in the italicized diphthongs and triphthongs:

| | | | | |
|---|---|---|---|---|
| m*ie*do | d*ia*blo | d*eu*da | c*au*sa | act*ué*is |
| contin*uá*is | b*ai*la | p*ei*na | p*ia*no | Parag*uay* |
| af*ei*te | *oi*go | v*oy* | com*ie*ron | limp*iá*is |

## Spanish Consonants

The quality of consonants in Spanish is very clear and distinct. Spanish consonants are articulated with much greater muscular tension than their corresponding English sounds and there is no breathy *h*-sound like that usually heard in English, especially after *p*, *t*, and *k*. Pronounce: *p*ut, *k*itchen, *c*ome, *t*ube. Now compare as the instructor pronounces: *p*ut, *k*itchen, *c*ome, *t*ube and *p*elo, *k*ilo, *c*oma, *t*ubo.

The vibration of the vocal cords in Spanish voiced consonants (i.e. consonants in which there is a strong vibration of the vocal cords, for example *b*, *d*, *g*) begins earlier and lasts longer than in English voiced consonants. Compare again as the instructor pronounces: *b*ell, *d*o, *g*o and *b*ueno, *d*oy, *g*oma.

These general differences between Spanish and English consonantal sounds should always be remembered. Again, in the discussion which follows, the English approximations are not to be considered as the exact equivalents of the Spanish sounds.

The following consonants, which are much like the corresponding English sounds when the latter are in the initial position, have only one pronunciation in Spanish:

| | | |
|---|---|---|
| *ch* | as *ch* in *chance:* | mucho, chiste |
| *f* | as *f* in *fun:* | fin, flor |
| *l* | as *l* in *long:* | libro, hilo |
| *m* | as *m* in *man:* | mano, comen |
| *n* | as *n* in *no:* | noche, animal |
| | (1) *n* becomes *m* before *b*, *v*, *p:* | bie*n*venido |
| *p* | as *p* in *pet* (without breathy *h*): | para, pero |
| *t* | as *t* in *tall* (without breathy *h*): | tela, tres |
| *y* (before a vowel) | as *y* in *you:* | yo, desayuno |

The remaining Spanish consonants have special sounds and require further explanation.

BEGINNING SPANISH COURSE

### Practice Procedure:

Repeat after the instructor the following sounds and word exercises. Each consonantal sound is given in combination with a vowel. Pronounce each of these combinations slowly at first, pausing briefly between consonant and vowel. As each combination is repeated the duration of the pause will be shortened until there is no audible separation. Hold the position of the consonant slightly longer than you customarily would for the same sound in English. Listen closely to the instructor.

**b and v**  (1) as *b* in *bone*, when initial or after *m* or *n:*
b    a        b    a        b    a            ba
be, voy, sombra, invade, bala, volar, bomba, invierno

(2) in all other cases *b* and *v* are pronounced so as to allow some air to pass between the lips during the pronunciation of this sound, lips not quite touching:
a    b    a        a    b    a        a    b    a            aba
eve, ovo, ubu, ivi, sube, noble, uvas, habla, trivial

**c**  (1) as *c* of *come:*
c    o        c    o        c    o            co
ca, cu, como, campo, credo, cuarto, poco, acá

(2) as *th* of *thin*, before *e* or *i;* in Spanish America this sound is pronounced as *c* of *cent.*
c    e        c    e        c    e            ce
ce, ci, cesa, ciento, cerró, necesario, peces

**d**  (1) as *d* of *done* when initial in a breath group, or following *l* or *n:*
d    a        d    a        d    a            da
do, di, de, du, aldo, ando, dato, caldo, donde, falda

(2) as *th* of *they*, in all other cases:
a    d    a        a    d    a        a    d    a            ada
odo, ede, idi, udu, boda, cuidado, padre, codo

**g and gu** [1]  (1) *g* before *a, o, u,* or before a consonant, and *gu* before *e* or *i*, are pronounced as *g* of *go*, when initial or following *n:*
g    a        g    a        g    a            ga
go, gu, gue, goma, grande, guiar, gusta, tengo, guerra

(2) *g* fricative: *g* before *a, o, u,* or before a consonant, and *gu* before *e* or *i*, when not initial or following *n*, are fricative (that is, some breath is allowed to escape during the pronunciation of the sound):
a    g    a        a    g    a        a    g a            aga

---

[1] *gu* before *a* or *u* as *gw: antiguo.  güi* represents the same sound before *e* or *i: averigüe.*

ago, ugo, agua, sigue, seguido, agrado, agradece, tigre, aglutinar

**g** and **j**  *g* before *e* or *i*, and *j* always, are pronounced as a strongly articulated guttural *h*. Listen closely to the instructor.

j  a  j  a  j  a  ja
je, ju, gi, ge, jota, hoja, gente, gitano, caja, giro, coge

**h**  always silent: *h*abla

**k**  as *k* in *kitchen* (found only in foreign words): (See pronunciation of *c* (1).): kilómetro.

**ll**  a combination of *l* and *y* as in *yes* pronounced closely together as inseparable sounds; in Spanish America *ll* frequently is pronounced as *y* in *yes* without any *l* sound.

ll  a  ll  a  ll  a  lla
llo, lle, lli, gallo, llena, halla, ella, llega

**ñ**  as *ny* in *canyon*, pronounced closely together as inseparable sounds:

ñ  a  ñ  a  ñ  a  ña
ño, eñe, ño, eñe, paño, ñame, niña, mañana, baño

**qu**  as *c* of *come;* found only when followed by *e* or *i:*
que, quieto, quien, quiero, quiso, queso, queda

**r** and **rr**  Spanish *r* sound (written *r* and *rr*) consists of one or more vibrations of the tip of the tongue above the upper front teeth.

(1) Single *r* receives one tap:
a  r  a  a r a  a r a  ara
oro, ere, iri, uru, pero, caro, claro, para, coro, comer

(2) Single *r* when initial — or after *n, l,* or *s* — and *rr* usually receive three to four vibrations:
a  rr  a  a rr a  a rr a  arra
erre, orro, urru, irri, ra, ri, ro, re, enro, alre, perro, cierro, corro, burro, rata, alrededor, rico, Enrique, los ratones

**s**  as *s* in *same*, but with the tip of the tongue touching the gums above the teeth; before a voiced consonant (*b, d, g, l, ll, m, n, v, y*) as *s* in *rose:*
s  a  s  a  s a  sa
so, ese, si, usu, siete, estas, rosa, sentar ; rasgo, mismo, desde

**x**[1]  (1) a combination of *g* of *go* and *s* of *same* (*gs*), between vowels:
a  x  a  a  x  a  a x a  axa
exento, oxida, exhibir, examen, exótico, exalto

---

[1] In *México, mexicano* (usually written *Méjico* and *mejicano* in Spanish-speaking countries other than Mexico) and in a few other words of Mexican origin, *x* between vowels has the sound of Spanish *j*.

(2) as *s* of *same*, before a consonant: (See pronunciation of *s*.) expresar, extranjero, extremo, explicar, extenso

It is not uncommon to hear some Spanish-Americans pronounce this sound as *x* in *express*.

**z**    (1) as *th* of *thin;* in Spanish America this sound is pronounced as *c* of *cent:*

z  a        z  a        z a        za
ozo, zu, mozo, zorra, zapato, tiza, comenzar, empezar

(2) as *th* of *they*, before all voiced consonants (*b, d, g, l, ll, m, n, v, y*); in Spanish America this sound is pronounced as *s* in *rose:*

juzgar, tizne, durazno

*Different Spellings of Certain Consonantal Sounds*

A summary of the different spellings of certain consonantal sounds is given below:

| SOUND | SPELLING |
|---|---|
| **k** | *c*omo, *c*asa, *c*ubrir, *que*, *qu*ien |
| **g** as in *go* | *g*oma, *g*afas, *g*usto, *gu*erra, *gu*ía |
| **g** fricative | a*g*ua, pe*g*a, la*g*o, la*gu*na, pa*gue* |
| **th** as *thin* | *z*ona, mo*z*a, *z*umo, *c*eder, *c*iudad |
| gutteral **h** | *j*ota, de*j*ar, *j*ugo, *g*eografía, *g*eología |
| **kw** | *cu*ota, *cu*ando, *cu*ento, *cu*idado |
| **gw** | averi*gu*o, a*g*ua, averi*gü*e, *gü*iro |

*Syllabication*

Single consonants (*ch, rr, ll* included) [1] go with the *following* vowel or diphthong to form a syllable:

a-la    bo-ca    mu-cho    co-rro    e-lla    vi-cio-so

The *last* of two or more consonants occurring together unites with the following vowel or diphthong to form a new syllable:

Es-*p*a-ña        trans-*p*i-rar        cir-*c*uns-*t*an-cia

However, if the *last* consonant of such a group is *l* or *r*, it is inseparable from the preceding consonant. Together they join with the following vowel or diphthong to form a syllable:

com-*ple*-to        ha-*bla*-mos        cen-*tral*

[1] *ch, rr, ll* are considered single consonants in Spanish.

*Exercise:* Divide the following words into syllables:

| | | hermoso | her–mo–so | |
|---|---|---|---|---|
| poco | estamos | transpirar | fáciles |
| muchacho | veo | prueba | halló |
| hallo | después | comer | popular |
| gana | miedo | pobre | instruir |
| compran | pero | piel | costumbre |
| habla | cuarenta | como | salón |

## Accentuation

(1) Words ending in a vowel, or in *n* or *s*, stress the *next to the last syllable:* her-*mo*-so, *co*-men, *me*-nos.

(2) Words ending in any consonant other than *n* or *s*, stress the *last syllable:* ga-*nar*, ciu-*dad*, ge-ne-*ral*.

(3) Exceptions to the foregoing rules bear a written accent (´) over the stressed vowel: fácil, canción.

*Exercises:*

A. Point out the stressed syllable in each of the following:

| para | antiguo | oigan | traen |
|---|---|---|---|
| alto | lápiz | perro | cosa |
| comen | tenían | Bolívar | peina |
| católico | causar | rápido | cama |

B. Pronounce the following words, accentuating the syllable that should be stressed:

| | | | | |
|---|---|---|---|---|
| cuento | diez | difícil | limpia | Gómez |
| clase | dieciséis | abrir | eléctrica | sientan |
| marcho | reloj | pónganse | vestí | partir |
| tienen | están | allí | dormíamos | lección |
| necesitar | ciudad | causa | interés | hallaría |
| dijisteis | rápida | continuéis | comiendo | Fernández |

## Consonant Exercises

Review the rules of pronunciation for the sounds indicated in parentheses at the beginning of each of the exercises below. Pronounce each word carefully:

1. (Consonants *c*, *k*, *qu*, *z*)

   ciento, casa, zapatero, quiero, como, decano, toquen, queso, kodak, aceptado, pequeño, cuidado, celda, quienes, kurdo, venza, juzgo, poco, civilización, gozne, lápiz

   Después de cenar, comienzo a correr quince kilómetros.

2. (Consonants *b* and *v*)

   vamos, volver, bebe, acaba, tumbar, broma, invierno, volar, cabeza, hombre, hablaba, llover, viene, bola, bienvenido

   Voy a beber un vaso de vino en el invierno.

3. (Consonant *d*)

   dando, dado, cuidado, de dientes, Leopoldo, dedos, donde, falda, calidad, aprendido, todo, dejan, dice, dudamos, odiar

   Recuerdo el día que me dió un duro.

4. (Consonants *j* and *g*)

   gente, jaula, guiar, goma, agudo, gerente, escoge, jabón, guita, guardar, fijar, plegador, giro, ganga, pague, jinete, fogonero

   Juego con la naranja que cogí en el jardín.

5. (Consonants *m*, *n*, and *ñ*)

   niño, ñame, comen, fondo, cama, inmenso, invento, año, pequeño, mexicano, como, mapa, un bulto, molestar, empeñar, conviene, bueno

   Enrique Castaño es un buen muchacho a quien nadie riñe.

6. (Consonants *s* and *x*)

   sabe, astuto, extranjero, mestizo, expedir, existe, mesas, salgo, exacto, son, extender, explorador, libros, simple, éxito

   Rosa es una estudiante excelente que sale bien en todos sus exámenes.

7. (Consonants *l* and *ll*)

   final, lozano, llama, fiel, hallado, la, llevar, pelo, largo, lleno, pella, múltiple, lado, leche, llueve

   Ella llegará con el gallo y el palo.

8. (Consonants *r* and *rr*)

   rápido, querrá, pera, por, para, gorra, lira, poder, responder, guerrero, alrededor, rima, dirá, arreglo, honroso, carta, puerto

   Rosa y María corrieron rápidamente al río.

*Practice Reading Selections*

The following short prose selections and well-known bits of Spanish poetry are intended to provide special practice in pronunciation. Listen closely as the instructor reads each sentence.

PRONUNCIATION

A. To facilitate pronunciation, the words of this exercise have been divided into syllables. Pronounce each one slowly at first, then repeat somewhat faster.

Mi pe-rro y mi som-bre-ro.
El bu-rro, la si-lla, el lo-ro.
El te-ne-dor y la cu-cha-ra son pa-ra co-mer.
Com-pra-mos tin-ta y plu-ma pa-ra es-cri-bir.
No es po-si-ble dor-mir en un tren rá-pi-do.
Un gran hom-bre y u-na chi-ca.
Los cu-ba-nos vi-ven en Cu-ba.
U-nos a-lum-nos gran-des.

B. The paragraphs below represent typical Spanish prose. Whenever a word appears which is especially difficult to pronounce, it is recommended that you divide it into syllables and, beginning slowly, repeat it with increasing speed until it has been mastered. Listen to the instructor.

Hay días de fiesta muy importantes en todas las estaciones. Aquí, por ejemplo, la primavera es la estación de las Pascuas, que siempre vienen entre el veintidós de marzo y el veinticinco de abril. Es principalmente una fiesta religiosa, pero si hace buen tiempo, muchas personas dan un paseo, y llevan la ropa nueva que han comprado . . .

El invierno tiene dos días de fiesta muy importantes: el veinticinco de diciembre es la Navidad; es decir, el aniversario del Nacimiento de Cristo; y el Año Nuevo es el primero de enero. Hay otros días de fiesta, desde luego, pero estos cinco son los más importantes. Muchos de los días de fiesta que celebramos nosotros, como las Pascuas, la Navidad, y el Año Nuevo, también se celebran en los países de habla española.

C. The reading of Spanish poetry presents a number of special problems of pronunciation which needn't concern the elementary student. After the instructor has briefly explained the following verses taken from the works of Gustavo Adolfo Bécquer, he will read each one slowly. Repeat each line after him. Memorize as assigned.

Los suspiros son aire, y van al aire.
Las lágrimas son agua, y van al mar.
Dime, mujer: cuando el amor se olvida,
¿ Sabes tú a dónde va ?

Por una mirada, un mundo;
Por una sonrisa, un cielo;
Por un beso . . . ¡ yo no sé
Qué te diera por un beso!


¿ Qué es poesía ? dices mientras clavas
En mi pupila tu pupila azul;
¿ Qué es poesía ?  ¿ Y tú me lo preguntas ?
Poesía . . . eres tú.

## Punctuation

The rules of punctuation in English and Spanish are practically the same except for:  (1) use of the inverted question mark (¿) before questions, and the inverted exclamation point (¡) before exclamations; (2) the dash (—) is used to indicate a change in speaker.

## Capitalization

In Spanish small letters are used for: (1) adjectives of nationality: **español, italiano**;  (2) names of days of week and months: **lunes, marzo**; (3) names of languages: **francés, español**;  (4) and the pronoun **yo**, *I*.

## Spelling

In Spanish no letters are written double except *rr, ll,* and rarely *nn;* the first two (as also *ch*) are treated as single consonants, whereas the two *n*'s are pronounced separately.  It will be particularly helpful to remember this in the case of cognates.

e.g.  di*ff*erent  (Eng.)      di*f*erente  (Sp.)
       pa*ss*ion  (Eng.)      pa*s*ión  (Sp.)

## Expresiones útiles para la sala de clase

The commands listed below will be used by the instructor in directing you to do certain things.  Practice pronouncing them, and memorize them as assigned.

| TO ONE PERSON | MEANING | TO TWO OR MORE PERSONS |
|---|---|---|
| A. | | |
| **Levántese usted.** | Get up. | **Levántense ustedes.** |
| **Siéntese usted.** | Sit down. | **Siéntense ustedes.** |
| **Abra usted el libro.** | Open the book. | **Abran ustedes el libro.** |

PRONUNCIATION

| TO ONE PERSON | MEANING | TO TWO OR MORE PERSONS |
|---|---|---|
| Cierre usted el libro. | Close the book. | Cierren ustedes el libro. |
| Levante usted la mano antes de responder. | Raise your hand before answering. | Levanten ustedes la mano antes de responder. |
| Pase usted los papeles. | Pass the papers. | Pasen ustedes los papeles. |
| Dígame usted, ¿ cómo se dice . . . en español? | Tell me how you say . . . in Spanish? | Díganme ustedes, ¿ cómo se dice . . . en español? |

B.

| | | |
|---|---|---|
| Escuche usted atentamente. | Listen carefully. | Escuchen ustedes atentamente. ✓ |
| Responda usted en español. | Answer in Spanish. | Respondan ustedes en español. |
| Lea usted en voz alta. | Read aloud. | Lean ustedes en voz alta. |
| Pronuncie usted correctamente. | Pronounce correctly. | Pronuncien ustedes correctamente. |
| Conjugue usted el verbo —. | Conjugate the verb —. | Conjuguen ustedes el verbo —. |
| Repita usted, por favor. | Please repeat. | Repitan ustedes, por favor. |
| Conteste usted esta pregunta. | Answer this question. | Contesten ustedes esta pregunta. |

C.

| | | |
|---|---|---|
| Escriba usted el dictado. | Write the dictation. | Escriban ustedes el dictado. |
| Empiece usted a leer. | Begin to read. | Empiecen ustedes a leer. |
| Estudie usted bien la lección. | Study the lesson well. | Estudien ustedes bien la lección. |
| Corrija usted la falta. | Correct the error. | Corrijan ustedes la falta. |
| Acabe usted el ejercicio. | Finish the exercise. | Acaben ustedes el ejercicio. |
| Repase usted los verbos. | Review the verbs. | Repasen ustedes los verbos. |
| Aprenda usted de memoria este modismo. | Learn this idiom by heart. | Aprendan ustedes de memoria este modismo. |

Eastern Venezuela: Caripito market. Open-air markets of all kinds are common in the Spanish-American countries.

An old bank in Venezuela's capital city, Caracas. The depositors transact their business around the patio, as shown here. Even if Caracas had nothing else to recommend it, it could rest on its fame as the birthplace of Simón Bolívar, who led the fight to make South America free.

## FRASES Y EXPRESIONES ÚTILES

## VOCABULARIO

a to, at
adiós good-bye
bastante bien rather well, quite
well
bien well
buenas noches hello, good evening, good night
buenas tardes hello, good afternoon
buenos días hello, good morning, good day
¿ cómo está usted? how are you?
¿ cómo le va? how goes it?
el día day
en casa at home
está is, (you) are
están (they) are
estoy I am
la familia family
gracias thanks, thank you
hasta la vista so long, see you later
hasta luego so long, see you later
hasta mañana so long, see you tomorrow

¡ hola! hello! hi!
igualmente same to you
mañana tomorrow
muchas gracias thank you very much
muy very
muy bien very well, fine
la noche night
¿ qué? what?
que le vaya bien good luck
¿ qué tal? how goes it?
recuerdos a la familia regards (remember me) to the family
recuerdos a todos regards (remember me) to everybody
recuerdos en casa regards (remember me) at home
regular fair, not bad, so-so
la tarde afternoon
todos, –as all, everyone
usted (Vd.) you
y and

### Frases y expresiones útiles

— ¡ Hola! ¿ Qué tal?
— Bastante bien, gracias. ¿ Cómo está la familia?
— Todos están muy bien, gracias.

21

— Buenos días. (Buenas tardes, Buenas noches.) ¿ Cómo está usted ? (¿ Cómo le va ?)
— Bien, gracias, ¿ y usted ?
— Estoy muy bien, gracias.
— Hasta luego.
— Adiós. Que le vaya bien. Recuerdos en casa. (Recuerdos a la familia.)
— Muchas gracias. Igualmente. Recuerdos a todos. Hasta mañana.
— Hasta la vista. (Hasta luego.)

## Gramática

I. **Definite article.** Spanish nouns belong to one of two genders, masculine or feminine. Spanish provides articles to go with each form. In the singular, the masculine article is **el,** and the feminine is **la.**

el hombre   the man      la muchacha   the girl

The plural forms of the definite article are **los,** masculine, and **las,** feminine.

los hombres   the men      las muchachas   the girls

II. **Indefinite article.** Spanish also has a form of the indefinite article to correspond to both masculine and feminine nouns, with further forms for the plural. In the singular, the masculine form is **un** (*a, an*); the feminine is **una.** The masculine form in the plural is **unos,** the feminine **unas,** meaning *some, a few.*

| SINGULAR | PLURAL |
|---|---|
| *Masc.* **un hombre**   a man | *Masc.* **unos hombres**   some (a few) men |
| *Fem.* **una muchacha**   a girl | *Fem.* **unas muchachas**   some (a few) girls |

III. **Plural of nouns.** Regularly, a noun that ends in a vowel forms its plural by adding –s.

la muchacha   the girl      las muchachas   the girls
el hombre   the man      los hombres   the men

If the noun ends in a consonant, the plural is usually formed by adding –es.

el color                    los colores

LECCIÓN PRIMERA

IV. **Subject personal pronouns.** The pronouns used in Spanish as the subjects of a verb are:

| SINGULAR | | PLURAL | |
|---|---|---|---|
| yo | I | nosotros, –as | we |
| tú | you (*familiar*) | vosotros, –as | you (*familiar*) |
| él | he, it | ellos | they (*masculine*) |
| ella | she, it | ellas | they (*feminine*) |
| usted | you (*polite*) | ustedes | you (*polite*) |

V. **Uses of subject pronouns.** Except for **usted** and **ustedes** (commonly abbreviated as **Vd.** and **Vds.**, respectively), which are usually expressed, the subject pronouns are not very often used in Spanish. Whenever they are used, it is to show a contrast, or to make the meaning clear when there could be doubt as to the subject of a verb form.

*Contrast:* **Ustedes** estudian (*study*) mucho; **nosotros** hablamos (*speak*) mucho.

*Clearness:* **Ellos** estudian el inglés (*English*); **ustedes** estudian el español (*Spanish*).

Even **usted** and **ustedes** need not be repeated in the same sentence after they have been used once.

**Usted** estudia el inglés, pero habla español.

**Tú** and **vosotros, –as** are used only in very familiar address, that is, when addressing Deity, intimate friends, parents, other relatives, children, and animals. Since these forms imply great familiarity, the beginning student will have little use for them. Nevertheless, he should be able to recognize them whether written or spoken, especially **tú**. **Usted,** singular, and **ustedes,** plural (i.e. when addressing two or more persons directly) are the more polite forms the student will ordinarily use. In most Spanish-speaking countries **ustedes** has replaced **vosotros, –as** as the plural of **tú**. These polite forms are used with the third person form of the verb: **usted** with the third singular, **ustedes** with the third plural. (See Present Indicative of Regular Verbs below.)

Usted **habla** bien.　　　　Ustedes **hablan** bien.

This is because **usted** comes from **vuestra merced,** a third person form meaning *Your Grace.* This expression also takes the third person in English: "What *does* Your Grace desire?"

VI. **Present indicative of regular verbs.** Three regular conjugations occur in Spanish. The infinitives end in −ar, −er, and −ir respectively. To form the present indicative of all regular verbs, the last two letters of the infinitive are dropped and the personal endings are added to what remains (the "stem"). These endings show clearly who the subject is, and therefore the subject pronouns are seldom used with the verb.

The personal endings for the present indicative of −ar verbs are: −o, −as, −a, −amos, −áis, −an. The present indicative of **hablar,** a regular −ar verb, is formed by dropping the −ar, leaving the stem **habl−,** to which are added the endings just given. Notice how each ending indicates a different person as subject: **hablo** (**yo** — *I speak*), **hablamos** (**nosotros** — *we speak*), etc.

SINGULAR

| | |
|---|---|
| **hablo** | I speak (am speaking, do speak) |
| **hablas** | you speak (are speaking, do speak) |
| **habla** | he (*or* she) speaks (is speaking, does speak) |
| **usted habla** | you speak (are speaking, do speak) |

PLURAL

| | |
|---|---|
| **hablamos** | we speak (are speaking, do speak) |
| **habláis** | you speak (are speaking, do speak) |
| **hablan** | they speak (are speaking, do speak) |
| **ustedes hablan** | you speak (are speaking, do speak) |

Note that any *one* form of the verb in Spanish may have one of *three* meanings: **hablo** means *I speak, I am speaking,* or *I do speak.*

VII. **Present indicative of** *estar* (**an irregular verb**).

| SINGULAR | | PLURAL | |
|---|---|---|---|
| **estoy** | I am | **estamos** | we are |
| **estás** | you are | **estáis** | you are |
| **está** | he (*or* she) is | **están** | they are |
| **Vd. está** | you are | **Vds. están** | you are |

### *Ejercicios*

A. Read *Frases y expresiones útiles* aloud at least twice. Develop the habit of studying the exercises aloud. It is indispensable to good pronunciation and fluency in speech. *The exercises of this text are to be prepared and given orally unless otherwise directed.*

B. Practice pronouncing the following numerals, and at the same time learn to count from one to ten:

| | | | |
|---|---|---|---|
| 1 | uno | 6 | seis |
| 2 | dos | 7 | siete |
| 3 | tres | 8 | ocho |
| 4 | cuatro | 9 | nueve |
| 5 | cinco | 10 | diez |

C. Spanish nouns are of how many genders? What kind of article is *los?* Does it refer to a singular or plural noun? What gender does *unas* indicate?

D. Read the following nouns aloud with (a) *el* or *la,* (b) *un* or *una* (the gender of each noun is indicated):

| | |
|---|---|
| color (*m.*) | hombre (*m.*) |
| español (*m.*) | muchacha (*f.*) |
| familia (*f.*) | inglés (*m.*) |
| maestro (*m.*) | noche (*f.*) |
| despedida (*f.*) | amigo (*m.*) |

E. Reading aloud, change the following to the plural:
1. el lugar  2. la casa  3. el papel  4. la hermana  5. la universidad
6. una silla  7. un libro  8. un balcón  9. un amor  10. una ciudad

F. What personal subject pronouns are implied by the following regular –*ar* verb endings: –*o*, –*an*, –*amos?* What difference is there between the third person singular and the third person plural endings of regular –*ar* verbs? What verb form is used with *usted?* With *ustedes?*

G. For practice, conjugate the following regular –*ar* verbs. Be sure you know the personal verb endings perfectly. Do you know to which person each ending refers?

comprar      estudiar      pasar      escuchar

H. A number of forms from *hablar* and *estar* will be given once orally by the instructor. Be ready to identify the subject of each form.

I. What personal pronoun may be used as the subject of each of the following verbs?

| | |
|---|---|
| hablamos | hablan |
| estudia | estoy |
| hablo | compras |
| pasa | están |
| estamos | escucho |

J. Supply the correct form of the verb in parentheses:
1. Yo (hablar) bien. 2. Nosotros (estar) bien. 3. Todos (hablar) a
María. 4. Ella (estar) en (*in*) México. 5. Vds. (hablar) perfectamente
(*perfectly*). 6. Nosotros (estar) en casa. 7. Él (hablar) a Juan. 8. Juan
y María (estar) bien. 9. ¿ Cómo (estar) la familia ? 10. Vds. (estar)
regulares.

K. Put all words possible into the plural:
1. ¿ Cómo está Vd. ? 2. Estoy muy bien. 3. Vd. habla bien. 4. La
familia está en (*in*) Nueva York. 5. Habla bien.

L. Answer the following questions orally in Spanish. *An answer of one
word will not be accepted.* In the answer use as many words of the question as you can. Questions will be asked with books closed. Practice
reading them aloud beforehand:
1. ¿ Cómo está Vd. ? 2. ¿ Habla Vd. bien ? 3. ¿ Cómo está la familia ?
4. ¿ Cómo le va ? 5. ¿ Hablamos nosotros bien ? 6. ¡ Hola ! ¿ Qué
tal ?

M. Prepare to give orally in Spanish three questions or statements to use in
greeting a friend, telling him good-bye or asking about his health or his
family.

N. Give the Spanish for:
1. Good day. How are you ? 2. Hello (Hi) ! I am fine, thanks. And
you ? 3. Fine, thank you. And the family ? 4. Fine. All of them
(*Todos*) are at home. 5. You speak very well. 6. Remember me to
everyone. 7. Good luck. See you later. 8. Thanks. The same to you.
9. See you tomorrow.

Cartagena, Colombia: waterfront. The bags in this cart probably contain coffee beans destined for export. Colombia is one of the world's largest producers of coffee.

A fortune teller in the market district of Bogotá, the capital of Colombia. This one obviously believes in using music to advertise. Can you read the Spanish? Notice the two different spellings of *boleta;* it's not uncommon for b's and v's to be confused in this way.

# Lección 2

## LA ESCUELA

## VOCABULARIO

**ahora** now
**el alemán** German (*language*)
**el alumno** student, pupil
**el amigo** friend
**aprende** he (she) learns
**aprenden** they learn
**aprender** to learn
**bastante** enough
**comprar** to buy
**la cosa** thing
**de** of, from, about
**difícil** difficult, hard
**donde** where
**¿ dónde?** where?
**en** in, on
**es** he (she, it) is
**escuchar** to listen (to)
**la escuela** school
   **a la escuela** to school
   **en la escuela** in (at) school
**el español** Spanish (*language*)
**estudiar** to study
**fácil** easy
**el francés** French (*language*)
**hay que** one must, it is necessary

**el hombre** man
**el inglés** English (*language*)
**interesantes** interesting
**la lección** lesson
**la lengua** language, tongue
**el libro** book
**el maestro** teacher
   **más** more, most
**la muchacha** girl
**el muchacho** boy
   **muchas** many, a lot of
   **mucho** much, a great deal
   **no** no, not
   **otro, otra** other, another
**para** (*plus infinitive*) to, in order to
**pero** but
**poco** little
**porque** because
**preparar** to prepare
**que** that, which, who, whom
**el señor** Mr.; sir; gentleman
   **tengo** I have, possess
   **un(o), una** a, an; one
**la universidad** university
   **voy** I go, am going

29

### La escuela

Voy a una escuela donde otros muchachos y muchachas y yo estudiamos muchas cosas interesantes. Una de las cosas más interesantes que estudio es el español. El español es muy difícil. Hay que estudiar mucho para aprender una lengua.

— ¿ Dónde estudia Vd. el español ?

— Estudio en la Universidad de Utah. Tengo dos libros, y ahora hay que comprar otro. ¿ Qué lengua habla Vd., señor ?

— Hablo bien el inglés pero no hablo otras lenguas. El alemán es muy difícil pero el francés es fácil.

— En la escuela tengo tres amigos: Pedro, José y Eduardo. Pedro y Eduardo aprenden muy poco porque no escuchan bastante al maestro.

— ¿ Preparan bien la lección Pedro y Eduardo ?

— No, señor. Compran libros pero estudian muy poco. José y yo preparamos bien la lección y en la escuela hablamos al maestro en español. El maestro habla tres lenguas. En casa los alumnos hablan mucho del maestro.

### Gramática

I. **Gender of nouns.** All nouns in Spanish are either *masculine* or *feminine*. It will seem strange at first to think of such things as a house, a table, or a door, as being feminine; or of a day, a book, or a month as being masculine. A reliable general rule for determining the gender of a noun is: *All nouns that refer to male beings are masculine:* **el hombre** (*the man*), **el señor** (*the gentleman; Mr.*); *and all nouns that refer to female beings are feminine:* **la señora** (*the lady; Mrs.*), **la madre** (*the mother*). The gender of most other nouns must be learned separately, but it will help to know that:

A. Nouns that are regularly masculine are:

1. Nouns ending in –o:

**el** maestro        **los** alumnos

The only important exception is **la mano** (*the hand*).

2. Days of the week, months of the year, and the seasons, except **la primavera** (*spring*):

| | | | |
|---|---|---|---|
| **el** domingo | *Sunday* | **el** otoño | *autumn, fall* |
| **el** mayo pasado | *last May* | | |

3. Names of languages:

      el inglés           el español

B. Nouns that are generally feminine are:

1. Most nouns ending in –a:

      la cosa           las familias

The most common exception is **el día** (*the day*).

2. Nouns that end in –ad, –ie, –ión, –ud, and –umbre:

      la verdad, la serie, la nación, la salud, la costumbre

These few rules do not cover all Spanish nouns. There are many more that do not fit any of the foregoing statements. The gender of those nouns will have to be learned separately.

II. **Negation.** The most common negative word in Spanish is **no** (*not*), which is placed before the verb:

      Juan **no** estudia el libro.
      **No** preparamos la lección.

III. **Contractions.** Spanish has only two contractions, and both involve the masculine singular definite article, **el.** When **el** follows **a,** i.e., **a** plus **el,** the two words combine to become **al.** When **el** follows **de,** i.e., **de** plus **el,** the result is **del**:

      Hablo **al** hombre.
      El libro **del** maestro.

Note that this applies only to the masculine singular form, **el** No other form of the definite article is affected:

      Voy **a la** escuela.
      El amigo **de los** hombres.
      Hablan **a los** alumnos.

IV. **Present indicative of *tener* (to have).**

| SINGULAR | PLURAL |
|---|---|
| tengo | tenemos |
| tienes | tenéis |
| tiene | tienen |
| Vd. tiene | Vds. tienen |

What is the subject of **tengo**? Of **tienen, tenemos, tienes**?

V. **Interrogation.** In questions, the subject, *if expressed*, follows the verb. If the subject is a noun, it usually follows noun objects and other words in the predicate, especially if they are shorter than the subject.

<table>
<tr><td>¿ Estudia bien María?</td><td>¿ Compra libros el maestro?</td></tr>
</table>

## *Ejercicios*

A. Read *La escuela* aloud at least twice. Accuracy first, then speed.

B. Practice pronouncing the following numerals. Learn them as you proceed.

| | | | |
|---|---|---|---|
| 11 | once | 16 | diez y seis (dieciséis) |
| 12 | doce | 17 | diez y siete (diecisiete) |
| 13 | trece | 18 | diez y ocho (dieciocho) |
| 14 | catorce | 19 | diez y nueve (diecinueve) |
| 15 | quince | 20 | veinte |

C. Read aloud, using one of the following: *el, la, los, las*. Explain your choice:

| | | | |
|---|---|---|---|
| 1. _____ familias | | 9. _____ canción |
| 2. _____ libro | | 10. _____ ciudad |
| 3. _____ cosa | | 11. _____ madre |
| 4. _____ francés | | 12. _____ virtudes |
| 5. _____ escuelas | | 13. _____ compasión |
| 6. _____ domingos | | 14. _____ italiano |
| 7. _____ hombre | | 15. _____ superficie |
| 8. _____ verano | | 16. _____ casas |

D. Does the gender of the nouns in *La escuela* follow the rules you have learned? Which ones do not?

E. Read the following sentences, choosing the correct form in each set of parentheses:

1. María habla (a los, a las, a la, al) alumno. 2. Juan compra el libro (de, de la, el, del) maestro. 3. Voy (al, la, a la, a las) escuela. 4. Pedro y José hablan (a los, los, al, la) muchacho. 5. Estudian (al, la, a la, a las) lección. 6. Vd. habla (del, de los, de la, de) muchacha. 7. El hombre estudia el libro (del, de los, a, de) alumnos. 8. Estamos en la casa (de, del, de la, el) amigo. 9. Compran (el, al, a la, del) libro. 10. Juan tiene el libro (de la, de, del, de los) maestro.

F. Conjugate aloud at least twice: *tener, preparar*.

G. The instructor will give orally some forms of *tener, comprar, escuchar, estar, estudiar, preparar*. Identify the subject of each form.

LECCIÓN SEGUNDA

H. Change to the singular:
1. Tenemos unos libros. 2. Vds. compran los libros. 3. Tienen unos amigos. 4. Hablan a los alumnos. 5. Preparan las lecciones. 6. Vds. compran los libros de los alumnos. 7. Hablamos a los muchachos.

I. Read the following, giving the proper verb form of the infinitive in parentheses:
1. Juan y María (estar) en Madrid. 2. Vd. y yo (tener) muchos amigos. 3. Eduardo (estudiar) en la escuela. 4. Yo (comprar) unos libros. 5. Vds. (preparar) la lección para mañana. 6. Juan y el maestro (escuchar). 7. Vd. (comprar) un libro de español. 8. Las muchachas (tener) dos libros. 9. José (estudiar) poco, y aprende poco. 10. El maestro (tener) diez alumnos.

J. Give the following sentences (1) in the negative; (2) as questions:
1. El maestro estudia el alemán. 2. Vds. hablan del maestro. 3. El español es muy difícil. 4. Hay que estudiar para hablar bien. 5. Los alumnos tienen tres libros. 6. María está en casa. 7. Pedro compra el libro. 8. Las muchachas estudian bien. 9. Vd. aprende el español. 10. El maestro prepara bien la lección.

K. Dictation of *La escuela.*

L. Review *La escuela.* Answer in Spanish:
1. Buenos días; ¿ cómo está Vd. ? 2. ¿ Qué estudia Vd. ? 3. ¿ Dónde tiene Vd. amigos ? 4. ¿ Qué estudia José ? 5. ¿ Estudia Vd. mucho ? 6. ¿ Qué lengua habla Vd. bien ? 7. ¿ Qué otras lenguas habla Vd. ? 8. ¿ Cómo hay que estudiar para aprender una lengua ? 9. ¿ De qué hablan Vds. en casa ? 10. ¿ Qué compran Pedro y Eduardo ? 11. ¿ Dónde prepara Vd. la lección ? 12. ¿ Qué lengua hay que estudiar más ? 13. ¿ Qué hay que comprar ahora ? 14. ¿ Cuántos (*How many*) amigos tiene Vd. en la escuela ? 15. ¿ Qué preparan Vds. para mañana ?

M. Give the Spanish for:
1. Hello! How goes it ? 2. Fine, thanks; I am going to school. 3. José and Eduardo have eleven friends. 4. Does Eduardo prepare the lesson ? 5. José studies very little. 6. Pedro talks a great deal. 7. At home we talk to the family. 8. We are buying books. 9. I do not speak of the teacher at home.

# Lección 3

## LA CASA

### VOCABULARIO

agradable agreeable, pleasant
la alcoba bedroom
allí there
el aparato de radio radio set
aquí here
así thus, so
el Brasil Brazil
la cama bed
la casa house
la cocina kitchen
el comedor dining room
¿ cómo? how?
cómoda comfortable (f.s.)
cómodos comfortable (m.pl.)
con with
el cuarto room
el cuarto de baño bathroom
charlar to chat
dar to give
grande large, big (s.)
grandes large, big (pl.)
hay there is, there are
hermosa beautiful (f.s.)
la hora hour

ir a (plus infinitive) to be going to
la luz light
la mesa table
mi my (s.)
o or
pasar to pass, spend
la puerta door
la radio radio
la sala parlor, living room
la señora Mrs.; lady; madam
la señorita Miss; young lady
sí yes
la silla chair
el sofá sofa, couch
son they are
también also, too
¿ va Vd.? do you go? are you going?
la ventana window
veo I see
visitar to visit
viven they, you (Vds.) live
vivimos we live

### La casa

Mi familia y yo vivimos en una casa muy hermosa.
La casa no es muy grande, pero es muy cómoda. Tiene cuatro alcobas,
una sala, un cuarto de baño, una cocina y un comedor. En las alcobas

34

hay camas y sillas; en la sala hay sillas, sofás, una mesa y un aparato de radio. También hay otra mesa en el comedor y más sillas. La casa tiene dos puertas y muchas ventanas. Todos los cuartos son muy cómodos, y no es difícil estudiar allí porque cuando preparo mis lecciones hay mucha luz y veo muy bien. La casa del señor Gómez es más grande y tiene tres puertas y muchas más ventanas. Él y la señorita Gómez están ahora en el Brasil, pero cuando están aquí charlamos y escuchamos la radio; así las dos familias pasamos muchas horas agradables en la sala. Yo también voy a visitar el Brasil.

## Conversación

*Dos amigas, Elena y Marta, charlan.*

— ¿ Dónde vive Vd., Elena ?

— Mi familia y yo vivimos en una hermosa casa. No es muy grande pero es cómoda.

— ¿ Cuántos cuartos tiene ?

— La casa tiene cuatro alcobas, una sala, un comedor, un cuarto de baño y una cocina con despensa. En las alcobas hay camas y sillas; en la sala hay sillas, sillones, dos sofás, un aparato de radio y una mesa. En el comedor también hay una mesa, pero más grande, y muchas sillas.

— ¿ Hay ventanas en la casa ?

— Sí, muchas ventanas y también dos puertas.

— ¿ Es difícil estudiar en la casa ?

— No; todos los cuartos son cómodos, y no es difícil estudiar allí, porque cuando preparo mis lecciones hay mucha luz y veo muy bien.

— ¿ Son grandes todas las casas aquí ?

— La casa del señor López es más grande y tiene tres puertas y muchas ventanas.

— ¿ Está aquí ahora el señor López ?

— No. Él y la señorita López están en el Brasil, pero cuando están aquí charlamos y escuchamos la radio. Y así las dos familias pasamos muchas horas agradables en la sala. Yo también voy a visitar el Brasil para estudiar el portugués.

— El portugués no es difícil para los alumnos que estudian el español.

— El español no es difícil, pero hay que estudiar mucho para aprender el portugués y el español.

— ¿ Habla bien las dos lenguas el señor López ?

— Sí. Ahora está en Río de Janeiro y habla portugués todos los días con unos amigos. En casa habla español.

## VOCABULARIO SUPLEMENTARIO

*Did you guess the meaning of these words correctly?*

la **despensa** pantry  
**para** for  
**pasadas** past (*f.pl.*)  
**poder** to be able; can  

el **portugués** Portuguese (*language*)  
el **sillón** armchair  
**Sud América** South America  
**todos los días** every day  

### Gramática

I. **Uses of the definite article.** The definite article in Spanish is used oftener and in more ways than in English. Most important of these uses are:

A. With the name of a language, except when the name of the language follows some form of the verb **hablar**,[1] or the prepositions **de** or **en**:

> **El español** es una lengua importante.  
> Vd. lee (*read*) **el inglés**.

But:

> ¿ Habla Vd. **español**?  
> No hablamos **alemán**.  
> Tengo el libro **de español**.  
> Habla **en francés**.

However, the definite article is necessary even after **hablar** when the name of the language is strongly emphasized or when a word or phrase other than the subject pronoun (see the third example below) comes between **hablar** and the name of the language. Compare:

> Juan habla **alemán**. (General usage)  
> María habla **el alemán**. (Strong emphasis)  
> Vd. habla muy bien **el español**. (Intervening phrase)

B. With a noun spoken of in a broad, general way:

> **Los alumnos** (*in general*) pasan muchas horas en la escuela.  
> **La radio** es muy interesante.

[1] Some Spanish-speaking people drop the definite article with the name of a language after *estudiar* and *aprender*, also.

C. Before titles such as **señor** (*Mr.*), **profesor,** etc., except when speaking directly to the person who has such a title:

Speaking about:

> **El general** Wáshington.
> **El profesor** Sánchez.
> **El señor** Pérez no está aquí.

Speaking directly to:

> ¿ Qué tal, **señor** García ?

D. With the names of certain countries and cities. These will have to be memorized: **los Estados Unidos, la China, la Habana, el Canadá, el Japón, el Ecuador,** and all other South American countries except Bolivia, Chile, Colombia, and Venezuela.

E. With the name of any country, continent, or other geographical name, when it is modified:

> **La España** (*Spain*) moderna.

F. The definite article is used instead of the possessive adjective when talking about parts of the body and personal clothing if the possessor is clearly understood.

Juan tiene **el** sombrero en **la** mano.   John has his hat in his hand.

But:

**Su** sombrero está en la mesa.     His hat is on the table. (*Possessor not clearly understood.*)

**II. Possession.**   To express possession (e.g., *John's,* etc.) in Spanish, the preposition **de** is used, followed by the name of the possessor:

> El libro **de María.**
> El maestro **de Juan.**

**III. Personal** *a.*   In addition to its function as a preposition, **a** has a special use peculiar to Spanish. **A** must be used before a noun which is the *direct object* of a verb referring to or naming a *definite person.* It is also placed before an unmodified geographical name used as the direct object of a verb. It has no literal meaning in either of these cases. Personal **a** is usually omitted after **tener.** Study:

> Visitamos **a los alumnos.**
> Veo **a Juan.**
> Vd. visita **a París.**

But:

> Tiene **muchos amigos.**
>
> Visita **la Habana.**

IV. *Dar, ir,* and *ver.* The present indicative of the irregular verbs **dar, ir,** and **ver:**

| SINGULAR | PLURAL |
|---|---|
| **dar** (to give) | |
| doy | damos |
| das | dais |
| da | dan |
| Vd. da | Vds. dan |
| **ir** (to go) | |
| voy | vamos |
| vas | vais |
| va | van |
| Vd. va | Vds. van |
| **ver** (to see) | |
| veo | vemos |
| ves | veis |
| ve | ven |
| Vd. ve | Vds. ven |

What is the subject of **damos, van, veo, doy, va, ven, dan?**

### *Ejercicios*

A. Read *La casa* aloud at least twice for pronunciation.

B. Practice pronouncing the following numerals. Learn to count from 21 to 30.

21  veinte y uno (veintiuno)
22  veinte y dos (veintidós)
23  veinte y tres (veintitrés)
24  veinte y cuatro (veinticuatro)
25  veinte y cinco (veinticinco)
26  veinte y seis (veintiséis)
27  veinte y siete (veintisiete)
28  veinte y ocho (veintiocho)
29  veinte y nueve (veintinueve)
30  treinta

LECCIÓN TERCERA

C. Read the following with or without one of the words in parentheses, as is necessary:

1. El maestro (de, del) francés está en el salón. 2. Juan aprende (el) inglés. 3. Juan da un libro (de, del) alemán (a, al) señor Gómez. 4. ¿ Tiene Vd. un amigo en (la) Habana ? 5. (Los) alumnos son interesantes. 6. María prepara la lección (de, del) francés; estudia dos lenguas, (el) francés y (el) alemán. 7. ¡ Hola (el) señor Martínez ! ¿ Qué tal ? 8. (Los) hombres son muy inteligentes. 9. ¿ Hablan Vds. inglés con (la) señora González, o con (el) profesor de Juan ? 10. Vds. hablan muy bien (el) inglés, pero no estudian la lección (de, del) español.

D. Use *de* to show that the items in A belong to the persons in B.

e.g.        A              B

    el libro        María

        el libro *de* María

| A | B |
|---|---|
| 1. el amigo | 1. Juan |
| 2. los libros | 2. María |
| 3. el maestro de español | 3. Felipe |
| 4. la silla | 4. el hombre |
| 5. los cuartos | 5. los alumnos |
| 6. la mesa | 6. mi amigo |
| 7. el sofá | 7. el señor Pérez |
| 8. la cama | 8. el muchacho |
| 9. el profesor | 9. la muchacha |
| 10. la radio | 10. Pedro |

E. Read with or without *a* as required. Make all necessary contractions.

1. No voy a visitar (a) Juan. 2. Pedro y Martín tienen (a) dos amigos. 3. Vamos a estudiar (a) la lección. 4. Doy un aparato de radio (a) el profesor Sánchez. 5. Van a escuchar (a) mi maestro. 6. No vemos (a) el profesor Mallo. 7. ¿ Escucha Vd. (a) mi amigo, Pedro ? 8. ¿ Va Vd. a aprender (a) el inglés ? 9. Veo (a) María. 10. ¿ Compra Vd. (a) una mesa ?

F. Conjugate aloud at least twice: *pasar, ir, dar, charlar, ver.*

G. The instructor will give orally various forms of *pasar, ir, dar, charlar, tener, estar,* and *visitar.* Identify the subject and infinitive of each form.

H. Pronounce each verb form and give its infinitive:

1. damos  2. compran  3. aprende  4. charlamos  5. estoy  6. Vds. pasan  7. doy  8. tienen  9. va  10. aprenden

I. Give the proper form of the infinitive in parentheses:
   1. El alumno (charlar) con el maestro. 2. Luisa y yo (ir) a Barcelona.
   3. Vds. (ver) el aparato de radio. 4. El muchacho (visitar) a Eduardo.
   5. Vd. (dar) el libro a José. 6. ¿ Dónde (estar) los alumnos ? 7. La
   casa de Pedro (tener) tres alcobas. 8. ¿ (Ver) Vd. a Juan ? 9. Yo (ir)
   a estudiar mi lección de español. 10. ¿ Qué (dar) Vds. a Luisa ?

J. Give the following sentences (1) changing subject and verb to the plural
   if possible, (2) in the negative, (3) as questions:
   1. El amigo de Juan tiene un aparato de radio. 2. Hay dos ventanas
   en la cocina. 3. Vd. habla mucho cuando está en el comedor. 4. El
   profesor compra un libro. 5. Voy a dar una silla al hombre. 6. El
   hombre está en la cocina. 7. El muchacho ve al maestro. 8. Ella visita
   a Luisa. 9. El alumno estudia mucho. 10. María charla con un amigo.

K. Dictation of *La casa*.

L. Review *La casa*. Answer in Spanish:
   ✓ 1. ¿ Dónde vive Vd. ? 2. ¿ En qué cuartos están las camas ? 3. ¿ Cuántas (*How many*) cocinas hay en la casa ? 4. ¿ Tiene dos o tres puertas
   la casa del señor Gómez ? 5. ¿ Dónde está la señorita Gómez ahora ?
   6. ¿ Qué escuchan Vds. con la señorita Gómez ? 7. ¿ Quién (*Who*) visita
   el Brasil ahora ? 8. ¿ Dónde prepara Vd. la lección ? 9. ¿ Qué hay en
   la cocina ? 10. ¿ Tiene Vd. una casa muy grande ? 11. ¿ Hay una alcoba
   en la casa donde vive Vd., o hay más ? 12. ¿ Dónde pasan Vds. la noche
   (*night*) ? 13. ¿ En qué cuarto hay una luz ? 14. ¿ Cuántos aparatos
   de radio tiene Vd. ?

M. Give the Spanish for:
   1. My house has many doors. 2. There are four windows in the dining
   room. 3. José and I are going to visit Havana. 4. Where is Mr. Gómez's house ? 5. Do you talk about (of) Canada at school ? 6. Eduardo
   is visiting Miss García. 7. Mrs. González is not in Ecuador now. 8. I
   study Spanish in my bedroom.

*Standard Oil Co. (N.J.)*

Gateway to Cartagena, Colombia. Cartagena proves its age by being a walled city, like many in Europe. In such cases, gates like this were the only way of reaching the outlying regions. The overhead light fixture gives an interesting contrast between the old and the new.

A sailboat on the Río San Juan, near Boca de Caripe, in eastern Venezuela. Many of the waterways of Venezuela are navigable.

# Lección 4

## LA FAMILIA

### VOCABULARIO

la **abuela** grandmother
el **abuelo** grandfather
los **abuelos** grandfathers; grandparents
la **América del Sur** South America
**aprender a** (*plus inf.*) to learn to
**comemos** we eat
**como** since; like
**entre** between, among
**escribir** to write
**famoso, –a** famous
la **hermana** sister
el **hermano** brother
los **hermanos** brothers; brothers and sisters
la **hija** daughter
el **hijo** son
los **hijos** sons; children
la **madre** mother
**me llamo** my name is
**mis** my (*pl.*)
**nosotros** us (*m.; obj. of preposition*)
**nuestro, –a** our
**olvidar** to forget
el **padre** father
los **padres** fathers; parents
el **país** country
**para** for
¿ **por qué?** why?

la **pregunta** question
la **prima** cousin (*f.*)
el **primo** cousin (*m.*)
los **primos** cousins (*m.pl.; or m. and fem. combined*)
**pronunciar** to pronounce
**responder** to answer
el **restaurante** restaurant
la **salud** health
**se llama** his (her, your, its) name is
**se llaman** their (your) names are
los **tíos** uncles; uncle(s) and aunt(s)
**toda** all (*f.*)
**todavía** still, yet
los **vecinos** neighbors (*m.pl.*)
**viejo, –a** old
**vive** he (she, it) lives; you (**Vd.**) live
**vivo** I live

### MODISMOS (Idioms)
**acabar de** (*plus inf.*) to have just
**cerca de** near
**estar bien de salud** to be in good health, well
**muchas veces** often, many times
**no hay que** (*plus inf.*) one must (should) not
**ya no** no longer

43

## La familia

Vivo con mis padres y mis hermanos en una casa que mi padre acaba de comprar cerca de la escuela. Tengo un hermano y dos hermanas. Mi hermano se llama Juan y mis hermanas se llaman María y Elena; yo me llamo Felipe. Mi padre se llama Ernesto y mi madre se llama Dorotea. María, Elena, Juan y yo vamos a la escuela con los hijos de nuestros vecinos. Aprendemos a escribir y a pronunciar bien el español; y para responder bien a las preguntas del maestro hay que estudiar las lecciones. Como mi abuelo ya no vive, mi abuela vive con nosotros. Ella es muy vieja, pero todavía tiene muy buena salud. ¡ No hay que olvidar que toda mi familia está bien de salud! También tengo dos tíos y unos primos, pero no viven aquí. Uno de mis primos está en Chile, que es un país muy famoso de la América del Sur, como el Brasil y el Perú. Cuando mis tíos y mis primos están con nosotros, comemos muchas veces en un restaurante famoso. El restaurante está entre nuestra casa y la escuela.

## Conversación

— ¡ Hola ! ¿ Qué tal, Felipe ? ¿ Cómo están de salud en casa ? ¿ Dónde viven Vds. ahora ?

— Mi familia está muy bien, gracias. Ahora vivimos en la casa que mi padre acaba de comprar.

— ¿ Cuántos hermanos tiene Vd. ?

— Tengo un hermano y dos hermanas. Él se llama Juan, y ellas, María y Elena. Mi padre se llama Ernesto y mi madre se llama Dorotea. Somos seis en la familia.

— ¿ Cuántos van a la escuela ?

— María, Elena, Juan y yo, vamos a la escuela con los hijos de nuestros vecinos.

— Veo que Vds. son buenos amigos. ¿ Qué estudian ahora ?

— Aprendemos a escribir y a pronunciar bien el español. Hay que estudiar mucho para poder responder bien a las preguntas del maestro. No hay que olvidar que las lecciones son difíciles.

— ¡ Ah ! Y ¿ cómo están los abuelos ?

— Ahora, como mi abuelo ya no vive, mi abuela está con nosotros. Es muy vieja, pero tiene buena salud. Tengo también tres tíos y unas primas, pero no viven aquí. Uno de mis tíos vive en Chile, otro en el Perú, y otro está en el Brasil. El maestro habla todos los días de Chile, que es uno de los países más famosos de Sud América.

## VOCABULARIO SUPLEMENTARIO

*Did you guess the meaning of these words correctly?*

bueno, –a, –os, –as  good
¿ cuántos?  how many (*adj., m.pl.*)
poder (ue)  to be able; can

## Gramática

I. **Present indicative endings of regular verbs.**  There are three classes of regular verbs in Spanish, which are identified by the endings of their infinitives, thus: –ar, –er, –ir. The present indicative of all three is formed in the same way: stem plus personal ending. The personal endings for each class are as follows:

| | SINGULAR | PLURAL |
|---|---|---|
| –ar: | –o, –as, –a | –amos, –áis, –an |
| –er: | –o, –es, –e | –emos, –éis, –en |
| –ir: | –o, –es, –e | –imos, –ís, –en |

The same three variations in meaning given for each form of **hablar** (page 24), apply to the present indicative of all verbs in Spanish. Typical –er and –ir verbs are **comer** and **vivir**:

| comer | | vivir | |
|---|---|---|---|
| como | comemos | vivo | vivimos |
| comes | coméis | vives | vivís |
| come | comen | vive | viven [1] |

II. **Agreement of adjectives.**  Adjectives must agree in both gender and number with the noun they modify.

tres cuartos **cómodos**     una casa **hermosa**     unos libros **interesantes**

A. The feminine form of an adjective is obtained thus:
  1. When the masculine singular of an adjective ends in –o, the –o is changed to –a in the feminine:

| MASCULINE | FEMININE |
|---|---|
| el libro **hermoso** | la silla **hermosa** |

[1] Since *Vd.* and *Vds.* use the same verb forms as the third person, only six forms will be given hereafter.

2. All adjectives that show nationality end in –a in the feminine:

| MASCULINE | FEMININE |
|---|---|
| un amigo **español** | una casa **española** |
| un maestro **italiano** | una mesa **italiana** |

Note that the adjectives of nationality are not capitalized, but that the name of the country must be: **español** (*adj.*), but **España**.

3. Most adjectives whose masculine singular ends in –**án**, –**ín**, –**ón**, or –**dor**, form the feminine by adding –a.

| MASCULINE | FEMININE |
|---|---|
| **alemán** | **alemana** |
| **hablador** | **habladora** |
| un restaurante **alemán** | una casa **alemana** |
| un hombre **hablador** | una hermana **habladora** |

4. In all other cases, the masculine and feminine forms are the same:

| MASCULINE | FEMININE |
|---|---|
| **difícil** | **difícil** |
| **interesante** | **interesante** |
| un libro **difícil** | una lección **difícil** |

B. When an adjective modifies two or more nouns representing both genders, the masculine plural is generally used (see below, Plural of Adjectives):

(see below, Plural of Adjectives)

Pedro y María son **españoles**.

III. **Plural of adjectives.** Adjectives ending in a vowel form their plural by adding –**s**; the plural of those ending in a consonant is formed by adding –**es**:

| SINGULAR | PLURAL |
|---|---|
| hermoso | hermosos |
| hermosa | hermosas |
| español | españoles |
| española | españolas |
| interesante | interesantes |

IV. **Possessive adjectives.** Like other adjectives in Spanish, the possessive adjectives must agree in gender and number with the noun they modify. They agree with the person or thing *possessed* and not with the possessor. The following forms of the Spanish possessive adjectives regularly precede the noun:

| SINGULAR | PLURAL | |
|---|---|---|
| mi | mis | my |
| tu | tus | your |
| su | sus | his, her, your, its |
| nuestro, –a | nuestros, –as | our |
| vuestro, –a | vuestros, –as | your |
| su | sus | their, your |

| | |
|---|---|
| mi libro | mis libros |
| nuestro cuarto | nuestros cuartos |
| su casa | sus casas |

V. **Two special forms.** The word **y** becomes **e** before words beginning with **i** or **hi** (but not **hie**). Likewise, the word **o** becomes **u** before words beginning with **o** or **ho**.

padres **e** hijos        siete **u** ocho

VI. **Verbs taking prepositions before infinitives.** Some Spanish verbs require a preposition before a following infinitive. This includes most verbs of motion, and certain other verbs which should be memorized as they appear in the vocabulary.

ir **a** *plus infinitive:*        Voy **a** comprar un sombrero.
aprender **a** *plus infinitive:*  Aprendemos **a** hablar español.
tratar **de** *plus infinitive:*   Trato (*I try*) **de** preparar la lección.

*Note:* The infinitive form of the verb is regularly used after prepositions in Spanish. This is true even in those cases where English uses the present participle:

Estudio para **aprender.**
Acabo de **comer.**
Vd. va a **olvidar.**

Al **ir** a casa. *On* going *home.*

BEGINNING SPANISH COURSE

## Ejercicios

A. Read *La familia* aloud at least twice for pronunciation.

B. Conjugate aloud: *aprender, olvidar, pronunciar, acabar, escribir, comer.*

C. The instructor will give various forms of the above-mentioned verbs. Identify the subject of each form.

D. Give the proper form of the infinitive in parentheses:
1. Juan y María (escribir) la lección de español. 2. Vd. (estudiar) en casa. 3. Nosotros (comer) en un restaurante. 4. María y yo (acabar) de hablar de Felipe. 5. ¿ Dónde (vivir) sus primos ? 6. ¿ (Responder) Vds. en alemán ? 7. La hermana de mi padre (escribir) bien en dos lenguas. 8. José, Pedro y yo (pronunciar) bien el español, pero no (estudiar) mucho. 9. Yo (ir) a (ver) a mi hermano. 10. Los hijos del tío Juan no (estar) aquí. 11. Hay que pronunciar bien para (hablar) bien. 12. No aprendemos a (escribir) el español. 13. ¿ (Tener) buena salud su tío ? 14. Pedro (olvidar) su libro en casa. 15. Los alumnos no (responder) a las preguntas del maestro.

E. Change the following adjectives to (1) feminine singular, (2) masculine plural, (3) feminine plural:

| | | |
|---|---|---|
| 1. largo | 6. verde | 11. europeo |
| 2. grande | 7. alemán | 12. inglés |
| 3. fácil | 8. azul | 13. amarillo |
| 4. encantador | 9. primero | 14. guitón |
| 5. bueno | 10. pobre | 15. conquistador |

F. Give the masculine singular of the following adjectives:

| | | |
|---|---|---|
| 1. muchas | 6. poca | 11. contentos |
| 2. blancos | 7. importante | 12. sudamericanas |
| 3. verdes | 8. rápidas | 13. alegre |
| 4. nuestros | 9. tercera | 14. habladores |
| 5. su | 10. compradora | 15. difícil |

G. In giving each of the groups below, change the adjectives in parentheses to the correct form:
1. unos (bueno) alumnos (español) 2. casas (grande) y (hermoso) 3. dos amigos (alemán) 4. libros (largo) e (interesante) 5. (mucho) lecciones (fácil) 6. la (primero) casa (blanco) 7. un maestro (grande) e (inteligente) 8. lenguas (difícil) 9. una mesa (rojo) y (azul) 10. una hija (hablador)

H. Read in the plural:
1. mi libro 2. su casa 3. nuestra prima 4. tu padre 5. nuestro hermano 6. mi amiga 7. su maestro 8. nuestro abuelo 9. su primo 10. mi hijo

LECCIÓN CUARTA

I. Use the appropriate form of the possessive adjective corresponding to
the subject pronouns in parentheses.

e.g.     (yo)        _____ libros        *mis* libros
         (nosotros) _____ hermano      *nuestro* hermano

1. (yo)        _____ primos       6. (yo)        _____ abuelo
2. (Vd.)       _____ casa         7. (ella)      _____ hermanos
3. (ellos)     _____ cuarto       8. (Vds.)      _____ padre
4. (nosotros)  _____ tíos         9. (nosotros)  _____ cama
5. (tú)        _____ amigos      10. (él)        _____ profesores

J. Dictation of *La familia.*

K. Review *La familia.* Answer in Spanish:
1. ¿ Dónde está el Perú ?  2. ¿ Qué acaba de comprar mi padre ?
3. ¿ Cómo se llama la madre de la familia ?  4. ¿ Dónde comen Vds.
muchas veces ?  5. ¿ Cómo se llama uno de los restaurantes que hay
aquí ?  6. ¿ Qué hay entre la casa y la escuela ?  7. ¿ Cómo está su
abuela ?  8. ¿ Cómo se llaman dos países de la América del Sur ?  9. ¿ Qué
aprende Vd. en la escuela ?  10. ¿ Cuántos hermanos tiene Vd. ?
11. ¿ Dónde viven sus tíos ?  12. ¿ Por qué hay que estudiar las lecciones ?  13. ¿ Qué es un primo ?

L. Conjugate, making any necessary changes in possessive adjectives:
1. Acabo de escribir a mi primo.    3. Estoy bien de salud.
2. Aprendo a hablar español.        4. Voy a visitar a mi padre.

M. Prepare two short sentences using each of the following: *acabar de, cerca
de, muchas veces, ya no.*

N. Prepare five statements to be given orally about one of the following:
  1. *Mi familia.*
     (Is it large ?  Where do you live ?  How many persons are there in it ?
     Do you have any brothers and sisters ?  What's your father's name ?
     What's your name ? etc.)
  2. *La casa.*
     (Is it near here ?  Is it large or small ?  How many rooms has it ?
     What is there in your room ?  Where do you study ?  Do you have a
     radio in your room ? etc.)

O. Give the Spanish for:
1. Our sisters go to school with us.  2. My grandparents speak Spanish
very well.  3. Mrs. Moreno's children are very agreeable.  4. Many
families have ten or eleven children.  5. Eduardo has just written his
lessons.  6. Mr. Flores is our neighbor, because he lives near us.  7. He
is learning to speak two languages.  8. The lessons are difficult but
interesting.  9. The daughters of our uncle and aunt are our cousins.
10. Grandfathers are often very old.

Family washing, old style, at a village near Tlaxcala, just to the east of Mexico City. Clothes are usually spread on the ground or on bushes to dry.

Oxcart used for hauling cargo to and from planes at Liberia airport, Costa Rica.

Sailboat in the harbor of Cartagena, Colombia. This old city was an outstanding port during colonial days. The Spanish referred to it as Cartagena de Indias (New-World Cartagena), to avoid confusion with the Cartagena in southeastern Spain.

*H. Armstrong Roberts*

Stilted Indian huts near Maracaibo, Venezuela. Dwellings of this type are said to have given Venezuela its name. Tradition has it that these buildings on piles reminded early Spanish explorers of the houses rising from the water in Venice (Venecia). As a result, they called the region "Little Venice," or Venezuela.

*Gendreau*

# NUESTRA CIUDAD

## VOCABULARIO

aburrido, –a bored
alegre happy
algo something
el autobús bus
bastante enough, quite a bit
bastantes quite a few (*pl.*)
la biblioteca library
bonito, –a pretty
buen(o), –a good
el camión truck
cansado, –a tired
el centro center, downtown
el cine movies
la ciudad city
el coche car, automobile
la comida meal
durante during
él (*obj. of preposition*) it, him
enfermo, –a ill, sick
excelente excellent
generalmente generally, usually
el habitante inhabitant
el hospital hospital
interesante interesting

el médico doctor (M.D.)
mejor (*adj.*) better, best
molestar to bother
el parque park
pequeño, –a small, little
la persona person
posible possible
que than
rico, –a rich
el ruido noise
seguro, –a sure
si if
siempre always
tan (*before adj. or adv.*) so
el tranvía street car

## MODISMOS

a pesar de (ser, etc.) in spite of (being, etc.)
en fin in short
es preciso it is necessary
estar de venta to be for sale (on sale)
fuera (de) outside (of)
lejos de far from

## *Nuestra ciudad*

Nuestra ciudad no es muy grande, pero está cerca de otras ciudades que son grandes y donde viven unos amigos nuestros. Vamos a las otras ciudades cuando es preciso comprar algo que no está de venta aquí. Los habitantes de nuestra ciudad no son muy ricos, pero generalmente están alegres. A pesar de ser tan pequeña nuestra ciudad es bastante interesante. Si uno está aburrido, siempre es posible ir al cine o a uno de los hermosos parques. En el centro de la ciudad hay una biblioteca que tiene bastantes libros. Es muy fácil ir a la biblioteca. Fuera del centro hay un buen hospital y en él muy buenos médicos. El hospital está lejos del centro de la ciudad porque allí hay mucho ruido durante el día — ruido de coches, tranvías, camiones y autobuses —; y el ruido molesta a las personas que están enfermas o cansadas. También hay en la ciudad restaurantes excelentes donde las comidas son siempre buenas. En fin, tenemos una ciudad muy bonita, y estoy seguro de que es mejor que muchas otras que son más grandes.

### Conversación

— ¿ Está Vd. cansado, Ricardo ?

— Sí, amigo mío; estoy aburrido y cansado. Esta ciudad es tan pequeña. Además mi hermano está enfermo en el hospital. Los médicos son muy buenos con él.

— ¿ Es fácil ir al hospital ?

— No; porque está fuera del centro de la ciudad. Está bastante lejos, porque en el centro durante el día, hay ruido de coches, tranvías, camiones y autobuses que molesta a los enfermos.

— Bueno; ahora yo voy a la biblioteca. Es preciso estudiar algo para mañana.

— ¿ Es muy importante la biblioteca de aquí ?

— No; es bastante pequeña y no es bonita, pero tiene excelentes libros.

— Es interesante — dice Ricardo — ver a los habitantes de esta ciudad; generalmente, a pesar de vivir en una ciudad tan pequeña, todos están siempre alegres.

— Es verdad; no son ricos, pero tienen cines y hermosos parques, y su biblioteca y sus restaurantes son excelentes.

— En fin, tienen una ciudad bonita y estoy seguro de que es mejor que muchas otras que son más grandes.

— Vd. tiene razón. Las ciudades grandes no son siempre interesantes, y hay bastantes ciudades pequeñas que son muy bonitas.

— Mi hermano dice que los médicos de esta ciudad son famosos, y además, que tiene una universidad importante.

— Sí, es verdad. Recuerdos a su hermano. Hasta la vista.

## VOCABULARIO SUPLEMENTARIO

*Did you guess the meaning of these words correctly?*

**además** moreover, besides　　　　**dice** (he, she) says; you (**Vd.**) say
**esta** this (*demon. adj., f.s.*)　　　**es verdad** it is true
**bueno** all right, O. K.

### Gramática

I. *Ser* and *estar*. *To be* is expressed in Spanish by two different verbs, **ser** and **estar**. Present indicative:

| ser | | estar | |
|---|---|---|---|
| soy | somos | estoy | estamos |
| eres | sois | estás | estáis |
| es | son | está | están |

Since Spanish has two verbs which mean *to be*, it is difficult at times to decide which one to use. There are certain rules, however, which cover the majority of cases and if learned thoroughly and applied carefully should aid greatly in deciding which of the two verbs should be used in each case.

A. Specific uses of **ser** are:
1. Between the subject and a noun or pronoun, or between the subject and another part of speech used as a noun:

> Mi primo **es** un alumno inteligente.
> Estudiar **es** aprender.

Note that the pronoun subject of a verb is often omitted in Spanish (this is particularly true of the subject pronoun *it*, which is seldom expressed), so that only the verb and a "predicate nominative" remain. In this case, the Spanish verb must agree in person and number with a following noun or pronoun:

| | |
|---|---|
| **Son** amigos interesantes. | They are interesting friends. |
| **Soy** yo. | It is I. |
| **Es** él. | It is he. |
| **Somos** nosotros. | It is we. |
| **Son** Vds. | It is you. |

2. In many impersonal expressions:

**Es** posible.　　　**Es** probable.　　　No **es** necesario.

A common exception is: **está bien** (*it's all right*).

3. To show origin (including nationality), ownership, or material of which something is made:

> **Somos** de los Estados Unidos.
> El libro **es** de (*belongs to*) María.
> Nuestra casa **es** de madera (*wood*).

4. Before an adjective describing a quality which is thought of as being permanent, or characteristic of the noun described:

> La silla **es** muy cómoda.　(A characteristic of the chair, because of the way it is made.)
> La casa **es** grande.　　　(The size of the house is a permanent characteristic of it.)

**Ser** is generally used with **rico, pobre** (*poor*), **joven** (*young*), **viejo.** Memorize these adjectives.

> El señor Gómez **es** pobre.
> Ella **es** vieja, él **es** joven.
> No **somos** ricos.

B. Principal uses of **estar** are:

1. To show the location or position of someone or something:

> Madrid **está** en España.
> Pedro no **está** aquí.
> ¿ Dónde **están** Juan y María ?

2. Before an adjective to indicate a condition or quality considered to be temporary or accidental:

> María **está** enferma.
> La puerta **está** abierta (*open*).
> ¿ Cómo **está** Vd. ?

C. Some adjectives have different meanings, depending upon whether they are used with **ser** or **estar.** The following are some of the most common:

| | *with* **ser** | *with* **estar** |
|---|---|---|
| **aburrido** | boring | bored |
| **alegre** | happy (*of a happy disposition*) | happy (*for the time being*) |
| **bueno** | good, kind | well (*in good health*) |

| cansado | dull, tiresome | tired |
|---------|----------------|-------|
| listo | quick, alert, clever | ready |
| malo | bad (*in character or quality*) | ill (*in poor health*) |

II. **Possessive adjectives, stressed forms.** Spanish has two different sets of forms of the possessive adjective: those which regularly stand before a noun (unstressed forms), which were introduced in Lección 4, page 47, and those which follow the noun (stressed forms). Study and compare:

| UNSTRESSED | | | STRESSED | | |
|------------|--|--|----------|--|--|
| *Singular* | *Plural* | | *Singular* | *Plural* | |
| mi | mis | my | mío, –a | míos, –as | my; of mine |
| tu | tus | your | tuyo, –a | tuyos, –as | your; of yours |
| su | sus | his, her, your | suyo, –a | suyos, –as | his, her, your; of his, of hers, of yours |
| nuestro, –a | nuestros, –as | our | nuestro, –a | nuestros, –as | our; of ours |
| vuestro, –a | vuestros, –as | your | vuestro, –a | vuestros, –as | your; of yours |
| su | sus | their, your | suyo, –a | suyos, –as | their, your; of theirs, of yours |

The unstressed forms are simpler and are more commonly used. However, the stressed forms must be used in such expressions as **amigo mío** when one is speaking directly to the person in question, and also in expressing *of mine,* etc.

> **Nuestra** hermana tiene **sus** libros.
> ¿ Ve Vd. a Juan, amigo **mío** ? (speaking directly to someone)
> María es una hermana **mía.** ("of mine")

**Su, sus, suyo,** etc., as may be seen from the above, can refer to any one of several possessors. To make the reference clear, replace **su, sus** by the definite article and **de él, de ella, de Vds.,** etc.; and **suyo,** etc., simply by **de él, de Vd.,** etc. Compare the following examples:

> su casa     *or:* **la** casa **de él (de Vd., de ellos,** etc.)
> sus amigos     *or:* **los** amigos **de él (de Vd., de ella,** etc.)

> un libro **suyo**    *or:* un libro **de él (de Vd., de ellas,** etc.)
> unos tíos **suyos** *or:* unos tíos **de él (de Vd., de ellos,** etc.)

## Ejercicios

A. Read *Nuestra ciudad* aloud at least twice for pronunciation.

B. Review the rules for the pronunciation of *e* and *o*. Pronounce:

| | | | | |
|---|---|---|---|---|
| cierro | cola | den | roja | Carlos |
| oveja | costar | servir ˏ | tela | peina |
| corría | quiero | ojo | seguía | soldado |
| dejo | ponga | color | reinaba | manteles |

Elena perdió el queso que yo le compré anoche.
Usted no me deja entrar por la puerta de abajo, sino por la ventana.
El hijo de su hermano no es inteligente, porque salió corriendo sin cerrar la puerta.

C. Select the verb form or forms which correctly complete the meaning of each sentence.

1. Mi tío (es, está, estamos) maestro, y (tiene, tengo) muchos alumnos.
2. Juan (vive, vivo) con sus dos hermanas. Ellas (está, son, están) enfermas. 3. ¿ De dónde (está, es, soy) Pedro ? 4. María no (es, son, está) una alumna buena, porque no (escucha, escucho) al maestro.
5. El libro (está, es, son) en la mesa. 6. El maestro (vive, viven) en una casa que (es, está, están) grande y hermosa. 7. Pedro y yo (voy, vamos, va) a Nueva York, porque su padre (es, está, estamos) allí.
8. Cuando yo (soy, está, estoy) en la escuela, (está, es, son) preciso responder a las preguntas del maestro. 9. ¿ Dónde (está, es, estamos) el alumno que siempre (olvido, olvida) sus libros ? 10. María (es, está, estamos) muy alegre, porque su madre ya no (está, estoy, es) enferma.
11. Mis tíos (son, está, están) de México. 12. Mi madre siempre (es, está, son) en la cocina cuando yo (prepara, preparo) la comida.

D. Supply the proper form of *ser* or *estar*.
1. Pedro y José _____ en San Francisco. 2. El maestro _____ de Chile. 3. José _____ bastante joven. 4. María _____ aburrida (*condition*). 5. Cuando yo _____ enfermo visito al médico. 6. El tío Eduardo _____ viejo y siempre _____ cansado (*condition*). 7. Teresa _____ muy inteligente, pero su hermana, Dorotea, no _____ muy lista (*permanent quality*). 8. La biblioteca no _____ lejos de nuestra casa. 9. Las sillas que _____ en el salón _____ grandes y cómodas. 10. ¿ Cómo _____ la tía María ? _____ bien, gracias. 11. ¿ _____ su padre un buen médico? 12. Juan _____ muy alegre ahora, porque _____ con sus padres. 13. El señor Gómez no _____ rico. 14. ¿ _____ fáciles las lecciones de español ? 15. El café que prepara mi madre _____ excelente. 16. Vds. _____ de la Habana. 17. Juan _____ malo (*condition*). 18. Dorotea habla siempre; _____ muy cansada (*permanent quality*). 19. Vds. _____ alumnos; yo _____ maestro; todos _____ en la escuela. 20. Luisa _____ una muchacha muy bonita.

E. Prepare three original sentences with *ser* and three with *estar*.

F. Change the words in parentheses to the plural:
1. (Mi padre) y yo vamos a visitar a (mi abuelo). 2. ¿ Dónde están
Ricardo y (mi prima), (amigo mío) ? 3. Preparo (mi lección) de español
en la biblioteca. 4. Vd. compra (su coche) en Chicago. 5. Cuando
voy al parque, veo a (un amigo suyo).

G. Change the words in parentheses to the singular:
1. El médico charla muchas veces con (sus enfermos). 2. El maestro
escribe algo en (mis libros). 3. No hay sillas cómodas en (nuestros
cuartos). 4. Vamos a Italia con (unos primos nuestros). 5. Vds. comen
con (sus vecinos).

H. Select the word in parentheses which correctly completes each sentence
and place it before or after the noun as required.
1. Tenemos el coche de _____ primo _____ (mío, mis, mi). 2. ¿ Va
Vd. a México ahora, _____ amigo _____ (mío, mis, mi) ? 3. La hija
de _____ vecino _____ (su, suya, suyo) se llama Dorotea. 4. Vd. es
un _____ alumno _____ (nuestra, su, suyo). 5. Es difícil aprender
_____ lengua _____ (su, suya, sus). 6. Juan escribe una palabra
francesa en uno de _____ libros _____ (sus, suyo, suyos). 7. ¡ Hola !
¿ Qué tal, _____ amiga _____ (mi, mía, mío) ? 8. El señor Mallo es
_____ tío _____ (suyos, suya, su).

I. Make the changes necessary to clarify the exact meaning of *su* and *sus*
in the following sentences. There may be several possibilities in some
of these items.
1. Vemos a su hermano. 2. ¿ Dónde está su médico ? 3. Sus comidas
no son buenas, María. 4. Sus abuelos son de la América del Sur. 5. La
madre de Juan está bien de salud, pero su madre está mala.

J. Dictation of *Nuestra ciudad*.

K. Review *Nuestra ciudad*. Answer orally in Spanish:
1. ¿ Cómo es la ciudad donde vivimos ? 2. ¿ Cómo se llaman otras
ciudades que están cerca de aquí ? 3. ¿ Qué hace Vd. (*What do you do*)
cuando está aburrido ? 4. ¿ Dónde hay bastantes libros ? 5. ¿ Qué
molesta a los enfermos ? 6. ¿ Por qué es interesante nuestra ciudad ?
7. ¿ Cómo son los habitantes de nuestra ciudad ? 8. ¿ A dónde (*Where*)
va Vd. cuando está enfermo ? 9. ¿ Cómo se llama la ciudad de donde
es Vd. ? 10. En nuestra ciudad, ¿ cómo son las comidas de los restaurantes ? 11. ¿ Por qué hay mucho ruido en las ciudades ? 12. ¿ Dónde
hay que comprar las cosas que no están de venta aquí ? 13. ¿ Hay un
amigo suyo (de Vd.) en esta ciudad ?

BEGINNING SPANISH COURSE

L. Conjugate:
1. Estoy cansado.   2. Estoy alegre.   3. Soy listo.   4. Soy bueno.
5. Estoy malo.

M. Prepare two sentences using each of the following: *fuera de, estar de venta, en fin, estar aburrido, a pesar de.*

N. Prepare four short original questions which you will ask other students to answer about:
*Una ciudad interesante.*
(Ask about its size, location, name, the inhabitants, its attractions, etc.)
*One-word answers are not acceptable.*

O. Give the Spanish for:
1. Mr. Pérez lives in a very small city.   2. Peru is very near (to) Bolivia.
3. María goes to the movies when she is bored.   4. Do doctors always visit the sick ?   5. Our school is far from the center of the city.   6. I am sure that Enrique is happy now, because he is with his family.   7. He says that his car is not for sale.   8. The inhabitants of Argentina speak Spanish.   9. A small city is often better than a large city.   10. Their lessons for tomorrow are not easy.   11. Our car is not very good because it is so (*tan*) old.   12. A friend of his is in the hospital; he is a friend of mine also.

Public water fountain in Ibiza, ▶
one of the Balearic Islands (Islas
Baleares). One may recall that
the action of Elliot Paul's *Life
and Death of a Spanish Town* takes
place on this island.

*Spanish State Tourist Office*

*Spanish State Tourist Office*

◀ Cáceres, Fiesta de San Blas.
Religious festivals bring out the
traditional costumes in the villages
and smaller towns. These costumes are often quite elaborate
and very beautiful.

Toledo's Sinagoga del Tránsito is proof of the city's importance to Spain's Jewish citizens, who made brilliant contributions to Spanish civilization before their expulsion by Ferdinand and Isabella in 1492.

Choir stalls in the Cathedral, Toledo. The imposing Cathedral of Toledo represents a variety of architectural styles. This is not surprising when we think how many men must have worked on it during the more than 250 years of its construction.

### Repaso I (Gramática 1–5)

A. Fill the blanks with the appropriate form of (1) the definite article (*el, la,* etc.), (2) the indefinite article (*un, una,* etc.).

1. _____ camas
2. _____ lengua
3. _____ hombres
4. _____ francés
5. _____ cuarto

6. _____ muchachos
7. _____ lección
8. _____ aparato
9. _____ coches
10. _____ ciudad

B. Change to the plural:

1. el camión
2. un parque
3. la ciudad
4. la hija
5. el padre

6. una abuela
7. el restaurante
8. la mesa
9. un maestro
10. una puerta

C. Give the sentences below (1) in the negative, (2) as questions:

1. Su padre visita a nuestros hijos.
2. Los cuartos de nuestra casa son cómodos.
3. Mis tíos viven en Buenos Aires.
4. María tiene una silla muy bonita.
5. Pablo come muchas veces en un restaurante francés.
6. Hay mucho ruido durante el día.
7. La Ciudad de México está muy lejos de aquí.
8. Vd. va a la biblioteca para estudiar.
9. En la escuela estudiamos el español.
10. Rosa charla con su vecina Ana.

D. Fill the blanks with the proper form of the definite article whenever required. Make all necessary contractions.

1. _____ alemán y _____ francés son dos lenguas interesantes.
2. Veo a _____ vecino de Juan; siempre habla en español.
3. Aquí está _____ señora Pérez.
4. _____ maestro de _____ español es un hombre bueno.
5. ¿ Ve Vd. _____ camión de Pedro ?
6. _____ comidas en casa son siempre buenas.
7. Generalmente _____ muchachos son más grandes que _____ muchachas.
8. A pesar de ser pequeño el coche de _____ padre de Pablo es muy bueno.

E. Formulate short sentences showing the items in A belonging to those in B.

|          | A        | B     |
|----------|----------|-------|
| e.g.     | el libro | María |

El libro *de* María es interesante.

**63**

|   A             |   B              |
|-----------------|------------------|
| 1. el médico    | nuestra ciudad   |
| 2. el coche     | Pablo            |
| 3. el abuelo    | José             |
| 4. los vecinos  | Jorge            |
| 5. los hijos    | el señor Mallo   |
| 6. el camión    | el muchacho      |
| 7. las alcobas  | la casa          |
| 8. el cuarto    | el padre         |

F. Fill the blanks with the proper form of the adjective in parentheses.

    1. Estudiamos una lección muy (fácil) _____.

    2. Tenemos unas sillas (grande) _____ y (cómodo) _____.

    3. Pedro es un hombre (famoso) _____.

    4. (Mi) _____ amigos son (alemán) _____.

    5. (Nuestro) _____ primas son (rico) _____.

    6. (Su) _____ madre está (cansado) _____.

    7. Elena y Manuel están (cansado) _____ pero muy (alegre) _____.

    8. Rosita es una muchacha (pequeño) _____ e (interesante) _____.

    9. La (primero) _____ ciudad (francés) _____ es París.

    10. José tiene (bastante) _____ libros.

G. Formulate short sentences using some form of the adjectives:

    enfermo     español     viejo     pobre     aburrido

H. Use *a* if required. Make all necessary contractions.

    1. Vamos _____ el cine con mis padres.

    2. Aprendemos _____ responder en español.

    3. ¿ Tiene Vd. _____ un camión ?

    4. Acabamos de ver _____ Juan.

    5. Aprendo _____ escribir _____ el español.

    6. Damos el aparato de radio _____ el señor Gómez.

    7. Felipe escucha _____ la radio.

    8. Los buenos hijos escuchan _____ sus padres.

I. Supply the proper form of the verb in parentheses.

    1. ¿ De dónde (ser) sus amigos ?

    2. Los muchachos (ver) unas cosas interesantes.

    3. Hay que (preparar) bien las lecciones.

    4. Vamos a (dar) el aparato de radio a Pedro.

    5. Vd. no (ver) la puerta.

    6. Yo (tener) una amiga muy bonita.

7. Juan y yo (charlar) con Felipe, y así muchas veces (olvidar) la clase de alemán.
8. ¿ Dónde (vivir) los tíos de Manuel ?
9. La mesa (estar) entre la puerta y la ventana.
10. Juanita (pronunciar) bien el francés.
11. Luisa (responder) a todas sus preguntas.
12. Yo (ir) a (visitar) a mis padres.
13. Luisa y Elena (tener) muy buenos amigos.
14. Yo (dar) mi coche a la señorita González.
15. Vd. acaba de (ver) a Enrique.

J. Fill the blanks with the appropriate form of *ser* or *estar*.

1. ¿ Dónde _____ la biblioteca ?
2. Mi tío no _____ viejo; _____ enfermo.
3. Cuando Vds. _____ aburridos, van al cine.
4. Pedro no va a la escuela porque _____ malo (*condition*).
5. ¿ _____ pequeño el comedor de su casa ?
6. Alfredo y yo _____ amigos porque _____ de la América del Sur.
7. El hospital que _____ cerca de mi casa _____ muy famoso.
8. El señor Pérez _____ su padre; Vd. _____ su hijo, y yo _____ su primo.
9. ¿ Por qué _____ Vd. tan cansado (*condition*), señor Mallo ?
10. Los ricos no _____ alegres cuando no _____ bien de salud.
11. La comida que _____ en la mesa, _____ una comida excelente.
12. Tú _____ de Madrid. Madrid _____ una ciudad muy alegre.
13. Luisa _____ una buena alumna porque prepara bien sus lecciones.
14. La mesa _____ de María. _____ en la sala, que _____ un cuarto bastante cómodo.

K. Prepare in class three original sentences with (1) *ser*, (2) *estar*.

L. Supply a suitable form of the possessive adjective, stressed or unstressed, as required:

1. La señora Ramírez es _____ tía.
2. La sala de _____ casa es bastante cómoda.
3. ¿ Por qué no visita Vd. _____ país ?
4. Vamos al cine con un alumno _____.
5. Buenos Aires es una ciudad grande, y en _____ parques hay muchachas muy bonitas.
6. ¿ Es bueno el coche de _____ tía ?

7. Hay un hermano _____ que no habla inglés.
8. Estoy con _____ familia muy cerca de _____ vecinos españoles.

M. Prepare two short questions to be answered orally by some other student.

N. Formulate a sentence using each of the following:

acabar de          es preciso          lejos (de)          muchas veces

## Lección 6

## EN EL RESTAURANTE

### VOCABULARIO

el **agua** (*f.*) water
**algún, alguna** some, any
el **almuerzo** lunch
el **asiento** seat, place
**beber** to drink
**blanco** white
el **café** coffee
el **café con crema** coffee with cream
el **café solo** black coffee
el **camarero** waiter
la **carne** meat
la **clase** class, kind
**contento** pleased, happy
**dejar** to leave, let
**después** afterward, later
**después de** after
**digo** I say, I tell
**encontrar** (**ue**) to find, meet
la **ensalada** salad
**eso** that (matter)
**esperar** to wait (for)
**frito** fried
el **helado** ice cream
**le** to him (her, it, you)
la **leche** milk
la **legumbre** vegetable
**libre** free; empty
la **lista** menu, list
**lo que** what, that which
**llegar** to arrive
la **mantequilla** butter

**mirar** to look at
la **oficina** office
el **pan** bread
el **pastel** pie; cake
la **patata** potato
**perder** (**ie**) to lose, waste
el **plato** dish, plate
**pobre** poor
los **pobres** poor people
**primero** (*adv.*) first, at first
la **propina** tip
los **ricos** rich people
la **sopa** soup
**terminar** to finish, end
el **tiempo** time
**tomar** to take; to have (*something to eat or drink*)
el **vaso** glass (*drinking glass*)
**verde** green
el **vino** wine
**volver** (**ue**) to return, to go *or* come back

### MODISMOS

**a veces** sometimes, at times
**de postres** for dessert
**me gusta**(**n**) I like
**otra vez** again
**por lo común** usually
**tener que** (*plus inf.*) to have to

**67**

BEGINNING SPANISH COURSE

## *En el restaurante*

Por lo común tomo el almuerzo en un buen restaurante que está cerca de mi oficina. Cuando llego allí, tomo el mejor asiento posible y miro la lista. A veces pierdo mucho tiempo cuando no encuentro asiento libre y tengo que esperar. Cuando el camarero llega a la mesa, le digo lo que voy a comer. Primero, tomo una sopa, después, un plato de carne con patatas fritas, una ensalada de legumbres verdes, pan blanco, mantequilla y un vaso de agua. No tomo vino con la comida porque me gusta más el agua. De postres me gusta tomar helado o alguna clase de pastel; después generalmente bebo café con crema, o, a veces, café solo. Cuando termino el almuerzo dejo una propina pequeña para el camarero, y vuelvo otra vez a la oficina. Por lo común los ricos dejan propinas grandes pero eso no es posible para los pobres como yo. Después de comer bien estoy muy contento.

## *Conversación*

— Hola, amigo ¿ qué hace Vd. en Buenos Aires ?

— Viajo en negocios. Estoy muy contento en este país.

— ¿ Quiere Vd. tomar el almuerzo en este restaurante ? En la Argentina comemos muy bien. Por lo común, una comida pobre consiste en sopa (de legumbres y carne), puchero con patatas, camotes, carne de vaca, zapallo, judías, cebollas, etc. Algunas personas beben vino blanco o tinto, y a veces, agua o un vaso de leche.

— Eso es delicioso. ¿ Y de postres ?

— ¡ Ah ! Hay muchas clases de postres. Por lo común, frutas, pastel o helados.

— Es una costumbre argentina comer la ensalada antes del plato principal. ¿ Y qué beben durante la comida ?

— Me gusta el café solo. Vamos a tomar estos asientos libres. De aquí vemos la gran Avenida de Mayo. ¡ Camarero ! (*A su amigo*) Este mozo nos trae la lista. (*Al mozo*) Ya sabe Vd. que no me gusta esperar.

— ¿ Es necesario dar una propina al camarero ?

— Sí, naturalmente. Por lo común, dejamos unas monedas, no mucho, porque somos pobres. Los ricos, en cambio, dan más.

— Bueno. ¿ Qué va Vd. a tomar ?

— No mucho. Una sopa de legumbres y, de postres, helado. ¿ Y Vd. ?

— Frutas, un pastel, y café solo.

## VOCABULARIO SUPLEMENTARIO

*Did you guess the meaning of these words correctly?*

el **camote** sweet potato
la **carne de vaca** beef
la **cebolla** onion
**consiste en** consists of
la **costumbre** custom
**delicioso** delicious
**en cambio** on the other hand
**este** this (*demon. adj., m.s.*)
las **frutas** fruit
las **judías** string beans
las **monedas** coins
el **mozo** waiter
el **puchero** dish of boiled meat and vegetables

¿ **Qué hace Vd.?** What are you doing?
**quiere** he (she) wants, wishes, you (**Vd.**) want, wish
**sabe** he (she) knows, you (**Vd.**) know
**tinto** red (*said mainly of wine*)
**trae** he (she) brings, you (**Vd.**) bring
**vemos** we see
**viajar en negocios** to be on a business trip
el **zapallo** a kind of squash

## Gramática

I. **Position of adjectives.** In Spanish, some adjectives stand before, others after, the noun they modify. In many cases it is difficult to decide which of these places the adjective should occupy. Watch for usages that differ from the general rules. Some reliable rules are the following:

A. Adjectives usually placed before the noun are: articles, numbers, both cardinal (i.e., *one, four, six*) and ordinal (i.e., *first, second, third*) and some indefinite adjectives, such as **algún, alguna** (*some, any*), **cierto, –a** (*a certain*), **mucho, –a** (*much, a great deal of*), and **otro, –a** (*another*):

> la casa
> dos hombres
> alguna lección
> cierto hombre

> muchos cuartos
> la primera (*first*) lección
> otro libro

B. In general, the following rule covers all other cases: if an adjective sets a noun apart from others of its kind, thus really describing it, it follows the noun. If it refers to some quality that would commonly be thought of in connection with the noun, it stands before the noun. Most descriptive adjectives follow the noun they modify.

| | |
|---|---|
| la casa **blanca** | (All houses are not white.) |
| el hombre **grande** | (All men are not large.) |
| la **blanca** nieve | (Snow is always white.) |

Some descriptive adjectives, such as **buen**(o), –a, **mal**(o), –a *(bad)*, and **pequeño,** –a, have lost much of their distinguishing force because of frequent usage and therefore are frequently placed before the noun. Even these adjectives have greater force and meaning if used after the noun.

If two or more adjectives are used with the noun, each one should be placed according to the rules just given.

la **primera** lección **interesante**

Two adjectives following a noun are usually joined by **y**:

libros verdes **y** blancos

**II. Shortening of adjectives.** Eight adjectives lose their final **–o** when followed by a *masculine singular* noun:

| | | | | | |
|---|---|---|---|---|---|
| **alguno** | some, any | **ninguno** | no, not any | **tercero** | third |
| **bueno** | good | **postrero** | last | **uno** | a, an, one |
| **malo** | bad | **primero** | first | | |

un **buen** amigo      el **primer** hombre

The shortened forms **algún** and **ningún** need a written accent, in order to keep the stress on the same syllable as **alguno** and **ninguno.**

Before a singular noun *of either gender,* **grande** is shortened to **gran,** and as such means *great.* When **grande** follows a noun, it means *large* or *big.*

el **gran** hombre    *but*    un hombre **grande**

**III. Adjectives used as nouns.** Spanish has many adjectives that can be used as nouns. Outstanding among these are the adjectives of nationality, which can be used to refer to people of a particular nationality, or to the name of their language. A masculine plural form can refer to both sexes combined, as well as to males alone.

Los ingleses tienen casas grandes.<br>Los ricos no son interesantes.<br>El viejo no está bien.

IV. **Stem-changing verbs, Class I.** Many –ar and
-er verbs in Spanish change **e** of the stem to **ie**, and **o** to **ue**, when the
stress in pronunciation falls on the last syllable of the stem. These
changes occur *in the present tense*, and affect *all forms of the singular*,
and the *third person plural*. The infinitives of such verbs will appear
in the vocabularies as follows: **perder** (ie), **contar** (ue), etc.

| perder | | contar | |
|---|---|---|---|
| (to lose, waste) | | (to tell, relate) | |
| pierdo | perdemos | cuento | contamos |
| pierdes | perdéis | cuentas | contáis |
| pierde | pierden | cuenta | cuentan |

V. **Definite article.** The definite article **el** must be
used before all nouns beginning with a stressed **a** or **ha**. When such
nouns are feminine the definite article for the plural remains **las**.

| **el** agua | **las** aguas |
|---|---|

### Ejercicios

A. Read *En el restaurante* aloud at least twice for pronunciation.

B. Conjugate aloud: *volver, encontrar, mirar.*

C. The instructor will give various plural forms of the verbs below. Give
the corresponding form in the singular.

e.g.  hablamos  _____  *hablo*

| perder | volver |
|---|---|
| encontrar | mirar |
| contar | llegar |
| terminar | beber |

D. Conjugate aloud:
1. Siempre tomo sopa.
2. Pierdo los libros.
3. Encuentro a José.
4. Vuelvo al comedor.
5. Llego tarde.

E. Change the subject (when expressed) and verb to the singular:
1. Mis primos pierden sus libros. 2. A veces encontramos a Pedro en
el cine. 3. Vds. cuentan muchas cosas interesantes. 4. ¿ Cuándo vuelven Vds. de París ? 5. Siempre tomamos el almuerzo aquí. 6. ¿ Es-

peran Vds. a algún amigo ? 7. Los hermanos de Felipe encuentran a mi padre. 8. Los muchachos miran a las muchachas bonitas. 9. Perdemos la propina. 10. Ahora llegamos a un buen restaurante.

F. Give the proper form of each adjective in parentheses and place it *before* or *after* the noun as required. Use *y* if necessary.
1. Las _____ manos _____. (blanco) 2. Unos _____ _____ alumnos _____ _____. (bueno, alemán) 3. _____ clases _____. (otro) 4. Una _____ madre _____. (contento) 5. Las _____ lecciones _____. (difícil) 6. La _____ clase _____. (primero) 7. Unas _____ cosas _____. (importante) 8. Los _____ _____ libros _____ _____. (blanco, verde) 9. _____ _____ mesas _____ _____. (mucho, bonito) 10. Diez _____ maestros _____. (viejo)

G. Read the following sentences, putting the appropriate form of each adjective in parentheses in its proper place *before* or *after* the noun.
1. Juan escribe el libro (primero, interesante). 2. Hay dos sillas (cómodo) en la sala. 3. Vamos a comer en un restaurante (bueno). 4. Tiene una prima (pequeño). 5. Los alumnos acaban de aprender la lección (tercero). 6. Vd. vive en una ciudad (grande). 7. Las casas (blanco) son hermosas. 8. Tengo que estudiar cosas (mucho, difícil). 9. Aquí no hay restaurante (ninguno). 10. María es una alumna (bueno, español).

H. Supply the proper form of the adjective in parentheses:
1. El presidente de la universidad es un _____ hombre, y también es un hombre _____. (grande) 2. Cuando estamos en _____ restaurante, tomamos café. (alguno) 3. El _____ libro es pequeño. (tercero) 4. No tenemos _____ lección para mañana. (ninguno) 5. El _____ hombre es el tío de María. (primero)

I. Dictation of *En el restaurante.*

J. Review *En el restaurante.* Answer in Spanish:
1. ¿ Qué está cerca de la oficina ? 2. ¿ Qué tomo en el restaurante ? 3. ¿ Cómo pierdo tiempo en el restaurante ? 4. ¿ Qué digo al camarero ? 5. ¿ Por qué no tomo vino con la comida ? 6. ¿ Qué dejo en la mesa después de comer ? 7. ¿ Qué no es posible para los pobres ? 8. ¿ Cómo estoy después de comer bien ? 9. ¿ Qué clase de propina deja Vd. en los restaurantes ? 10. ¿ Dónde toma Vd. el almuerzo ? 11. ¿ Qué mira Vd. cuando va a un restaurante ? 12. En los restaurantes, ¿ dónde preparan las comidas ?

K. Prepare two sentences using each of the following: *a veces, otra vez, por lo común, tener que, lejos de.*

L. Prepare five short sentences about one of the following:

1. *El almuerzo con un amigo.*

(Who is your friend ? What is the name of the restaurant in which you will eat ? Describe as much of it as you can. What makes it interesting ? Do they serve good food ? Do you leave a tip ? etc.)

2. *Una buena comida.*

(Are you eating at home or in some restaurant ? Will there be some-one with you ? What are you going to eat ? What do you like to drink ? etc.)

M. Give the Spanish for:

1. We are going to have lunch in a large restaurant. 2. Do you talk much during a meal ? 3. Poor people cannot buy much butter. 4. My brother and I have lunch at home. 5. Are you going back to school now ? 6. Waiters are not usually rich. 7. Dolores lives in a large white house. 8. Alfredo and Ernesto waste a great deal of time. 9. A good man is not always a great man.

A maguey harvest in the highlands of Mexico. The heart of the plant is used in brewing the fiery drink known as tequila or mescal, while the fibers from the leaves go into the making of ropes and baskets.

La Caleta, one of Acapulco's many beaches. In addition to its fast-growing fame as a resort, this city on Mexico's Pacific coast is a port of long-standing importance. Its spacious harbor is one of the most beautiful in the world.

The crater of Mexico's famous mountain, Popocatépetl, over 17,000 feet above sea level. If you have heard a song called "Leyenda de los volcanes," you know something of the legend about "Popo" and its neighbor, Ixtaccíhuatl. Notice the accent on Popocatépetl; have you been pronouncing it some other way?

Mexico City. Mexican architects yield to no one when it comes to "modern design." In the foreground is the Hydraulic Resources Building, and the other building is the United States Embassy. The monument is to Columbus (Cristóbal Colón), in whose honor Spanish-speaking people have set aside October 12 as "el Día de la Raza."

The Palacio de Bellas Artes, begun under Porfirio Díaz, is one of Mexico City's chief attractions. It serves not only as a permanent art gallery, but as the artistic center for symphonies, plays, and broadcasts.

The Avenida Juárez, one of Mexico City's busiest streets, is named for Benito Juárez, who led the resistance to the French-supported rule of the emperor Maximilian. Here the tourist finds some of the most fashionable shops and theaters.

# Lección 7

## EL EXAMEN

## VOCABULARIO

**además** besides, moreover
**la calle** street
**conocer** to know, be acquainted
  with; to meet
**deber** (*plus inf.*) must, ought,
  should
**decir** to say
**dicen** they say
**el examen** examination, test
**fácilmente** easily
**hacer** to do, make
**el lápiz** pencil
**largo** long
**lentamente** slowly
**lo** it (*obj. of verb*)
**mal** badly
**mismo** same
**naturalmente** naturally
**pensar** (**ie**) (*plus inf.*) to intend
**la pluma** pen
**poder** (**ue**) to be able; can
**primer**(**o**) first
**el profesor** professor, teacher
**querer** (**ie**) to wish, want

**quiero** I want, wish
**rápidamente** rapidly, fast
**rojo** red
**saber** to know (*something one has
  learned*); (*plus. inf.*) to know
  how
**salgo** (*1st. pers. sing. of* **salir**) I
  leave, go out
**salir** (*reg. except 1st. pers. sing.*) to
  leave, go out
**tarde** late
**temprano** early
**trabajar** to work
**ya** already

## MODISMOS

**con cuidado** carefully
**esta noche** tonight
**por eso** therefore
**salir bien** (**mal**) **en un examen** to pass
  (fail) a test
**sin duda** undoubtedly, no doubt
**sobre todo** especially

## El examen

    Mañana vamos a tener el primer examen de español,
y naturalmente esta noche tengo que trabajar mucho porque no quiero
salir mal. Para responder a las preguntas todos tenemos un lápiz rojo

**77**

y una pluma. Si el examen es largo, escribimos con pluma. A pesar de que generalmente estudio mis lecciones con cuidado, todavía hablo muy lentamente y además no escribo muy rápidamente. Esta noche pienso estudiar con otro muchacho que sabe mucho más que yo. Así lo hacemos muchas veces y aprendemos mucho. Él es muy inteligente, y sobre todo dicen que ya habla y escribe rápida y fácilmente. Se llama Carlos. Él y su hermana viven con sus padres en una casa blanca en la misma calle donde vivimos nosotros. Salen muy temprano para ir a la escuela. Yo siempre salgo tarde, y por eso no conozco a su hermana pero dicen que es una muchacha muy bonita. Si estudiamos como debemos, vamos a saber mucho, y, sin duda, vamos a salir bien en el examen.

## Conversación

— ¿ Dónde toma sus exámenes, Jorge?

— En la Universidad Nacional de Córdoba. ¿ Y Vd.?

— Yo, en la Universidad de La Plata. Mañana tomo el primer examen de español, y tengo que estudiar con atención y cuidado. A pesar del trabajo que da este idioma, me gusta mucho.

— Yo estudio en Córdoba. Me gusta más esta universidad, porque los profesores son mejores y también es más barato el estudio.

— Tiene razón, pero yo no puedo salir de esta ciudad, porque vivo con mis padres y una hermana. Tenemos una casa blanca en la calle San Martín.

— No conozco a su hermana, pero un muchacho de la Universidad me dice que es una señorita muy inteligente y bonita.

— Tal vez. Ella y yo estudiamos con un joven que sabe más que nosotros, y además habla y escribe el español rápida y fácilmente.

— Si trabajan así, sin duda van a salir bien en los exámenes.

— Creo que sí. Si estudiamos con cuidado, naturalmente no podemos salir mal.

## VOCABULARIO SUPLEMENTARIO

*Did you guess the meaning of these words correctly?*

**barato** cheap, inexpensive  
**con atención** attentively, carefully  
**creo que sí** I think so  
**creo que no** I don't think so  
**el estudio** study  

**el idioma** language  
**el joven** young man  
**tal vez** perhaps  
**tiene razón** you (**Vd.**) are right  
**el trabajo** work

LECCIÓN SÉPTIMA

## *Gramática*

### I. Present indicative of some irregular verbs.

**conocer** (to know, be acquainted with; to meet)

| | |
|---|---|
| conozco | conocemos |
| conoces | conocéis |
| conoce | conocen |

**decir** (to say, tell)

| | |
|---|---|
| digo | decimos |
| dices | decís |
| dice | dicen |

**hacer** (to do, make)

| | |
|---|---|
| hago | hacemos |
| haces | hacéis |
| hace | hacen |

**poder** (**ue**) (to be able, can)

| | |
|---|---|
| puedo | podemos |
| puedes | podéis |
| puede | pueden |

**querer** (**ie**) (to want, wish)

| | |
|---|---|
| quiero | queremos |
| quieres | queréis |
| quiere | quieren |

**saber** (to know *something learned*)

| | |
|---|---|
| sé | sabemos |
| sabes | sabéis |
| sabe | saben |

*Note.* Two of these verbs (**querer** and **poder**), although irregular in other tenses, appear in the present tense as perfectly regular stem-changing verbs.

Both **saber** and **conocer** may be translated *to know*. But **saber** means to know *a fact*, to know *that* something is so, to know *how* to do something, while **conocer** means *to be acquainted with:*

Sé que Vd. tiene una hermana.
No conozco a su hermana.

### II. Formation of adverbs.

Adverbs in Spanish are generally formed by adding –**mente** to the feminine singular of an adjective:

| | |
|---|---|
| **lento** (*m.*), **lenta** (*f.*) | **lentamente** |
| **fácil** (*m.*), **fácil** (*f.*) | **fácilmente** |

However, if two or more adverbs occur in succession, –**mente** is added only to the last one:

Habla **rápida** y **fácilmente.**

(Note that if an adjective has a written accent, it must be kept when –**mente** is added.)

Some special forms are **aquí, ahora, pronto** *soon, quickly,* **temprano** *early,* **tarde** *late,* **bien, mal, ya** *already.*

**Con,** with an appropriate noun, is sometimes used:

con cuidado                    carefully

III. **Position of adverbs.** An adverb usually stands just *before* the adjective it modifies, or just *after* the verb to which it refers.

María es **muy** inteligente.   (modifies the adjective **inteligente**)
El hombre grande habla **rápidamente.**   (refers to the verb **habla**)

However, adverbs of time and place are often placed before the verb, in which case the subject, if expressed, frequently follows the verb:

**Hoy** va a Nueva York mi hermano.   *or:* **Hoy mi hermano** va a Nueva York.

### Ejercicios

A. Read *El examen* aloud at least twice for pronunciation.

B. Review the rules for the pronunciation of *c, d, z* in Spanish, pp. 10 and 12. Pronounce:

casa, cenar, creer, balde, cruzaba,
alcalde, empezamos, dado, decía, sueldo,
quince, dando, comenzaba, lección, alzo

Después de comer, comenzó a cantar una canción muy conocida.

C. Conjugate:

| | | | |
|---|---|---|---|
| pensar | salir | decir | saber |
| poder | querer | conocer | hacer |

D. The instructor will pronounce various plural forms of the preceding verbs. Give the corresponding forms in the singular.
e.g.        hablamos        _____        *hablo*

E. Change the subject and verb to the plural.
1. Salgo rápidamente de la casa.  2. Debe escribir con el lápiz rojo.
3. Mi hermano piensa volver pronto.  4. Pierdo la propina.  5. Aquí no encuentro a Carlos.  6. Vd. no puede terminar el libro.  7. Su tío vuelve de Madrid.  8. Vd. cuenta muchas cosas interesantes.  9. El maestro sabe bien el español.  10. Nuestro amigo no quiere trabajar.

F. Reading aloud, change the infinitive in parentheses to the verb form which correctly completes the sentence:
1. María y yo (conocer) muy bien al señor Gómez.  2. Juan no (querer) ir con su padre.  3. Dorotea (decir) que no (poder) preparar la comida.
4. ¿ (Pensar) Vd. estudiar con Juan?  5. Ella (saber) muy bien el

español.  6. ¿ Qué van Vds. a (hacer) hoy ?  7. Yo (saber) lo que él
(escribir).  8. Los otros alumnos (decir) que Vd. (salir) bien en los
exámenes.  9. Yo (encontrar) muchas cosas difíciles.  10. Pedro no
(querer) (olvidar) sus libros.  11. María y yo no (querer) (esperar) a
Elena.  12. ¿ (Pensar) Vd. escribir unas cartas ?  13. Mi padre (volver)
a casa temprano.  14. ¿ Qué (hacer) Vds. ahora ?  15. Pedro no (poder)
trabajar.

G.  Use the proper form of *conocer* or *saber*, as required:
1. Mi amigo José Ferrer _____ al maestro de español. 2. Yo no _____
a su madre.  3. ¿ _____ Vd. bien la lengua alemana ?  4. Sí, señor,
Vd. _____ muy bien al alumno, él _____ siempre la lección.  5. Mi
amigo Eduardo y yo _____ escribir.  6. Dorotea _____ que nosotros
no _____ a sus amigos.  7. Yo no _____ dónde está mi hermano.

H.  How are adverbs generally formed in Spanish ?  When is *–mente* left
off an adverb ?  Can you give four special adverbial forms ?  Where
are adverbs usually placed in a sentence ?

I.  Form adverbs from these adjectives:
1. lento   2. rápido   3. alegre   4. perfecto   5. difícil   6. natural
7. cómodo   8. largo   9. seguro   10. vivo

J.  Formulate short sentences using these adverbs: *ahora, tarde, bien, pronto,
con cuidado, aquí.*

K.  Dictation of *El examen.*

L.  Review *El examen.*  Answer in Spanish:
1. Generalmente, ¿ cómo preparo mis lecciones ?  2. ¿ Qué pasa (*happens*) cuando estudio mal ?  3. Para salir bien en un examen, ¿ qué hay
que hacer ?  4. ¿ Cuándo es el primer examen de español ?  5. ¿ Por
qué quiero trabajar mucho esta noche ?  6. ¿ Cómo escribo yo ?  ¿ Cómo
hablo ?  7. ¿ Cómo escribe el otro muchacho ?  ¿ Cómo se llama ?
8. ¿ Cómo es la hermana de Carlos ?  9. ¿ Qué vamos a hacer, si estudiamos bien ?  10. ¿ Cómo estudia Vd. cuando va a tomar un examen ?
11. ¿ Cómo debe Vd. preparar sus lecciones ?  12. ¿ En qué calle vive
Vd. ?  13. ¿ Escribe Vd. rápida o lentamente ?  14. Por lo común,
¿ cómo sale Vd. en los exámenes ?  15. ¿ Sale Vd. temprano para ir a
la universidad ?

M. Prepare two original sentences using each of the following: *salir bien
en un examen, sobre todo, con cuidado, sin duda, por eso.*

N.  Prepare five short statements about:
*Un examen difícil.*
(Where are you having it ?  Will it be long ?  Who is the instructor ?
Will all of the class take it ?  What makes it such a problem ?  Are you
well prepared ?  If not, why not ? etc.)

O. Give the Spanish for:
1. I don't know Josefina's brother. 2. Do you study as you should? I think so. 3. We're not going to work today. 4. Federico and I go to the same classes. 5. No teacher is always right. 6. They say that Mr. Fernández is from Bogotá. 7. Intelligent students learn easily. 8. Roberto doesn't know how to write very fast. 9. They intend to leave tomorrow. 10. I like languages, especially Spanish.

# Lección 8

## MI TÍO

el **abrigo** overcoat
la **América Central** (**Centroamérica**)
    Central America
**ayudar** to help
**burlarse** (**de**) to make fun (of)
**cada** each, every
la **carta** letter
**comprender** to understand
**contar** (**ue**) to tell, relate; to count
**desayunarse** to have breakfast
la **dificultad** difficulty
**entonces** then
**irse** to go
**leer** to read
**levantarse** to get up
**marcharse** to go away, leave
**me** (*obj. of verb*) me, to me
**me pongo** I put on

**mí** (*obj. of prep.*) me
¡ **qué** ... ! what (a) ... !
**regresar** to return
**sin** without
**sobre** on; about
**solo** alone
el **sombrero** hat
la **vez** time (*single occasion*)
la **vida** life

### MODISMOS

**a tiempo** on time
**antes de** before
**con mucho gusto** with great pleasure
**darse prisa** to hurry
**de vez en cuando** from time to time
**lo antes posible** as soon as possible
**tratar de** (*plus inf.*) to try to

### Mi tío

    Mi tío es profesor de español, y muchas veces me ayuda a preparar mis lecciones. Cuando estudio con él comprendo sin dificultad y aprendo fácilmente. Él trabaja en una famosa universidad de los Estados Unidos. De vez en cuando mi tío va a la América Central, de donde me escribe cartas que leo con mucho gusto. Cada vez que regresa me cuenta cosas muy interesantes de algunos países de Centroamérica, como Costa Rica, Nicaragua y Panamá. Cuando mi tío

**83**

no está aquí, trato de estudiar yo solo, pero no aprendo mucho. ¡ Qué vida tengo cuando se marcha mi tío! Entonces tengo que levantarme temprano para estudiar antes de desayunarme. Después de desayunarme me doy prisa para salir de casa a tiempo. Me pongo el abrigo y el sombrero y rápidamente me voy a la escuela para llegar lo antes posible; porque si llego tarde, todos mis amigos se burlan de mí. Y entonces, si tengo que decir algo sobre la lección, olvido lo que acabo de estudiar.

### Conversación

— ¿ Tienes dificultad en preparar la lección de español, Eduardo ?

— Sí, Enrique. De vez en cuando mi tío se marcha a la América Central, y naturalmente, no me ayuda en mis lecciones.

— Pienso que tu tío va a Costa Rica, Panamá y Nicaragua. ¿ No es verdad ?

— Sí. Muchas veces va también a México que no está en la América Central. Me escribe cartas y me cuenta cosas muy interesantes de cada ciudad y cada país.

— Después de estudiar la historia, voy a tratar de leer mis lecciones de español. ¡ Qué vida tienen los estudiantes !

— Ahora me pongo el sombrero y el abrigo, y me desayuno lo antes posible para tratar de llegar temprano a la escuela.

— Yo también me doy mucha prisa, porque si llego tarde a la clase, los amigos se burlan.

— Naturalmente que se burlan. Por eso yo trato de levantarme lo antes posible. De vez en cuando me levanto un poco tarde y me voy a la escuela sin comer.

— Bueno, me voy. ¿ Me ayudas a ponerme el abrigo ? Hoy tengo un examen.

— Con mucho gusto.

## VOCABULARIO SUPLEMENTARIO

*Did you guess the meaning of these expressions ?*

| | |
|---|---|
| **la historia** history; story | **pienso que** I think |
| **¿ no es verdad ?** isn't it true ? | **ponerse** to put on (*an article of clothing*) |

LECCIÓN OCTAVA

## *Gramática*

**I. Omission of the indefinite article.** The indefinite article **un** or **una** is regularly omitted in the following cases:

A. Before a noun which refers to the occupation, religion, nationality, class, or political point of view of a person.

Es **profesor**.                    Somos **españoles**.
María no es **católica**.           Vd. es **republicano**.

The indefinite article is usually added, however, when such a noun is modified:

Es **un** profesor famoso.

B. Before the adjectives **medio, –a** *a half,* **cierto, –a** *a certain,* **otro, –a** *another,* **tal** *such a;* after **sin** *without,* and the exclamation ¡ **Qué** . . .! *What a!* . . . :

No tengo **otro** libro.
Juan no va a comprar **tal** cosa.
Escribimos **sin** pluma.
¡ **Qué** libro !

**II. Reflexive verbs.** A reflexive verb is one whose action is performed on, or points back to, the subject. The object of such a verb is always a reflexive pronoun, which must agree in person and number with the subject. While English has few of these verbs: *He hit himself, I see myself,* etc., Spanish has many: **me levanto** *I get (myself) up,* **nos levantamos** *we get (ourselves) up,* etc.

**III. Reflexive pronouns.** The reflexive pronouns used with reflexive verbs are: **me** *myself,* **te** *yourself,* **se** *himself, herself, yourself,* **nos** *ourselves,* **os** *yourselves,* **se** *themselves, yourselves.*

**sentarse (ie)** (to sit down)

| yo **me** siento, *I sit down, etc.* | nosotros **nos** sentamos |
| --- | --- |
| tú **te** sientas | vosotros **os** sentáis |
| él **se** sienta | ellos **se** sientan |
| ella **se** sienta | ellas **se** sientan |
| Vd. **se** sienta | Vds. **se** sientan |

Notice that **me** agrees in person and number with **yo, te** with **tú, se** with **él,** etc.

IV. **Position of reflexive pronouns.** Reflexive pronouns are placed directly before the verb. However, when they refer to an infinitive, they follow and are attached to it (see third example below).

> **Me** levanto.
> **Se** marchan.
> Voy a levantar**me**.

Note that in the last example **me** agrees with subject **yo**.
**Se** becomes **sí** after a preposition. With **con** it becomes **consigo**:

> Pedro habla **para sí**.
> Tiene el libro **consigo**.

V. **Uses of reflexive verbs.** Reflexive verbs in Spanish are used:

A. To show that the action expressed points back to the subject, as in English:

> **Me** corto. I cut *myself*.

B. Many verbs are reflexive in Spanish which the English-speaking student doesn't ordinarily think of as being reflexive. These will be indicated in the vocabulary and may be identified there by the **se** added to the infinitive, i.e., **quitarse, levantarse,** etc. The following is a typical verb of this kind:

> **levantarse** (to get up)

| | |
|---|---|
| me levanto | nos levantamos |
| te levantas | os levantáis |
| se levanta | se levantan |

C. The reflexive pronoun of a reflexive verb is not always a direct object, but may also be used as an indirect object, meaning *to* or *for* oneself.

> **Me** compro un libro. (*for myself*)

D. With a reflexive verb, the definite article is used as a substitute for the possessive adjective **mi, nuestro,** etc., when talking about parts of the body and personal clothing, if the possessor is clearly understood.

Juan **se** lava (*washes*) **las** manos.  (**las** manos *means* **sus** manos.)
**Me** pongo **el** sombrero.  (**el** sombrero *means* **mi** sombrero.)

But:

**Me** pongo **su** sombrero.          (*Why not* **el** sombrero ?)

E. Some verbs may or may not be used reflexively, depending upon their meaning. These will have to be learned separately. Study the following examples:

**Me lavo** las manos.
**Lavo** las patatas.

F. In the plural the reflexive pronoun often has a reciprocal meaning:

**Se** ven muchas veces. (They see *each other* often.)

## Ejercicios

A. Read *Mi tío* aloud at least twice for pronunciation.

B. Conjugate:
leer, ayudar, levantarse, burlarse, regresar, desayunarse, darse prisa (prisa *doesn't change*), irse

C. The instructor will pronounce various plural forms of the preceding verbs. Give the corresponding forms in the singular.

e.g.          hablamos          ———          *hablo*

D. Change to the plural:
1. me levanto  2. hago  3. se burla  4. leo  5. sé  6. me desayuno  7. Vd. se da prisa  8. puede  9. comprendo  10. ayuda

E. What is a reflexive verb ? To whom does the action of a reflexive verb refer ? What reflexive pronouns are used with *yo, nosotros, ellos?* Do reflexive pronouns stand before or after the verb ?

F. Supply the proper form of the reflexive pronoun:
1. ——— llamamos Juan y María Gómez. 2. ¿ Dónde ——— desayuna Vd. ? 3. El maestro ——— burla de sus alumnos. 4. ——— damos prisa porque tenemos que terminar el libro. 5. No olvido que Vds. ——— levantan tarde. 6. Tengo que levantar ——— temprano mañana. 7. ——— burlamos de Vds. 8. ¿ Por qué ——— marchan Vds. ahora ? 9. María siempre ——— da prisa, porque no quiere llegar tarde a la escuela. 10. ¿ Cómo ——— llama su tío ? 11. Yo ——— compro un abrigo. 12. María ——— compra un sombrero. 13. ¿ ——— marchan Vds. hoy ? 14. Yo ——— voy a Madrid.

G. Give the proper form of the infinitive in parentheses:
1. Antes de ir a la escuela, yo (desayunarse). 2. María y yo (levantarse) temprano. 3. Cada vez que Juan (visitar) a Dorotea, (olvidar)

su abrigo.   4. ¿ Por qué no (desayunarse) Vds. con nosotros ?   5. Ya (marcharse) Pedro, porque no quiere responder a las preguntas de Vd. 6. Voy a (visitar) a mi madre.   7. Mis amigos (burlarse) de Juan. 8. Ahora (irse) a casa José y yo.   9. De vez en cuando Vd. (regresar) solo.   10. Muchas veces los padres no (comprender) a los hijos.   11. Si quiero llegar a tiempo tengo que (darse) prisa.   12. Una buena hija siempre (ayudar) a su madre.   13. ¿ Qué clase de libro (leer) Vds.? 14. ¿ Por qué (burlarse) todos de mí ?   15. Mi hermano (darse) prisa.

H. Use *un* or *una* if necessary.
1. El padre de José es _____ médico.   2. Pedro es _____ buen alumno.   3. El señor Gómez es _____ profesor viejo.   4. María es _____ alumna, pero no estudia   5. Mi padre es _____ médico famoso. 6. Hablo con _____ hermano de Juan.   7. Yo soy _____ inglés. 8. ¡ Qué _____ muchacha !   9. ¿ Es _____ católica su madre ?   10. No pienso _____ tal cosa.   11. Wáshington es _____ hermosa ciudad. 12. Estudiamos sin _____ libro.   13. Pasamos _____ media hora con María.   14. ¿ Hay _____ otro cine en el centro de la ciudad ?   15. ¿ Es _____ maestro su tío ?

I. Dictation of *Mi tío.*

J. Review *Mi tío.*   Answer in Spanish:
1. ¿ Qué hace mi tío ?   2. ¿ Cómo me ayuda muchas veces mi tío ? 3. ¿ Cuándo preparo mis lecciones sin dificultad ?   4. ¿ Dónde está la universidad donde trabaja mi tío ?   5. ¿ A dónde va mi tío, de vez en cuando ?   6. ¿ Cómo leo las cartas de mi tío ?   7. ¿ Qué me cuenta mi tío cuando regresa a los Estados Unidos ?   8. ¿ Cómo se llaman algunos países de la América Central ?   9. ¿ Qué me pongo antes de ir a la escuela ?   10. Cuando llego tarde a la escuela, ¿ qué hacen mis amigos ? 11. ¿ A qué hora se levanta Vd. ?   12. ¿ Qué hace el tío de Vd. ? 13. ¿ Llega Vd. tarde o temprano a la escuela ?   14. ¿ Va Vd. lenta o rápidamente a la escuela ?

K. Prepare two sentences using each of the following: *darse prisa, de vez en cuando, lo antes posible, con mucho gusto, tratar de.*

L. Prepare four short questions which you will ask other students to answer about:
*La vida diaria* (everyday).
(Ask about a person's job, eating habits, working habits, arriving on time, plans for school, friends, etc.)

M. Give the Spanish for:
1. My friend Guillermo is a doctor.   2. Is Pablo making fun of us ? 3. One must wash one's hands before eating.   4. I intend to go away as soon as possible.   5. They always arrive at school on time.   6. Pablo has just lost another book.   7. Mr. Rodríguez is a famous man.

An interesting wayside shrine on the ▶ highway between Mexico City and the Toltec pyramids at Teotihuacán. Notice the cactus fence in the background; such fences may be found in southern Spain as well as in Spanish America.

◀ Milady's bath in a market-place of Oaxaca. The Zapotec and Mixtec Indian civilizations flourished here before Cortés, and the nearby ruins at Mitla and Monte Albán intrigue the archaeologist as well as the tourist.

Mexico: Seri Indian girl at fruit ▶ harvest. In Mexico, as in many other Spanish-American countries, the Indian element is very strong. About four fifths of the population are either pure Indian or of mixed white and Indian blood. The black *rebozo* enveloping this girl's head, and the basket she is carrying, are familiar sights.

The old church at San Martín, Mexico. Churches of this type are found in many small villages all over Mexico. Dating back several centuries, these cathedrals bespeak a splendor that is gone.

Indian woman with flowers, Mexico City. Mexico is well known for its beautiful flowers, which, because of their great abundance, are unbelievably cheap — even the orchids!

A steep, narrow street in Taxco, Mexico. Located in the state of Guerrero, Taxco is famous for its silversmiths, who have their materials close at hand. Taxco's silver mines were once among the world's richest.

# Lección 9

## LA VIDA MODERNA

### VOCABULARIO

el **basquetbol** basketball
el **beisbol** baseball
el **camino** road
la **ciencia** science
el **coche** car, automobile
**comparado** compared
**común** common
**corto** short
el **deporte** sport
**distinto** different
la **diversión** amusement, entertainment
la **droga** drug
**eléctrico** electric(al)
la **enfermedad** illness, sickness, disease
**eran** (they) were, used to be
**existir** to exist
**faltar** to be lacking
el **futbol** football
**ganar** to earn
**iban** (they) went, were going, used to go
**joven** young (s.)
**jóvenes** young (pl.)
el **joven** young man
la **joven** young woman
los **jóvenes** young men; young people

el **lugar** place (locality)
la **máquina** machine
la **medicina** medicine
**moderno** modern
**ni** nor
la **película** movie, film
**peligroso** dangerous
las **personas** people (considered individually)
**pocos** few
el **programa** program
**rápido** fast, rapid
**tanto** so much
la **televisión** television
los **tiempos** times
el **tren** train
**veían** (they) saw, were seeing, used to see
la **ventaja** advantage

### MODISMOS

**en cuanto a** as for, in regard to
**en general** generally (speaking), in general
**hoy día** nowadays
**nos gustan** we like
**por ejemplo** for example
**tomar parte** to take part

91

### La vida moderna

La vida moderna es bastante fácil, comparada con la vida que vivían nuestros abuelos. Por ejemplo, cuando ellos eran jóvenes no tenían las cosas eléctricas, ni otras muchas máquinas que tenemos hoy, gracias a la ciencia moderna. Además, cuando querían ir de un lugar a otro, generalmente no iban en coche; los caminos no eran muy buenos, y los trenes no eran rápidos. Los médicos sabían poco de ciertas enfermedades que ya no son muy peligrosas, y no conocían algunas medicinas y drogas que hoy día son bastante comunes. Por eso, muchas personas siempre estaban enfermas, y vivían una vida corta. Pocos jóvenes estudiaban en las universidades; los otros trabajaban, y en general no ganaban mucho.

En cuanto a las diversiones, algunos de nuestros abuelos no veían películas; no escuchaban programas de radio, y naturalmente no conocían la televisión. El basquetbol todavía no existía, y el beisbol y el futbol eran muy distintos en tiempos de nuestros abuelos de los deportes que tanto nos gustan ahora. Dicen algunos viejos que la vida entonces tenía ciertas ventajas que faltan hoy día, pero yo estoy muy contento de vivir ahora; ¿ y Vd.?

### Conversación

PEDRO: ¡ Ah, Felipe ! ¿ Quién es el señor que acabo de ver con Vd.?

FELIPE: Es mi abuelo; él vivía en Nueva York, pero ahora va a vivir con nosotros.

PEDRO: Eso es muy interesante. ¿ Qué hacía su abuelo cuando era más joven?

FELIPE: Era médico, y me dice que la medicina de hoy día es muy distinta de la ciencia que conocía él cuando la estudiaba en la universidad.

PEDRO: ¿ Qué cosas, por ejemplo, no conocía su abuelo entonces?

FELIPE: Pues, en general, los médicos de aquellos tiempos no tenían las drogas maravillosas que existen hoy día. Por eso, no podían curar ciertas enfermedades que entonces eran mucho más peligrosas que ahora.

PEDRO: Es verdad; y nosotros tenemos otras muchas ventajas. A propósito, ¿ qué otras cosas hacía su abuelo cuando estaba en la universidad?

FELIPE: Por supuesto, no podía escuchar la radio, ni mirar la televisión; pero leía mucho, y tomaba parte en algunos deportes. Le gustaban todos los deportes, pero dice que prefería el beisbol.

PEDRO: No me extraña saber que era atleta, porque todavía parece robusto.

FELIPE: Eso sí; goza de muy buena salud, gracias a Dios, y todos le deseamos una vida larga. En su juventud, trabajaba mucho; por eso, ahora puede descansar.

## VOCABULARIO SUPLEMENTARIO

*Did you guess the meaning of these words correctly?*

aquellos those (*m.*)
el atleta athlete
curar to cúre
desear (*with indir. obj.*) to wish
  (*someone something*)
extrañar to surprise
la juventud youth (*time of life*)
maravilloso wonderful, marvelous
parece he (she, it) seems

preferir (ie) to prefer
robusto strong, robust, rugged

*MODISMOS*

a propósito by the way
eso sí that's right, etc.
gozar de to enjoy
gracias a Dios thank heaven
por supuesto of course

## Gramática

I. **Formation of the imperfect.** To form the imperfect indicative of regular verbs the following endings are added to the stem:

−ar: −aba, −abas, −aba, −ábamos, −abais, −aban
−er and −ir: −ía, −ías, −ía, −íamos, −íais, −ían

Study the meanings as well as the various forms of the verbs given below in the imperfect:

### hablar

| | | | |
|---|---|---|---|
| hablaba | I was speaking; I used to speak | hablábamos | we were speaking; we used to speak |
| hablabas | you were speaking; you used to speak | hablabais | you were speaking; you used to speak |
| hablaba | he (she) was speaking; he (she) used to speak | hablaban | they were speaking; they used to speak |
| Vd. hablaba | you were speaking; you used to speak | Vds. hablaban | you were speaking; you used to speak |

| comer | | vivir | |
|---|---|---|---|
| comía | comíamos | vivía | vivíamos |
| comías | comíais | vivías | vivíais |
| comía | comían | vivía | vivían |

Some facts to remember about the imperfect: 1. the first and third persons singular are always the same; 2. the first person plural always has a written accent; 3. there is a written accent over the **i** of all forms of –**er** and –**ir** verbs.

**II. Uses and meanings of the imperfect.** The imperfect is used to describe some kind of continued action in the past; i.e., it explains what was happening or what was being done. It indicates that the action was still going on at the time referred to. Used this way it may mean *was* plus the meaning of the verb.

María **escribía** una carta.     (Tells what María *was doing* at the time referred to)

Elena **hablaba** con su madre.   (Indicates what *was going on* at a certain time in the past)

This tense is used to tell what a situation was in the past.

Mi padre **estaba** en la cocina.   (Tells what the situation or stage-setting *was* at a certain time)

In addition, the imperfect is used to describe an act that was habitual or customary in the past. Used in this way it usually means *used to* plus the meaning of the verb.

Enrique **compraba** muchas cosas her-   (Tells what Enrique *used to do*)
mosas en Madrid.

However, whether the verb in the imperfect means *used to* plus the meaning of the verb, or whether it indicates what *was going on,* must be determined by the sense of the entire conversation.

The imperfect is also used to describe mental state or action in the past.

María no **sabía** lo que yo **quería.**
Juan no **pensaba** salir.

**III. The irregular imperfect of *ir, ser, ver.*** Spanish has only three verbs which are irregular in the imperfect tense: **ir, ser,** and **ver.** Their forms are as follows:

ir    iba, ibas, iba, íbamos, ibais, iban
ser   era, eras, era, éramos, erais, eran
ver   veía, veías, veía, veíamos, veíais, veían

IV. *Acabar de.* In the present indicative a form of
**acabar de** plus the infinitive means *to have just* done something. In the
imperfect **acabar de** plus the infinitive means that someone *had just*
done something. **Acabar de** can be used with this idiomatic meaning
in these two tenses only.
Compare:

**Acabo de** escribir una carta.   (Tells what *has just* taken place.)
**Acababa de** escribir una carta.   (Tells what *had just* taken place.)

## Ejercicios

A. Read *La vida moderna* aloud at least twice for pronunciation.

B. Conjugate in (1) present indicative and (2) imperfect:

ganar     existir     tener

C. The instructor will pronounce various forms of the present indicative
and imperfect of the verbs in B, and of *ir*, *ser*, and *ver*. Identify the
subject and tense of each form.

D. Change to the plural:
1. yo ganaba  2. ella no comprendía  3. escribo  4. Vd. acaba de ver
el libro  5. digo  6. Vd. esperaba  7. él existe  8. volvía  9. yo acababa de llegar  10. Vd. veía

E. Change to the singular:
1. volvemos  2. Vds. bebían  3. iban  4. éramos  5. existo  6. acaban
de regresar  7. ven  8. sabemos

F. Change the verbs in the sentences below to the imperfect:
1. Juan visita a sus amigos.   2. Comen en un pequeño restaurante.
3. Los médicos ganan mucho.   4. Vemos a Pedro en San Francisco.
5. Somos jóvenes y nos gustan las películas modernas.   6. En general
voy mucho al cine.   7. María trata de escuchar el programa.   8. El
ruido de la ciudad molesta a los enfermos.   9. París es una ciudad muy
hermosa.   10. El futbol y el beisbol son deportes interesantes.   11. Estamos en Nueva York y muchas veces vamos a visitar a Elena.   12. Es
preciso ganar mucho para comprar un aparato de televisión.   13. Nuestros abuelos conocen enfermedades muy distintas.   14. Todos mis amigos son de Chile, y son jóvenes interesantes.

G. Change the subject and verb to the plural:
1. Muchas veces la hija molesta a la madre.   2. Hoy día Vd. ya no vive;
existe.   3. Yo iba a ver a un hombre que acababa de volver de Alemania.

BEGINNING SPANISH COURSE

4. Conozco a un hombre que tiene un aparato de radio. 5. Su hermano no quería salir con nosotros porque tenía mucho que hacer. 6. Mi abuelo no veía películas.

H. Dictation of *La vida moderna*.

I. Review *La vida moderna*. Answer in Spanish:
1. ¿ Cómo es la vida moderna ? 2. ¿ Por qué no iban en coche nuestros abuelos ? 3. ¿ Qué clase de vida vivían muchas personas ? 4. ¿ Cuántos jóvenes estudiaban en las universidades ? 5. ¿ Qué deporte moderno no conocían nuestros abuelos ? 6. ¿ Qué dicen algunos viejos ? 7. ¿ Qué ventajas cree Vd. (*do you think*) que tenemos nosotros ? 8. ¿ Cuántos abuelos tiene Vd. ? 9. ¿ Cómo son los trenes de hoy día ? 10. ¿ Cómo va Vd. de un lugar a otro ? 11. ¿ Qué diversiones prefiere Vd. ? 12. ¿ Qué trenes o caminos famosos conoce Vd. ? 13. ¿ Cómo se llaman los que (*those who*) toman parte en los deportes ? 14. ¿ Qué prefiere Vd. cuando mira la televisión ?

J. Prepare two sentences using each of the following: *en cuanto a, en general, acabar de, por eso*.

K. Give the Spanish for:
1. There still are some very dangerous diseases. 2. Television didn't exist when we lived in South America. 3. Our doctor is very good compared with some. 4. My brother used to see a lot of movies. 5. They knew that Carlos was in the restaurant. 6. Few people used to go to universities. 7. Mr. López was going to listen to the radio. 8. We used to study a lot, because the examinations were hard. 9. Nowadays, life is very rapid, isn't it ? 10. Modern football is very different from the sport that our grandparents knew.

## AYUDO A UN AMIGO

## VOCABULARIO

abrir  to open
alguien  someone, somebody
anoche  last night
antes  (*adv.*) before; formerly
la ayuda  help, aid
buscar  to look for
conmigo  with me
contestar  to answer
conversar  to converse, talk
correctamente  correctly
dijo  he (she, you [**Vd.**]) said
empezar (ie) a  (*plus inf.*) to begin
  to
entrar en  to enter
esta  (*adj.*) this
fuí  I went
hasta  until; even
hoy  today
la  it (*f.*); her
le  him
los (las) dos  both

llamar  to call; to knock (*on a door*)
media  a half (*f.*)
el minuto  minute
necesitar  to need
ocupado  busy, occupied
el papel  paper
por  by; through; for
prefería  I preferred
preguntar  to ask (*a question*)
¿ quién?  ¿ quiénes?  who?
sentarse (ie)  to sit down
el teléfono  telephone
triste  sad

### MODISMOS

por teléfono  by (on the) telephone
puesto que  since (*in the sense of* because)
un poco  a little (bit), somewhat
un rato  a (little) while

### Ayudo a un amigo

Anoche, cuando yo estaba en casa, mi amigo Jorge me llamó por teléfono y me preguntó si estaba ocupado porque quería hablar conmigo.  Yo contesté que no pensaba salir y que yo también quería hablar con alguien.  Algunos minutos después Jorge llamó a la puerta.  Yo la abrí, y los dos entramos en la sala donde nos sentamos a conversar un rato antes de trabajar.  Durante media hora escuchamos la radio y hablamos de todas nuestras amigas. — Esta muchacha es más bonita que Elena — dijo Jorge. Yo le contesté que yo prefería aquella muchacha porque era hermosa e inteligente. Por fin empezamos a trabajar. Jorge estaba un poco triste porque no sabía muy bien sus lecciones y por eso necesitaba mi ayuda, sobre todo en la lección de español. Yo sí la sabía bastante bien y quería ayudarle. Fuí a buscar mis libros y mis papeles y estudiamos hasta muy tarde. Puesto que preparamos bien la lección, hoy en la clase mi amigo respondió correctamente a todas las preguntas del maestro.

## Conversación

— Miguel, alguien llama por teléfono. ¿ Quieres responder ? (*Miguel habla un rato con un amigo.*)

— ¿ Quién es, hijo ? — pregunta su madre.

— Es Jorge. Quería estudiar conmigo, porque anoche no comprendió la lección.

— Creo que hoy estás muy ocupado y tienes que preparar esos papeles. (*Llaman a la puerta*) — ¿ Quién es ? — pregunta su madre. (*Abre la puerta. Su amigo Jorge entra*).

— ¡ Hola ! ¿ Cómo le va, amigo ?

— Muy bien, gracias.

— ¿ Necesita ayuda, Jorge ?

— Sí; estoy un poco triste porque mañana tengo examen en la clase de español y no entiendo bien ese idioma.

— Bueno. Voy a buscar los dos libros de español y mis papeles; en pocos minutos, lo preparo todo.

— Esta mañana estudié media hora antes de ir a la universidad, pero ahora necesito su ayuda.

— Puesto que Vd. quiere estudiar, vamos al salón de estudio.

— Me alegré mucho hoy cuando Vd. respondió correctamente a las preguntas del maestro.

— Sí, Jorge. Por eso estudio, porque quiero saber. Hoy en la escuela hablaba con Pedro, y él cree que contesté muy bien.

## VOCABULARIO SUPLEMENTARIO

*Did you guess the meaning of these words correctly ?*

**alegrarse** to be glad
**cree** he (she) believes, thinks; you (**Vd.**) believe, think

**entender** (ie) to understand
**el salón de estudio** study (*room*)

LECCIÓN DÉCIMA

## *Gramática*

I. **Formation of the preterit.** The preterit indicative of regular verbs is formed by adding the following endings to the stem:

-ar:     -é, -aste, -ó, -amos, -asteis, -aron
-er and -ir:   -í, -iste, -ió, -imos, -isteis, -ieron

Study these endings and pronounce them aloud. Learn to identify them when you hear them. Observe carefully the following verbs and their meanings:

### hablar

| hablé | I spoke | hablamos | we spoke |
|---|---|---|---|
| hablaste | you spoke | hablasteis | you spoke |
| habló | he (she) spoke | hablaron | they spoke |
| **Vd.** habló | you spoke | **Vds.** hablaron | you spoke |

| comer | | vivir | |
|---|---|---|---|
| comí | comimos | viví | vivimos |
| comiste | comisteis | viviste | vivisteis |
| comió | comieron | vivió | vivieron |

II. **Uses and meaning of the preterit.** The preterit is used to express a *completed action*. It tells what *did happen* in contrast to the imperfect, which indicates what *was happening* at some time in the past.

Volvieron ayer.
Compré un sombrero.
Pasó diez años en París.

Compare:

Juan escribía a su padre cuando yo entré.
Juan escribió a su padre cuando estaba en París.

III. **The use of *sí* to indicate emphasis.** The affirmative **sí** is commonly used to emphasize the verb. In such cases **sí** usually precedes the verb.

| Yo sí estudio mucho. | I *do* study a great deal. |
|---|---|
| Yo sí lo sabía bien. | I *did* know it well. |
| La historia sí es interesante. | History *is* interesting. |

IV. **Demonstrative adjectives.** Spanish has three demonstrative adjectives. These demonstrative adjectives stand before the nouns they modify and agree with them in gender and number.

| | SINGULAR | | | PLURAL | |
|---|---|---|---|---|---|
| *Masculine* | *Feminine* | | *Masculine* | *Feminine* | |
| este | esta | this | estos | estas | these |
| ese | esa | that | esos | esas | those |
| aquel | aquella | that | aquellos | aquellas | those |

**Ese,** etc., indicate something near or associated with *the person spoken to;* **aquel,** etc., refer to something far from both the speaker and the person being addressed. Compare:

¿ Quiere Vd. **ese** libro ?
Voy a tomar **esos** coches.
¿ Ve Vd. **aquella** casa blanca ?
**Aquellos** muchachos son de Chile.


## Ejercicios

A. Read *Ayudo a un amigo* aloud at least twice for pronunciation.

B. Review the rules for the pronunciation of *b* and *v*, p. 10.
   1. Tell how the italicized letters in the following words are pronounced: *v*aso, jo*v*en, asam*b*lea, a*b*rigo, *v*erano, vela*b*an, pronom*b*re, la *b*lusa, be*b*ían, una *v*ela, som*b*rero, ser*v*ían, un *b*urro, tam*b*ién, vi*v*ían
   2. Pronounce carefully:

   Mi abuelo volvió con un vaso de vino y yo lo bebí.   Volveremos a la Habana el invierno que viene.

C. Conjugate in (1) present indicative, (2) imperfect, (3) preterit:

   contestar          abrir          volver

D. The instructor will pronounce various forms in the preterit and the imperfect of the verbs in C.   Identify the subject and tense of every form.

E. Change these preterit forms to the singular:
   1. volvieron   2. necesitamos   3. entraron   4. vimos   5. contestamos   6. existimos   7. conversaron   8. empezaron a preguntar

F. Change to the plural:
   1. traté de entrar   2. existió   3. pregunté   4. abrí   5. necesitó   6. comprendió   7. se burló   8. me senté

G. Change the verb in the following sentences to (1) imperfect; (2) preterit. As you make each change think of the particular meaning each tense has.

LECCIÓN DÉCIMA

1. Escribo un libro de francés. 2. María entra en la sala. 3. ¿ Contesta Elena a la pregunta del profesor ? 4. Abrimos la puerta de la cocina. 5. Conversamos un rato con Pedro. 6. Vd. abre la ventana. 7. Veo a mis amigos mexicanos. 8. ¿ Vuelven Vds. de España ? 9. Juan y Pablo buscan un buen aparato de televisión. 10. Enrique toma el papel blanco.

H. Change the verb in parentheses to the proper form of the tense indicated:

1. María y Dorotea (llamar, *pret.*) a sus padres. 2. Los muchachos no (saber, *imperf.*) lo que Vd. (hacer, *imperf.*). 3. Yo (charlar, *pret.*) con él durante dos horas. 4. Vd. (responder, *pret.*) sin dificultad. 5. ¿ Qué (hacer, *imperf.*) Vd. cuando yo (llamar, *pret.*) ? 6. ¿ Dónde (trabajar, *imperf.*) sus hermanos ? 7. ¿ Qué (mirar, *imperf.*) Vd. cuando yo (abrir, *pret.*) la puerta de la sala ? 8. ¿ Qué (buscar, *imperf.*) Eduardo cuando (entrar, *pret.*) su primo ? 9. Luisa y yo (conversar, *imperf.*) por teléfono cuando Vds. (regresar, *pret.*) del cine. 10. ¿ Qué alumno (contestar, *pret.*) mejor hoy ? 11. Mi abuelo ya no (vivir, *imperf.*) cuando Pedro y yo (llegar, *pret.*). 12. Ganábamos muy poco cuando (ser, *imperf.*) jóvenes. 13. Yo (querer, *imperf.*) un vaso de vino, pero no (saber, *imperf.*) que el vino no (ser, *imperf.*) bueno.

I. Read the following sentences, replacing the English words in parentheses by the proper words in Spanish:

1. Juan (*saw*) a María cuando (*he was going*) al restaurante. 2. José y yo (*used to help*) a nuestro padre cuando (*he was working*) en la oficina del señor Ramírez. 3. El profesor (*used to make fun*) de los alumnos, pero ahora los alumnos se burlan del profesor. 4. Dorotea (*was reading*) un libro, mi madre (*was working*) en la cocina, y yo (*was eating breakfast*). 5. Ramón dice que (*he was waiting for*) a Luisa y que ella (*arrived*) un poco tarde. 6. Yo (*was looking for*) la universidad cuando (*I found*) a un muchacho que (*knew*) donde (*it was*). 7. Yo (*had lunch*) con Pedro. 8. Él (*was saying*) que Vd. (*used to earn*) mucho.

J. Give the proper form of the imperfect or the preterit as usage requires:
1. Vds. (comer) cuando nosotros (entrar). 2. Después de la clase Pedro y Eduardo (perder) tres horas en el cine. 3. La familia López (pasar) dos días en Madrid. 4. ¿ Dónde (tomar) Vd. el almuerzo hoy ? 5. ¿ Con quién (charlar) Vds. cuando nosotros (salir) ? 6. José (ver) una película muy moderna anoche. 7. Por lo común, cuando nosotros (necesitar) algo, (llamar) por teléfono. 8. Hoy yo (levantarse) muy temprano. 9. Cuando Vd. (ser) joven, siempre (regresar) a casa muy tarde. 10. Juanita acababa de terminar sus lecciones para mañana y (leer) una carta de su familia cuando Vds. (salir).

BEGINNING SPANISH COURSE

K. The sentences below are arranged in narrative form and are composed of a series of interrelated ideas. Change the verbs in parentheses to the imperfect or the preterit as usage requires. Review in your mind the various possible meanings of these two tenses.

Hoy yo (levantarse) bastante tarde y fuí a la cocina para desayunarme. Allí yo (encontrar) a mi padre que (tomar) su café y (leer) una carta de mi hermano. Mi madre y mi hermana Elena (escuchar). Cuando yo (entrar) en la cocina todos (burlarse) de mí porque yo (regresar) a casa tan tarde anoche.

Después de leer la carta mi padre (levantarse) para salir. Yo sabía que mi familia no (ser) rica, pero nosotros sí (tener) un coche. También sabía que por lo común mi padre (tomar) el coche para ir a la oficina. Yo (estar) muy cansado y por eso (querer) ir a la universidad con él en el coche. Así Elena y yo (salir) con mi padre, y yo sin comer. ¡ Pobre muchacho !

L. Supply the proper form of the word in parentheses:
1. (aquel). _____ muchachas son bonitas. 2. (este). _____ camareros no trabajan bien. 3. (ese). _____ asiento es muy cómodo. 4. (este). Ramón perdió _____ propina. 5. (aquel). _____ calles son viejas. 6. (este). _____ muchachos acaban de escribir _____ cartas. 7. (aquel). ¿ De quién son _____ papeles ? 8. (ese). ¿ Quiere Vd. _____ abrigo ? 9. (este). Vds. deben contestar a _____ preguntas. 10. (aquel). ¿ Necesitan su ayuda _____ hombres ?

M. Change to the plural:
1. Esta carta es interesante. 2. Ese hombre siempre llegaba a su trabajo a tiempo. 3. Llamé a aquel hombre. 4. La ensalada de ese restaurante es excelente.

N. Change to the singular:
1. Estos deportes son distintos. 2. Queremos ver a esos vecinos. 3. Sin duda Vds. van a salir bien en aquellos exámenes. 4. Mis tíos contaban estas historias cuando éramos muy pequeños.

O. Formulate four original sentences which show that you understand the difference between *ese* and *aquel* and their various forms.

P. Dictation of *Ayudo a un amigo.*

Q. Review *Ayudo a un amigo.* Answer in Spanish:
1. ¿ Dónde estaba yo anoche ? 2. ¿ Cómo me llamó Jorge ? 3. ¿ Qué me preguntó Jorge ? 4. ¿ Cómo pasamos media hora antes de estudiar ? 5. ¿ Por qué estaba triste Jorge ? 6. ¿ Quién sabía mejor la lección de español ? 7. ¿ Cómo preparamos la lección ? 8. ¿ A qué preguntas respondió Jorge ? 9. Cuando Vd. va a casa de un amigo, ¿ qué hace Vd. antes de entrar ? 10. Generalmente, ¿ cómo sabe Vd. sus lecciones ?

11. ¿ Quién ayuda a Vd. cuando no las sabe bien ?   12. ¿ Cómo pasa Vd. mucho tiempo cuando no estudia ?   13. Por lo común, ¿ cómo responde Vd. en sus clases ?   14. ¿ Son fáciles o difíciles las preguntas de los maestros ?

R. Prepare two sentences using each of the following: *puesto que, un rato, por teléfono, durante.*

S. Prepare five statements on:
*Visito a un amigo.*
(What is the occasion ?   Who is he ?   Can you reach him by telephone ?
Has he called you lately ?   Is this a social call ?   Are you going alone ?
How long do you plan to stay ? etc.)

T. Give the Spanish for:
1. Elena was not at home when I called.   2. After two hours, I called her (*la* before verb) again.   3. I forgot what I wanted to say.   4. We looked for some paper, since we needed to write.   5. Eduardo always used to know his lessons.   6. They often had breakfast with me.   7. Last night, we wrote three letters.   8. My uncle was busy when I knocked at his door.   9. We listened to that program a little while, and then we talked until very late.   10. Carlos sat down in this chair and began to talk with someone by telephone.

In the neighborhood of Mexico City. (*above*) The great Pyramid of the Sun (la Pirámide del Sol), at Teotihuacán, northeast of the capital. (*below*) A valley near Orizaba. This winding road connects Mexico City with Veracruz, on the east coast.

Uruguay, South America's smallest republic, offers great variety in little room. (*above*) Uruguayan gauchos dancing; Argentina obviously has no monopoly on gauchos. (*below*) Pocitos Beach is one of the most popular in Montevideo.

## Repaso II  (Gramática 6–10)

A. Supply the appropriate forms of the adjectives in parentheses and place them in their proper place *before* or *after* the noun.

1. Allí hay dos asientos (libre).
2. Comimos con mucho gusto el helado (blanco).
3. El examen (primero, difícil) es el examen de francés.
4. A veces llevo el sombrero (viejo); es un sombrero (bonito).
5. Bebimos un vaso (grande) de agua.
6. Elena no tiene sombrero (ninguno, hermoso) porque es de una familia (pobre).
7. Pensamos visitar unas ciudades (interesante); la ciudad (tercero) es una ciudad (famoso).
8. Mis amigas (alemán) escriben bien la lengua (español), pero no la hablan.
9. Si me levanto tarde, me pongo la cosa (primero) que encuentro.
10. Un hombre (bueno) sabe trabajar con cuidado.
11. Eduardo quería beber la leche (blanco).
12. ¿ Conoce Vd. un restaurante (pequeño, francés) ?
13. El Brasil y la Argentina son países (dos, sudamericano).
14. Hoy leí cartas (alguno) a Lolita porque ella no sabe leer.
15. Los pobres tienen que comprar cosas (barato).

B. Form adverbs from the following adjectives:

   triste  solo  fácil  rico  libre

C. Indicate the adjectives (masculine singular) from which the following adverbs have been formed:

   alegremente, generalmente, lentamente, naturalmente, perfectamente

D. Insert in the proper place in the sentences below one of the following: *muy, siempre, bastante, temprano, con mucho gusto, con cuidado, por lo común.*

1. María se levantó.
2. Pedro no sale bien en sus exámenes porque no trabaja.
3. Vd. contesta bien a todas mis preguntas.
4. Anoche escuchamos un programa de televisión.
5. Los pobres no dejan propinas.
6. Tengo que darme prisa para terminar.

E. Prepare in class a sentence using each of the expressions below:

   a tiempo, de vez en cuando, sobre todo, también, ahora, hoy, otra vez.

F. Use *un* or *una* if necessary:

1. Eduardo tomó _____ ensalada para el almuerzo.
2. Estábamos en _____ calle bonita.
3. Todos somos maestros, y mi padre es _____ maestro famoso.
4. Debemos abrir _____ ventana.
5. Dorotea se marchó con _____ otra amiga.
6. No me gusta tal _____ coche.
7. Cuentan que Vd. sabe leer sin _____ libro. ¡ Qué hombre!
8. Soy _____ alumna inteligente, y siempre salgo bien sin su ayuda.
9. Quiero pasar _____ media hora con Rafael.
10. Vds. no pueden salir sin _____ sombrero.

G. Supply the proper form of the word in parentheses:

1. (este).    Hay que preparar lentamente _____ exámenes.
2. (aquel).   Enrique se levantó para abrir _____ ventanas.
3. (ese).     _____ coches son muy modernos.
4. (ese).     _____ mesa es barata.
5. (este).    _____ noche nos marchamos para Costa Rica.
6. (aquel).   Hay que entrar en _____ cuarto con cuidado.
7. (este).    Siempre necesitamos la ayuda de _____ libro.
8. (ese).     Juan se da prisa para terminar _____ trabajo lo antes posible.
9. (este).    ¿ Es preciso regresar a _____ hora ?
10. (aquel).  _____ viejo va a la América Central.

H. Give the proper form of the verb in parentheses in the tense indicated.

1. Pedro y sus amigos (sentarse, *pres.*) cerca de la ventana.
2. Vd. (volver, *pret.*) a la mesa para beber el café.
3. ¿ (Poder, *pres.*) Vds. ayudar a mis primos que (marcharse, *pres.*) mañana ?
4. Cuando yo (estar, *imperf.*) en Panamá, (conocer, *pret.*) a un hombre que (saber, *imperf.*) hablar siete lenguas.
5. Enrique (tomar, *pret.*) el papel, y (empezar, *pret.*) a escribir algo.
6. Cuando Rosita está en Chicago, (decir, *pres.*) que (querer, *pres.*) desayunarse en cama.
7. Felipe y yo (querer, *imperf.*) sentarnos un rato.
8. ¿ Por qué (hacer, *imperf.*) Vd. tal cosa ?
9. María (tener, *imperf.*) poco tiempo, y por eso no (regresar, *pret.*).
10. Dicen que Vd. (burlarse, *pret.*) de Manuel.

I. The sentences below are arranged in narrative form and are composed of a series of interrelated ideas. Change the verb in parentheses to the imperfect or preterit as usage requires.

El primero de junio Felipe (tomar) un tren rápido para Nueva York. (Estar) muy alegre porque (ir) a ver esta gran ciudad. Después de dos días en el tren (llegar) a Nueva York. Como esta ciudad es tan grande, él no (saber) dónde empezar, pero sí (querer) visitar todos los lugares importantes. Por fin, (tomar) el autobús, y el día siguiente (*following*), el tranvía. Así (tratar) de conocer toda la ciudad. (Ver) que los habitantes (ganar) mucho, que los caminos (ser) buenos, y que, en general, la ciencia y las máquinas modernas (hacer) muy fácil la vida.

Felipe (pasar) en Nueva York una noche que no puede olvidar. (Encontrar) diversiones muy distintas. (Visitar) uno de los restaurantes italianos tan famosos. (Comer) bien y para terminar la comida (beber) un vaso de vino italiano. (Volver) a casa muy contento.

J. Prepare four original sentences in Spanish using the imperfect and the preterit.

K. Prepare three short oral questions about modern life to be answered by another student.

L. Give orally a word or expression of similar meaning:

| | |
|---|---|
| 1. volver | 5. contestar |
| 2. por lo común | 6. hermoso |
| 3. marcharse | 7. hay que |
| 4. de vez en cuando | 8. puesto que |

M. Give a word or expression of opposite meaning:

| | |
|---|---|
| 1. a veces | 6. rápidamente |
| 2. los ricos | 7. terminar |
| 3. contenta | 8. sin |
| 4. buscar | 9. a tiempo |
| 5. salir | 10. después |

# *Lección* 11

## LA EDAD

## VOCABULARIO

**el año** year
**el calor** warmth, heat
  **cordialmente** cordially
**el cumpleaños** birthday
  **cumplir** to be, to complete *or* to
    round out (*a certain number of
    years*)
  **demasiado** (*adv.*) too; too much
  **diciembre** December
**la edad** age
  **frío** cold
**la hierba** grass
  **junio** June
**la limonada** lemonade
  **llevar** to take; to carry
  **menos** (*adj.*) less, fewer
**el momento** moment
**la Navidad** Christmas
  **poner** to put, place
  **presentar** to present, introduce
**el primero** first (*of a month*)
  **probablemente** probably
  **nos pusimos a** we began
  **recibir** to receive, get
**el regalo** gift, present
  **saludar** to greet
**la sed** thirst

**el sueño** sleep
**la suerte** luck
  **unos** some, a few
  **venir** to come

## MODISMOS

**¿ Cuántos años (tiene Vd.)?** How
  old (are you) ?
**cumplir los (quince)** to be *or* become
  (fifteen years old)
**de modo que** so (that)
**más tarde** later
**poner** (*plus adj.*) to make
**ponerse a** (*plus inf.*) to begin to
**tener (quince) años** to be (fifteen)
  years old
**tener (mucho) calor** to be (very)
  warm
**tener (mucha) prisa** to be in a (big)
  hurry
**tener razón** to be right
**tener (mucha) sed** to be (very)
  thirsty
**tener (mucho) sueño** to be (very)
  sleepy
**tener (mucha) suerte** to be (very)
  lucky

LECCIÓN ONCE

## La edad

Un día, cuando yo tenía quince años, mis padres me llevaron a una ciudad vecina, a visitar al señor García y su familia. Cuando llegamos a su casa, mi padre llamó a la puerta; el señor García vino a abrirla, y nos saludó muy cordialmente. Mis padres se sentaron en la sala, y el señor García me presentó a su hijo, Federico. Como Federico y yo teníamos mucho calor, salimos de la casa, nos sentamos en la hierba, y nos pusimos a hablar.

— ¿ Cuántos años tiene Vd. ? — me preguntó Federico.

— Yo tengo quince años — contesté. — ¿ Y Vd. ?

— Yo también tengo quince años, — respondió él; — pero voy a cumplir los diez y seis en diciembre. ¿ Cuándo es el cumpleaños de Vd. ?

— Mi cumpleaños es el primero de junio; de modo que acabo de cumplir los quince.

— Vd. tiene mucha suerte — dijo Federico; — porque mi cumpleaños viene demasiado cerca de la Navidad, y por eso probablemente recibo menos regalos que Vd.

— Vd. tiene razón, sin duda.

Unos minutos después la señora García nos llamó a la cocina, donde tomamos unos vasos de limonada muy fría. Como los dos teníamos mucha sed, eso nos puso muy contentos. Un poco más tarde salimos de allí porque mi padre tenía sueño y tenía prisa para volver a casa.

## Conversación

— En diciembre cumplí los dieciocho años, — dijo Manolo, y se sentó sobre la hierba.

— Y yo, — dijo Pablo — cumplo los veintiuno el día de Navidad.

— ¿ Recibió Vd. muchos regalos ? — preguntó Pedro. — A mí me regalaron una cantidad de corbatas.

Después de unos minutos de silencio, dijo:

— Señor García, ¿ viajó Vd. el año pasado por Sud América durante la Navidad ?

— Sí, amigo, no solamente el año pasado; muchas veces.

— Y, ¿ cómo es una Navidad en la Argentina, por ejemplo ?

— Pues, el veinticinco de diciembre hace un calor terrible por allí. Unos días antes de Nochebuena (el veinticuatro de diciembre), limpian con especial cuidado toda la casa. Todo brilla, y reina la alegría por todas partes.

— ¡ Qué extraña me parece una Navidad con tanto calor !

— Es muy divertida. La familia completa, abuelos, tíos, primos, padres e hijos tratan de reunirse para ese día tan simbólico. Además invitan a las personas que no tienen familia. Generalmente se reúnen todos en el patio. Comen pavo, tortas, turrón, roscas, etc. Después de la cena, todos salen a la acera y se sientan en sillas o sillones, o sobre la hierba.

— Me dijo un sudamericano que hasta los pobres comen « pan dulce » en Navidad.

— Bueno, en la Argentina es costumbre tomar sidra y comer pan dulce.

— Y si no pueden comprar sidra, ¿ qué beben ?

— ¡ Hombre ! Lo mismo que aquí. Como hace calor y tienen sed, toman naranjada, limonada, cerveza o refrescos.

Juan dijo: — ¿ No hacen regalos como aquí ?

— Los invitados, por lo común, traen algo, pero esta costumbre no es tan popular como en los Estados Unidos.

— ¡ Ah ! Entonces prefiero nuestra Navidad — dijo Antonio.

## VOCABULARIO SUPLEMENTARIO

*Did you guess the meaning of these words correctly ?*

la **acera** walk, sidewalk
**brillar** to shine
**bueno** well, fine, good
la **cantidad** quantity
la **cena** supper, evening meal
la **cerveza** beer
**completo** complete, entire
la **corbata** necktie
la **costumbre** custom, habit, tradition
**divertido** amusing
**extraño** strange
**hace calor** it is warm (weather)
los **invitados** guests
**invitar** to invite
**limpiar** to clean
**lo mismo** same
la **naranjada** orangeade
la **Nochebuena** Christmas Eve
**pan dulce** coffee cake, sweet roll
**pasado** past, last (*year, etc.*)
**pavo** turkey

**popular** popular
**por todas partes** everywhere
**prefiero** I prefer
**pues** ... well
el **refresco** refreshment
**regalar** to give (*a present*)
**reinar** to reign
**reunirse** to meet (together)
la **rosca** small twisted roll
la **sidra** cider
el **silencio** silence
**simbólico** symbolic(al)
**sobre** on, over, about
**tan** (*before adj. or adv.*) ... **como** as ... as
la **torta** cake
**traen** they bring
el **turrón** nougat
**veinticinco** twenty-fifth
**veinticuatro** twenty-fourth
**veintiuno** twenty-first
**viajar** to travel

LECCIÓN ONCE

## *Gramática*

I. **Direct object pronouns.** Pronouns used as the
*direct object* of a verb are:

| | | | |
|---|---|---|---|
| **me** | me | **nos** | us |
| **te** | you | **os** | you |
| **le** | him; you (*masc.*) | **los** | them (*masc.*); you (*masc. pl.*) |
| **la** | her; you (*fem.*) | **las** | them (*fem.*); you (*fem. pl.*) |
| **la** | it (*fem.*) | | |
| **lo** | it (*masc.*) | | |

NOTE: **Le** may be used to refer to *either* **él** or **Vd.** (*masc.*); and **la**
to *either* **ella** or **Vd.** (*fem.*).

Many Spanish-speaking people use **lo** instead of **le** as a direct object
referring to the persons **él** and **Vd.** (*masc.*). Compare:

Conozco bien a **Juan.** **Le** conozco bien. *or:* **Lo** conozco bien.

The direct object **lo** may sum up or refer to an entire idea previously
expressed:

Juan es inteligente. **Lo** sé. (**Lo** means: que **Juan es inteligente.**)
Pedro está en México. ¿ **Lo** sabe María ? (To what does **Lo** refer ?)
María es bonita. Sí, **lo** es. (To what does **lo** refer ?)

II. **Position of direct object pronouns.** Direct object pronouns usually stand *immediately before* the verb:

Juan estudia la lección, pero no **la** escribe.
Compramos los libros porque **los** necesitamos.

But direct object pronouns are *attached to the end of* an infinitive:

Allí está la ventana; voy a abrir**la.**
Sí, señor, conozco a sus primos; acabo de ver**los.**

## III. **Common idioms with** *tener.*

| | | | |
|---|---|---|---|
| **Tener calor** | to be warm | **Tener prisa** | to be in a hurry |
| **Tener frío** | to be cold | **Tener sueño** | to be sleepy |
| **Tener hambre** | to be hungry | **Tener razón** | to be right |
| **Tener apetito** | to be hungry | **Tener suerte** | to be lucky (have luck' |
| **Tener sed** | to be thirsty | **No tener razón** | to be wrong |

Juan tenía mucho calor.
Vd. no tiene frío.
No tengo apetito.

IV. **Age.** Age is expressed by some form of **tener**
followed by the number and **años** (*years*):

Tengo veinte y dos años.   Juan tenía quince años.

To ask one's age:

¿ Cuántos años tiene Vd. ? *or:* ¿ Qué edad tiene Vd. ?
¿ Cuántos años tiene Juan ?

A. *To be* in the sense of *to become* a certain age is: **cumplir los** (referring
to **años**) and the number of years:

Hoy cumple María los quince (años).
Mi hermana va a cumplir los treinta (años) en septiembre.

### V. Irregular verbs.

**poner** (to put, place)

| | |
|---|---|
| *Pres. ind.* | **pongo, pones, pone, ponemos, ponéis, ponen** |
| *Imperf.* | **ponía** (regular) |
| *Pret.* | **puse, pusiste, puso, pusimos, pusisteis, pusieron** |

**venir** (to come)

| | |
|---|---|
| *Pres. ind.* | **vengo, vienes, viene, venimos, venís, vienen** |
| *Imperf.* | **venía** (regular) |
| *Pret.* | **vine, viniste, vino, vinimos, vinisteis, vinieron** |

**reunirse** (to meet, get together)

| | |
|---|---|
| *Pres. ind.* | **me reúno, te reúnes, se reúne, nos reunimos, os reunís, se reúnen** |

### *Ejercicios*

A. Read *La edad* aloud at least twice for pronunciation.

B. Supply the proper form of the verb in parentheses. Use the infinitive
or the present tense unless otherwise indicated.

1. ¿ Cuántos años tiene Vd. ? (preguntar) María.   2. Acabo de (llamar)
por teléfono.   3. Pedro (recibir, *pret.*) los regalos y los (poner, *pret.*)
en la mesa.   4. Elena (cumplir, *pret.*) los veinte ayer.   5. ¿ De dónde
(venir) Vds. ?   6. Juan no bebe porque no (tener) sed.   7. ¿ Qué (hacer)
Vds. cuando (tener) sueño ?   8. Ayer encontré a Pedro en la calle y le
(saludar, *pret.*) muy cordialmente.   9. Eduardo y yo (venir, *pret.*) de
Buenos Aires en dos días.   10. ¿ Qué edad (tener) Vd. ?   — Mañana
voy a (cumplir) los diez.   11. Berta y su hermano (recibir, *pret.*) unos
regalos de Chile.   12. Cuando me llama mi madre, siempre contesto: —
¡ (ir) en seguida !   13. Elena no quiere (salir) porque (tener) mucho frío.
14. Tomo el vaso de limonada y la (beber) con mucho gusto.

LECCIÓN ONCE

C. Supply the proper object pronouns:
   e.g.  María escribe la carta.  María *la* escribe.
   1. Juan mira al muchacho.  Juan _____ mira.  2. Saludamos a nuestros amigos. _____ saludamos.  3. Vd. recibió estas sillas.  Vd. _____ recibió.  4. Vd. va a cumplir los trece en diciembre.  Vd. va a cumplir _____ en diciembre.  5. Luisa lee la novela.  Luisa _____ lee.  6. Ahora queremos tomar el almuerzo.  Ahora queremos tomar _____.  7. Pablo compró el helado para su hermana.  Pablo _____ compró para su hermana.  8. No quiere molestar a sus amigos.  No quiere molestar _____.  9. Vd. recibió mi carta ayer.  Vd. _____ recibió ayer.  10. No conozco bien a su hermana.  No _____ conozco bien.

D. Change the following sentences to the negative:
   1. Jorge los recibió de Alfredo.  2. ¿ La necesita Vd. ?  3. Vds. lo pronuncian muy bien.  4. Voy a buscarlas.  5. ¿ Por qué me saluda Vd. ?

E. Replace the italicized words with direct object pronouns.  Change the word order if necessary.
   1. María lleva *los libros*.  2. Vamos a dar *las novelas*.  3. Siempre ayudo *a José*.  4. ¿ Conoce Vd. *a su profesor* ?  5. Ayer visité *a mis amigos enfermos*.  6. Los ricos no saludan *a los pobres*.  7. Los buenos alumnos siempre contestan *las preguntas del maestro*.  8. Vamos a leer *el libro* « La barraca ».  9. ¿ Sabe Vd. escribir *el español* ?  10. ¿ Quiere Vd. conocer *a mis amigos de Chile* ?  11. Pedro va a Valencia y quiere llevar *a María*.  12. Venimos de San Francisco donde encontramos *al señor Parda*.  13. No tengo *el regalo de Juan*.  14. ¿ Dónde pusieron Vds. *nuestros sombreros* ?  15. Acabamos de abrir *las ventanas*.

F. Prepare one sentence using each of the following idioms: *cumplir los . . . , tener prisa, tener suerte, más tarde.*

G. Dictation of *La edad.*

H. Review *La edad.*  Answer in Spanish:
   1. ¿ Cuántos años tenía yo ?  2. ¿ A dónde me llevaron mis padres ?  3. ¿ Quién vino a abrir la puerta ?  4. ¿ Dónde se sentaron mis padres ?  5. ¿ Cómo se llamaba el hijo del señor García ?  6. ¿ Cuántos años tenía Federico ?  7. ¿ Cómo estábamos Federico y yo ?  8. ¿ Cuándo era el cumpleaños de Federico ?  9. ¿ Cuál (*Which*) de los dos muchachos probablemente recibía más regalos ?  10. ¿ Por qué nos llamó la señora García ?  11. ¿ Por qué nos puso contentos la limonada ?  12. ¿ Qué toma Vd. cuando tiene calor ?  13. ¿ Cómo está Vd. cuando tiene suerte ?  14. ¿ Cómo se llaman algunas ciudades vecinas ?  15. ¿ Cuántos años tiene el hermano de Vd. ?  16. ¿ Cuándo es el cumpleaños de Vd. ?

I. Prepare six short questions the answers to which will require the use of a direct object pronoun.
   e.g.  ¿ Tiene Vd. mi libro ?  — No, señor, no *lo* tengo. etc.

J. Give the Spanish for:
1. We must not drink too much when we are warm. 2. Ricardo got up too early, so he is sleepy. 3. When are you going to be eighteen? 4. Francisco was sixteen in June. 5. He was probably in a hurry. 6. After greeting us, he began to talk. 7. He said that he had fewer friends than I. 8. I need a certain book; do you have it? 9. Is Miss Ramírez here? I want to see her. 10. Marta and Luisa don't know us. Do you know them?

Bookstalls in Buenos Aires. Book-browsing seems to be popular everywhere. These *porteños* (people of Buenos Aires) may be looking for a copy of *Martín Fierro*, the great poem about gaucho life, or one of the famous novels of any modern literature.

The "floor show" at an Argentine night club. Notice the men's baggy trousers and spurs, parts of the traditional gaucho costume.

Argentina: Iguazú Falls. These majestic falls, belonging to the river of the same name, form part of the boundary between Argentina and Brazil. Although practically inaccessible to tourists, these falls are sixty or seventy feet higher than Niagara.

The Plaza del Congreso, Buenos Aires — one of about 1000 reasons why Argentina's capital has been called the "City of Squares." In the background is the Congressional Palace.

Uruguayan gauchos enjoying a small-scale *asado*, something like our own outdoor barbecues. The drink that the girl is preparing is *mate*, a beverage made from the leaves of a native tree, and often compared to tea.

Uruguay: Estancia San Pedro. A familiar scene on any cattle ranch: branding and cutting horns. The tufts (seen lying on the ground at the right) are recovered from the tails, and the hair is used in making mattresses. No waste here!

## LA VIDA DEL CAMPO

### VOCABULARIO

**acostumbrado** accustomed
**acostumbrarse** to become accustomed
**algo** somewhat
**el animal** animal
**aunque** although
**el ave** (*f.*) bird, fowl
**bueno** ... well, ...
**el caballo** horse
**el campo** country (*opposite of city*); field
**casi** almost
**el compañero** companion
**convenir** (*conjugated like* **venir**) to be convenient, fitting, suitable
**decidirse a** (*plus inf.*) to decide to
**el dinero** money
**ello** it (*obj. of prep., referring to whole idea of statement*)
**el espacio** space, room
**francamente** frankly
**la gallina** hen
**el gallo** rooster
**ganar** to earn, gain, win
**el gato** cat
**la gente** people
**¡ hombre !** man alive !
**notar** to notice
**el pájaro** bird
**parecer** (*conjugated like* **conocer**) to seem

**el perro** dog
**prestar** to lend
**pues** ... well, ...
**el puesto** position, job
**regalar** to give (*a present*)
**rústico** rustic, rural
**simpático** pleasant, likable
**trasladarse** to move (*to change one's residence*)
**varios** several
**la vida de la ciudad** city life
**la vida del campo** country life

### MODISMOS

**al** *plus inf.* = on *plus pres. participle*
   (**al salir** on leaving, etc.)
**así es la vida** such is life
**de esta manera** in this way
**desde luego** of course
**echar de menos** to miss (*someone or something*)
**ello es que** ... the fact is that ...
**estar acostumbrado a** to be accustomed to
**montar a caballo** to ride horseback
**ni mucho menos** (not) by any means
**por ejemplo** for example
**querer (ie) decir** to mean
**¿ verdad ?** isn't it ? etc.

**119**

## La vida del campo

El otro día visité a mi amigo Rafael, porque tenía un libro muy interesante y quería prestárselo a él. Al llegar, noté que estaba un poco triste y cuando le pregunté por qué estaba así, me respondió de esta manera:

— Pues, amigo, ello es que no estoy muy contento aquí. Como sabe Vd., estoy acostumbrado a vivir en el campo, y por eso no me gusta mucho la vida de la ciudad, aunque trato de acostumbrarme a ella.

— ¿ Quiere Vd. decir que no le gusta la gente de aquí ? — le pregunté.

— ¡ Hombre ! ¡ No quiero decirle eso, ni mucho menos ! — contestó Rafael. — Vds. son unos vecinos y compañeros muy simpáticos, pero echo de menos mi vida rústica. Por ejemplo, en el campo montaba a caballo casi todos los días; tenía dos o tres perros, varios gatos, un gallo y unas gallinas; pero aquí no es posible tener animales y aves.

— Desde luego; aquí no hay bastante espacio para ello. Pero si a Vds. les gustan más las cosas del campo, ¿ por qué se trasladaron a la ciudad ?

— Bueno, mi padre no ganaba mucho dinero allí, y quería un puesto algo mejor, de modo que se decidió a venir a la ciudad. A él sin duda le conviene estar aquí, pero a mí me parece mucho más agradable la vida del campo, se lo digo a Vd. muy francamente; pero así es la vida, ¿ verdad ?

## Conversación

— Rafael, quiero prestarle este libro que explica algo más sobre la vida del campo.

— ¿ Quiere Vd. prestármelo ? ¡ Hombre ! la verdad es que necesito una explicación sobre la vida de la ciudad. No puedo acostumbrarme a ella. ¡ Es terrible para mí !

— ¡ Oh ! No lo sabía, amigo. Pero, ¿ por qué ? ¿ No le gusta la gente de la ciudad ?

— No, hombre, no es eso. Voy a explicarlo en pocas palabras. Yo prefiero la vida rústica, en contacto con la naturaleza. Estoy acostumbrado a montar a caballo por la mañana temprano, y a hablar con los animales. ¿ Qué le parece ?

— Es extraño, pero muy interesante.

— Allí, en el rancho, tengo perros, gatos, un gallo, muchas gallinas, caballos y vacas. Vds. aquí en la ciudad son muy simpáticos, pero yo prefiero la vida del campo porque me acostumbré a ella.

— Y ¿ por qué se trasladó Vd. a la ciudad ?

— Porque en el campo ganaba poco dinero, y entonces decidimos venir a la ciudad, y aquí estamos.

— Bueno, paciencia, amigo. Así es la vida.

— La verdad es que echo de menos la vida del campo, pero desde luego, con los libros, el cine y los parques puedo pasar las horas mejor.

— Puedo prestarle unas novelas.

— Muchas gracias, amigo. En este puesto tengo mucho tiempo para leerlas.

— Hasta la vista, entonces.

— Adiós, y muchas gracias.

## VOCABULARIO SUPLEMENTARIO

*Did you guess the meaning of these words correctly ?*

| | |
|---|---|
| **el contacto** contact | **¿ Qué le parece?** What do you think (about it) ? |
| **la naturaleza** nature | |
| **la paciencia** patience | **la vaca** cow |

## Gramática

I. **Pronouns as object of prepositions.** The personal pronouns used following prepositions are the same as the subject pronouns except for **mí** and **ti** which are used in place of **yo** and **tú** respectively.

La silla es para **mí** (**ti, él, ella, Vd., nosotros, vosotros, ellos, ellas, Vds.**) Voy al teatro con **Vds.**

Exceptions: **mí** and **ti** join with **con** to become **conmigo** and **contigo**:

Vds. hablan **conmigo.**

II. **Indirect object pronouns.** Pronouns used as the indirect object of a verb (i.e. meaning *to me, to you, to him,* etc.) are:

| | | | |
|---|---|---|---|
| **me** | to me | **nos** | to us |
| **te** | to you | **os** | to you |
| **le** | to him; to her | **les** | to them |
| | to you (**Vd.**) | | to you (**Vds.**) |
| | to it (*rarely*) | | |

III. **Position of indirect object pronouns.** Indirect object pronouns take the same relative position in the sentence as the direct object pronouns; that is, they usually stand immediately before the verb.

Juan **me** da el libro.   María **nos** escribe una carta.

Likewise, indirect object pronouns are attached to the end of an infinitive:

Elena quiere prestar**me** un libro.
Voy a dar**le** el abrigo.

A. Whenever an indirect object and a direct object pronoun are used simultaneously with the same verb, the indirect object stands first:

Pedro me da el libro.   Pedro **me** lo da.
María nos lee la novela.   María **nos** la lee.
José va a decirme la página.   José va a decír**mela**.[1]

B. When direct and indirect object pronouns are used together and if both are in the third person (that is, if both forms begin with the letter *l*), **se** is used instead of **le** and **les**.

Escribo la carta a Pedro.
**Le** escribo la carta.
**Se** la escribo.   (Which pronoun refers to **la carta**?)

Prestamos la mesa a nuestros vecinos.
**Les** prestamos la mesa.
**Se** la prestamos.   (Which pronoun refers to **nuestros vecinos**?)

1. Since **le** (*to him, to her, to you*) and **les** (*to them, to you*) or **se** when it replaces either of these forms, can have a number of different meanings, confusion sometimes results as to their exact reference. This is made clear by using, *in addition to* the regular forms of the indirect object pronoun, the preposition **a** and the appropriate prepositional form of the pronoun:

**Le** doy el libro.   (**Le** here is perhaps adequate, but not too clear.)
**Le** doy el libro **a él** (**a ella**, *or* **a Vd.**).   (Here the reference is clear.)

The same pattern may be followed when two third person object pronouns are used together:

---

[1] Whenever two object pronouns are added to an infinitive, a written accent (´) must be placed over the vowel of the last syllable of the infinitive, thus holding the stress where it normally falls when the infinitive stands alone.   Why is the accent (´) unnecessary when only one pronoun is added to the infinitive?

LECCIÓN DOCE

**Le** escribo la carta.
**Se** la escribo. (The exact meaning of **Se** here may be questioned.)
**Se** la escribo **a él** (**a ella, a Vd.**). (Here no doubt remains.)

2. A noun used as indirect object of a verb is often repeated as an indirect object pronoun before the same verb. Compare:

> Doy el lápiz **a Pedro.** (Permissible)
> **A Pedro le** doy el lápiz. ⎫
> **Le** doy el lápiz **a Pedro.** ⎭ (Frequently used)

IV. **Use of *gustar*.** The verb **gustar** (*to be pleasing to*) is used in Spanish to express the idea of *to like* (something). An English sentence containing the verb *to like* must be reworded to express the same idea in Spanish. Thus:

We like the book.   *becomes in Spanish*   The book is pleasing to us.
I like potatoes.   *becomes in Spanish*   Potatoes are pleasing to me.
I like to eat.   *becomes in Spanish*   To eat is pleasing to me.

The sentence can then be easily translated into Spanish by using the correct form of **gustar**. If the subject is singular, **gustar** will be in the third person singular; if the subject is plural, **gustar** will be in the third person plural. It is important to remember that **gustar** is always used in the third person singular or plural if *things* are involved.

We like the book (The book is pleasing to us).   **Nos gusta el libro.**
I like potatoes (Potatoes are pleasing to me).   **Me gustan las patatas.**

Notice that the English subject (*We, I*) has become the indirect object in Spanish (**Nos, Me**). The English object (*the book, potatoes*) has become the Spanish subject (**el libro, las patatas**). The Spanish subject follows the verb.

You will also notice that if what is liked is an action (*to eat, to drink, to dance*), the Spanish verb **gustar** will be used in the singular.

I like to eat (To eat is pleasing to me).   **Me gusta comer.**

If the subject of the verb *to like* is a noun, that noun must be introduced in Spanish by the preposition **a**, thus:

> Charles likes animals (Animals are pleasing to Charles).
> **A Carlos le gustan los animales.**

> **Nos gusta la novela.** (Subject of **gusta**?)
> ¿ **Te gustan los gatos?** (Subject of **gustan**?)
> **A los niños les gusta beber leche.** (Subject of **gusta**?)

## Ejercicios

A. Read *La vida del campo* aloud at least twice for pronunciation.

B. Fill the blanks with the proper form of the verb in parentheses. Use the present tense or the infinitive, unless otherwise indicated.
1. Eduardo (prestar, *pret.*) _____ su abrigo a su hermano. 2. Juan y yo (decidirse) _____ a pasar una semana en el campo. 3. Nos (convenir, *imperf.*) _____ quedarnos en Lima. 4. ¿ A dónde (trasladarse) _____ Vds.? 5. Este cuarto me (parecer, *imperf.*) _____ muy agradable. 6. ¿ Qué (querer) _____ decir *fácil?* 7. María no quería (acostumbrarse) _____ a la vida del campo. 8. ¿ A quién (prestar, *imperf.*) _____ Vd. su caballo? 9. Ayer trabajé dos horas y (ganar, *pret.*) _____ quince dólares ($15). 10. La vida del campo debe (ser) _____ muy agradable. 11. Elena no (estar, *imperf.*) _____ acostumbrada al gran espacio de mi cuarto. 12. La gente de la ciudad me (parecer) _____ muy inteligente, porque todos saben (leer) _____. 13. Luisa nos dijo que no (querer, *imperf.*) _____ (salir) _____ con nosotros. 14. Yo (notar, *pret.*) _____ que el perro de Juan no (estar, *imperf.*) _____ acostumbrado a la vida rústica.

C. Complete with suitable pronouns.
1. Compré el libro para Eduardo. Compré el libro para _____. 2. Recibimos unos regalos muy bonitos de nuestros primos. Recibimos unos regalos muy bonitos de _____. 3. Damos el pájaro verde a los muchachos. _____ damos el pájaro verde. 4. ¿ Quieren Vds. pasar una hora con Elena? ¿ Quieren Vds. pasar una hora con _____? 5. Vamos a visitar la ciudad. Vamos a visitar _____. 6. Mi padre escribió dos cartas a mi madre. Mi padre _____ escribió dos cartas. 7. Mi abuelo va a dar un gato a la muchacha. Mi abuelo va a dar _____ un gato. 8. ¿ Puede Vd. prestarme estas patatas? ¿ Puede Vd. prestárme _____? 9. Hablábamos de Juan y María. Hablábamos de _____. 10. Pedro no quiere salir sin su compañero. Pedro no quiere salir sin _____.

D. Insert in the proper place in each sentence a suitable indirect object pronoun. There may be more than one answer possible for any given sentence.

e.g. Pedro da una carta. Pedro me (*nos,* etc.) da una carta.

1. Lo dice. 2. Dan la limonada. 3. Este cuarto parece muy grande. 4. Elena no va a prestarlos. 5. Vd. lee la carta. 6. Presentaron unos regalos. 7. Conviene estar aquí. 8. El maestro hablaba de la primera lección.

E. Change to the negative:
1. Juan le mira. 2. Lo compramos para ella. 3. Vd. me lo cuenta. 4. Pedro quiere dármelos. 5. Dorotea se lo da a Vd.

LECCIÓN DOCE

F. Replace the italicized noun objects with suitable pronouns. Use the prepositional forms for clarity whenever necessary.

1. Ella siempre es buena con *Pedro*. 2. Doy *el perro a mi vecino*. 3. Los ricos no conocen *a los pobres*. 4. El gato es para *los niños*. 5. Acabo de visitar *a unos amigos enfermos*. 6. Hoy cumplo los veinticinco, pero no quiero decirlo *a María*. 7. Este animal parece muy pequeño *a Andrés*. 8. Siempre decimos *a José* lo que pensamos. 9. Cuando necesito dinero, siempre pregunto *a mi padre* si tiene bastante para los dos. 10. Pedro habló *a su compañero* de la Navidad en México. 11. Me decidí a llevar *el regalo a mi amiga*. 12. Pablo compró *el caballo* para *su hermana*. 13. Voy a contar *a María mi visita en Chile*. 14. Cuando estaba en España, escribía *a mis padres* todos los días.

G. Supply the proper form of *gustar*. Identify the subject in each sentence.

1. Me _____ mucho este libro. 2. A Elena le _____ los animales. 3. ¿ Le _____ a Vd. los días de diciembre ? 4. Nos _____ este puesto porque no tenemos que trabajar. 5. A mí no me _____ esta ciudad. 6. Nos _____ mucho montar a caballo.

H. Dictation of *La vida del campo*.

I. Review *La vida del campo*. Answer in Spanish:

1. ¿ A quién visité el otro día ? 2. ¿ Qué quería prestarle a Rafael ? 3. ¿ Por qué estaba triste Rafael ? 4. ¿ A qué vida está acostumbrado Rafael ? 5. ¿ Qué clase de amigos y vecinos tiene Rafael ? 6. ¿ Cuántos perros tenía Rafael ? 7. ¿ Por qué no es posible tener muchos animales en la ciudad ? 8. ¿ Por qué se trasladó el padre de Rafael ? 9. ¿ Qué vida le parece mejor a Rafael ? 10. ¿ Vive Vd. en el campo o en la ciudad ? 11. Si Vd. vive en el campo, ¿ qué animales tiene ? 12. ¿ Quién le presta libros a Vd. ? 13. ¿ Qué cosas les presta Vd. a sus amigos? 14. ¿ Cuál (*What*) es otra manera de decir *la vida rústica?* 15. ¿ Qué clase de vecinos tiene Vd. ?

J. Prepare two sentences using each of the following: *gustar, querer decir, desde luego, echar de menos, montar a caballo*.

K. Prepare six short questions the answers to which will contain indirect object pronouns:
e.g. ¿ Prestó Vd. su libro a Juan ? — Sí, *le* presté mi libro.

L. Give the Spanish for:
1. We like our friends and neighbors. 2. It seems to me that they are right. 3. My companion has several hens; but he does not want to give them to you. 4. She likes to ride horseback. 5. Do you always go to school with him ? 6. They have just decided to move. 7. We are not used to living in the city. 8. I have a small bedroom, but there are two beds in it.

*Pan American-Grace Airways*

Chile takes great pride in its wines, and this pretty *chilena* is displaying some of the raw materials. Chile is the long, narrow country that occupies so large a part of the Pacific coast of South America. The capital, Santiago, is a splendid city, and Valparaíso is one of the greatest ports on the Pacific.

Metropolitan Buenos Aires. Buenos Aires and Mexico City are the two largest cities in the Spanish-speaking world, and among the largest in the western hemisphere. Buenos Aires is considered in many respects to be an essentially European city, but its great activity reminds many observers of Chicago.

# Lección 13

## UN AMIGO NUEVO

### VOCABULARIO

el abogado lawyer
la boca mouth
el diente tooth
la dirección address; direction
el edificio building
  invitar to invite
el mes month
  mientras (que) while
  negro black
  nuevo new
el ojo eye

la parte part
el pelo hair
la sonrisa smile

### MODISMOS

hace (*plus unit of time*) . . . ago
hacía (*plus unit of time*) . . . que *used
to show how long something* had
been going on
más tarde later (on)

### Un amigo nuevo

Hace algunos días mientras iba a la escuela conocí a
un muchacho. Al conocerle, supe que se llamaba Enrique, que iba a
la misma escuela que yo, que no vivía muy lejos de mi casa, y que
hacía muchos años que su padre era abogado. Él es un muchacho muy
simpático; tiene el pelo y los ojos negros, los dientes muy blancos, la
boca pequeña y una sonrisa muy agradable. Él y su familia llegaron
aquí hace seis meses. Por eso Enrique empezó a ir a la escuela un poco
más tarde. También me dijo Enrique que tenía dos hermanos y una
hermana, y que quería presentarme a toda su familia lo antes posible.
Cuando llegamos a la escuela Enrique fué a otra parte del edificio
porque él y yo no teníamos las mismas clases; pero antes me dió su
dirección y me invitó a su casa. Me dijo que su familia vivía en una
casa vieja y rústica, y que su padre tenía dos caballos muy buenos. A mí
me gusta mucho montar a caballo; así voy a visitarle mañana. También
me gustan las muchachas bonitas, y, desde luego, quiero ver a su hermana.

129

BEGINNING SPANISH COURSE

## Conversación

— ¿ Quieren Vds. saber una cosa, amigos ? — preguntó Emilio.

— ¡ Hombre ! Si no nos lo dices . . .

— Ayer tuve la agradable sorpresa de conocer a un muchacho peruano recién llegado de su país, y que estudia el derecho en esta universidad.

— ¡ Oh ! ¿ Es rubio o moreno ? — preguntaron Alicia y Lolita al mismo tiempo.

— Es moreno y muy simpático. Tiene los ojos y el pelo negros. Su boca es pequeña, lo mismo que su nariz, y tiene los dientes blancos y parejos. No es muy alto. Llegó hace dos meses, y sabe poco inglés.

— Quiero conocerle. ¿ Cuándo me le presenta Vd. ? — dijo Celia.

— Tal vez mañana. En Sud América, al presentar una persona a otra y al decir: — mucho gusto en conocerle a Vd. — , ambos se dan la mano.

— Hace mucho tiempo, diez años más o menos, tuve la oportunidad de conocer a un grupo de turistas sudamericanos, y recuerdo que todos me dieron la mano.

— ¿ Es posible hablar con el peruano ? Quiero preguntarle algo sobre la historia del Perú. ¿ Quieres darme su dirección, Emilio ?

— Con mucho gusto. Él me la dió a mí y me invitó cordialmente a su casa porque desea presentarme a su familia.

— ¿ Y sabes suficiente español para hablar con él ? — dijo Manuel.

— Sí. Hace tiempo que estudio la lengua española, y ahora la sé muy bien.

## VOCABULARIO SUPLEMENTARIO

*Did you guess the meaning of these words correctly ?*

**alto** tall, high
**el derecho** law (*the study of law*)
**desear** to desire, want
**lo mismo que** as; the same as
**la nariz** nose

**parejos** even
**recién llegado** recently arrived
**rubio** blond; light complexioned
**la sorpresa** surprise

## Gramática

I. **The preterit of some irregular verbs.**

dar    dí, diste, dió, dimos, disteis, dieron
decir    dije, dijiste, dijo, dijimos, dijisteis, dijeron

| estar | estuve, estuviste, estuvo, estuvimos, estuvisteis, estuvieron |
| hacer | hice, hiciste, hizo, hicimos, hicisteis, hicieron |
| ir | fuí, fuiste, fué, fuimos, fuisteis, fueron |
| leer | leí, leíste, leyó, leímos, leísteis, leyeron |
| poder | pude, pudiste, pudo, pudimos, pudisteis, pudieron |
| querer | quise, quisiste, quiso, quisimos, quisisteis, quisieron |
| saber | supe, supiste, supo, supimos, supisteis, supieron |
| ser | fuí, fuiste, fué, fuimos, fuisteis, fueron |
| tener | tuve, tuviste, tuvo, tuvimos, tuvisteis, tuvieron |

II. **Special meanings of some verbs in the preterit.**
Several common verbs may have special meanings when used in the preterit. The most common, with their meanings in the preterit, are: **conocer** *to meet*, i.e., *to be introduced to;* **poder** *to succeed; to fail,* when negative; **querer** *to try; to refuse,* when negative; **saber** *to find out;* and **tener** *to get* or *to receive.*

Los **conocimos** ayer.
**Quiso** salir, pero no **pudo.**
Ayer, **tuvimos** una carta de su primo.
Cuando **supo** que yo escribía a su padre, no **quiso** hablar conmigo.

III. **Special time expressions with** *hace.*

A. **Hace** (. . . **que**) *ago:* To express *ago* the preterit is generally used with **hace** or **hace . . . que.** Study the following examples:

Lo **aprendió hace** seis meses. *or:*
**Hace** seis meses **que** lo **aprendió.**

Mi hermano **llegó hace** dos días. *or:*
**Hace** dos días **que llegó** mi hermano.

B. **Hace . . . que** and the present tense are used to show how long an action has been going on, and that it is still going on at present:

**Hace** dos meses **que** Pedro **está** aquí. (Pedro is still here.)
**Hace** tres horas **que estudiamos.**

C. **Hacía . . . que** and the imperfect tense are used to show how long an action had been going on and that it was still in progress at the time referred to:

**Hacía** dos meses **que** Juan **estaba** en Madrid. (Juan was still there.)
**Hacía** dos horas **que hablábamos** con él.

IV. **Changes of spelling in verb stems.** In –ar verbs whose infinitive ends with –car, –gar, and –zar, c changes to qu, g to gu, and z to c, before e. Compare:

| | | |
|---|---|---|
| buscar | llegar | empezar |
| busqué | llegué | empecé |

## Ejercicios

A. Read *Un amigo nuevo* aloud at least twice for pronunciation.

B. Review the rules for the pronunciation of *m* and *n*, p. 9. Pronounce: tomamos, un buen día, nada, en vano, morena, tengo, mando, invisible, mercado, invasión

Mi madre me llamó por teléfono, pero fué en vano.

C. Conjugate:
1. in the imperfect: *ir, ser, ver.*
2. in the preterit: *buscar, hacer, ir, llegar, ser, ver.*

D. The instructor will pronounce various forms of the verbs introduced in this lesson. Give the infinitive and tense of each form.

E. Select the form which correctly completes each sentence.
1. (Estábamos, Estuvimos, Éramos) en la escuela, cuando mi padre (llega, llegaba, llegó). 2. Por lo común, Juan (sé, supo, sabía, supe) muy bien la lección. 3. María y su madre no (fueron, estaban, estuvieron, eran) en casa cuando yo (entró, entro, entré, entramos). 4. Los alumnos no (pudieron, podía, pueden, podían) hacerlo ahora. 5. Anoche yo (recibía, recibió, recibe, recibí) una carta de mi compañero.

F. Change the verbs to the tenses indicated:
1. Vamos a casa (*pret.*).
2. Están en el Perú (*imperf.*).
3. No podemos ir con Vd. (*imperf.*).
4. No lo sé (*pret.*).
5. Lo hacen todos los días (*imperf.*).
6. Tengo dos amigos muy simpáticos (*imperf.*).
7. Empiezan a escribir (*pret.*).
8. Nos dan su dirección (*pret.*).
9. El maestro de español me invita a su casa (*imperf.*).
10. Juan y yo se lo decimos (*pret.*) a él pero él no nos escucha (*pret.*).

G. Supply the proper form of the verb in the tense indicated:
1. Su hermana (ser, *imperf.*) muy bonita. 2. Mis primos no (saber, *imperf.*) lo que nosotros (querer, *imperf.*). 3. Rafael (estar, *imperf.*)

en París cuando yo (visitar, *pret.*) a su familia. 4. Los dos muchachos me (invitar, *pret.*) a tomar el almuerzo con ellos. 5. Mis hermanos (hacer, *present*) lo que yo les (decir, *present*). 6. Cuando Eduardo (saber, *pret.*) que Vd. (acabar, *imperf.*) de volver de México, (decir, *pret.*) que (querer, *imperf.*) conocerle. 7. Yo (empezar, *pret.*) a leer la carta. 8. Pedro y José (querer, *pret.*) aprender el español, pero no (poder, *pret.*). 9. Generalmente Elena (ver, *imperf.*) a su tío todos los días. 10. Pablo (decidirse, *pret.*) a trabajar en otro edificio.

H. Select the word which correctly completes each sentence.
1. (Hay, Hace, Está) dos horas que Vds. llegaron. 2. Hace tres días que (estamos, estábamos) en Nueva York. 3. (Hace, Hacía, Eran) una hora que esperábamos a Felipe. 4. ¿ Cuántos años (hace, tiene, es) Vd. ? 5. (Hay, Son, Hace) veinte años que mi padre es abogado. 6. Hacía tres años que María (buscó, busca, buscaba) a su madre. 7. Luisa llegó aquí (son, hacen, hace) dos días. 8. Leímos este libro (hace, hacía que, hay) muchos años. 9. (Hace, Hacía, Era) muchos años, el lugar más interesante de esta ciudad era la casa del señor Martínez.

I. Replace the italicized nouns or clauses with suitable pronouns. Use prepositional forms for clarity when necessary.
1. Dorotea abrió *los ojos*. 2. Pedro escribió *esta carta a su compañero*. 3. Pablo no quiere darnos *su dirección*. 4. Enrique tiene *el pelo negro*. 5. ¿ Qué tiene Vd. en *la boca?* 6. Hace seis meses que sé *montar a caballo*. 7. Regalamos *el gallo al niño*. 8. Me decidí a comprar *los pájaros* para *mis padres*. 9. Vd. tiene *los dientes* muy blancos. 10. Me dijeron *que Vds. estaban en otra parte del edificio*.

J. Give the opposites of the following words and expressions:

| | | | | |
|---|---|---|---|---|
| 1. fácil | 4. cerca | 7. sin | 10. antes | 13. empezar |
| 2. nuevo | 5. responder | 8. poco | 11. a veces | 14. blanco |
| 3. aquí | 6. perder | 9. recibir | 12. muchacho | 15. tarde |

K. Dictation of *Un amigo nuevo*.

L. Review *Un amigo nuevo*. Answer in Spanish:
1. ¿ Cuándo conocí al muchacho ? 2. ¿ A dónde iba yo ? 3. ¿ Cómo se llamaba el muchacho ? 4. ¿ Dónde vivía Enrique ? 5. ¿ Cuándo llegaron Enrique y su familia ? 6. ¿ Qué hizo Enrique después de llegar aquí ? 7. Cuando llegamos a la escuela, ¿ a dónde fué Enrique ? 8. ¿ Qué hizo Enrique antes de dejarme ? 9. ¿ Cómo se llama el hermano de Vd. ? 10. ¿ Cuántas hermanas tiene Vd. ? 11. ¿ Qué clases tiene Vd. con sus amigos ? 12. ¿ Cuál (*What*) es la dirección de Vd. ? 13. ¿ Con quién va Vd. a la escuela ? 14. ¿ Dónde viven los amigos de Vd. ?

M. Prepare five statements about one of the following:
1. *Una visita en casa.*
   (When is it to be? What will you take? What is your address?
   Is a friend going with you? Is it necessary to telephone before leaving? How long will you stay? etc.)
2. *Mi amigo nuevo.*
   (Who is he? How did you meet? Do you think you will become
   very good friends? What do you like about this person? etc.)

N. Give the Spanish for:
1. They read the letter last night. 2. I arrived here a few days ago.
3. We went to Havana with our uncle. 4. María said that she didn't
want to go. 5. He had to do it as soon as possible. 6. General Washington was a great man. 7. They were going to study, but they didn't
do it. 8. We found it out a year ago. 9. When I began to work, I had
already been waiting two months for you. 10. She used to have beautiful black hair and a pleasant smile. Today she no longer has them.

Montevideo: Customs House and Dock. This busy seaport is the main outlet for Uruguay, which as a great cattle-raising country exports canned and frozen meats, as well as wool and hides.

Plaza Independencia, Montevideo. The capital of Uruguay is a busy, forward-looking city and an important cultural center, with fine museums, theaters, orchestras, and a great university.

Talara, Peru: gaffed tuna being hauled in. Peru has developed a successful fishing industry, and exports substantial quantities of canned fish.

*Standard Oil Co. (N.J.)*

A Quechua Indian sitting on the granite throne of the Incas in Cuzco, southern Peru. Cuzco was the capital of the great Inca empire, which flourished before the coming of Pizarro. At its peak, this vast domain included Peru, Bolivia, and Ecuador, and even extended into Colombia in the north and Chile in the south.

*Gendreau*

## EL MERCADO

### VOCABULARIO

amarillo yellow
aun even
ayer yesterday
el bolsillo pocket
la cantidad quantity, amount
la cebolla onion
la ciruela plum
el color color
¡ cuántas! how many . . . ! what a lot of . . . !
de in (*after a superlative*)
descargar to unload
detener (*conjugated like* tener) to detain, delay
detenerse to stop (*when one is going somewhere*)
el dólar dollar
el dueño owner, manager, boss, etc.
las espaldas back
éste this one; the latter
la flor flower
la fruta fruit
fuerte strong
el guisante pea

el hombro shoulder
la lechuga lettuce
la manzana apple
mayor older; oldest
el mercado market
muchísimo (*adv.*) very (much)
la naranja orange
el oro gold
la pera pear
la plaza public square
el pollo chicken
principal principal, main
que (*between expressions of quantity and inf.*) to (e.g., algo que comer)
quedarse to remain, stay
sabroso tasty, good-tasting
el tomate tomato
la toronja grapefruit
la uva grape
venderse to be sold

### MODISMOS

no más que no more than, only

### El mercado

Ayer cuando fuí al centro de la ciudad me detuve unos minutos en un mercado que está cerca de la plaza principal. Aunque éste no es tan grande como algunos otros, es el mejor mercado de la

137

ciudad, y me gusta ir allí de vez en cuando. En él se venden gran cantidad de frutas, legumbres, flores, y aun de pollos y gallinas. Cuando llegué ví algo muy interesante; dos muchachos de hombros y espaldas muy fuertes, descargaban un camión de frutas y legumbres. ¡ Cuántas cosas sabrosas! ¡ Y de qué bonitos colores! Manzanas rojas, peras amarillas, naranjas de color oro, lechugas y guisantes verdes, cebollas muy blancas, uvas, ciruelas, toronjas, tomates y muchas cosas más. Yo quería quedarme allí más tiempo, pero ya era tarde y además tenía hambre. Como no tenía más que un dólar en el bolsillo, tuve que regresar a casa a buscar algo que comer.

### *Conversación*

— ¿ Hay tomates en el refrigerador, María ?

— No, señora. No hay más que cebollas, guisantes y el pollo que preparé ayer.

— Entonces, vamos al centro. En el mercado general que no es tan caro como los mercados pequeños podemos comprar legumbres, frutas y huevos.

— El Mercado Central de México es el mejor lugar para comprar barato, y es tan grande como el Mercado de Los Ángeles.

— Lo que más me gusta ver, es la gran cantidad de frutas que hay en él. ¡ Cuántos colores! ¡ Cuántas cosas sabrosas se venden allí!

— Es verdad, señora. Y es mejor ir temprano que tarde. Por la tarde hay muchísma gente, y no es tan agradable hacer las compras.

— ¿ Cuánto dinero tienes en el bolsillo, María ?

— Tengo un dólar y cincuenta centavos, señora.

— No tienes tanto dinero como yo creía. Bueno, vamos, porque tengo muchísimas cosas que comprar.

— Sí, señora. El otro día, al regresar a mi casa, me detuve unos minutos en la plaza « Concordia » a la sombra de unos árboles, para ver descargar frutas, legumbres, pollos y gallinas en el mercado que está allí cerca.

— ¡ Qué interesante!

— ¡ Muchísimo! Había allí dos hombres jóvenes de hombros y espaldas fuertes que descargaban naranjas de color oro, manzanas rojas, peras amarillas, uvas, toronjas, ciruelas, lechugas y guisantes verdes, cebollas blancas y muchísimas otras cosas que el dueño revisaba con la mayor atención.

— Vamos, que ya es tarde. ¡ Hablas tanto, María !

— Me gusta quedarme a mirar de vez en cuando el negocio de flores del señor Martínez. Aquél no es tan grande como algunos otros del centro, pero hay allí una gran variedad de flores hermosísimas, de los más extraños colores.

— ¡ Ah ! Es mi mayor placer mirar las flores.

## VOCABULARIO SUPLEMENTARIO

*Did you guess the meaning of these words correctly ?*

**a la sombra** in the shade      **que** because
**caro** expensive; dear      **el refrigerador** refrigerator
**el huevo** egg      **revisar** to examine
**el negocio** business      **vamos** let's go

## Gramática

I. **Comparative degree of adjectives and adverbs.** The comparative is formed by placing **más** (*more*) or **menos** (*less*) before the adjective or adverb, and corresponds to such expressions as *more interesting, less difficult,* or forms in *–er* (*larger,* etc.).

Juan es rico; yo soy **más rico.**
Las primas de Pedro son hermosas; mis primas son **más hermosas.**
Vd. escribe fácilmente, pero nosotros escribimos **más fácilmente.**

**Que** is ordinarily used for *than* in comparisons; but **de** is used for *than* before numerals, in affirmative sentences.

Elena es más hermosa **que** María.
Eduardo es más inteligente **que** los otros alumnos.
Pedro tiene más **de** cien libros.

In negative sentences, **no más que,** plus a numeral, expresses the idea of *no more than,* or *only.* Compare:

Me compré más **de** ocho libros.
**No** escribí **más que** dos cartas.

II. **Superlative of adjectives.** The superlative form of most adjectives (i.e. forms corresponding to such expressions as *most beautiful, largest,* etc.) is the same as the comparative, except that the *definite article* or *a possessive adjective* is used before **más** or **menos.**

BEGINNING SPANISH COURSE

Juan es pobre, yo soy más pobre, y Vd. es **el más pobre.**
En mi clase hay veinte muchachas; María es **la más hermosa.**
Luis es **mi** amigo **más interesante.**

Used with a noun, an adjective that takes **más** or **menos** always follows the noun. In such cases the comparative and superlative are the
same, but the context usually makes the meaning clear.

El gran hombre.
El hombre **más grande.** (Both comparative and superlative)

**De** is used for *in* after superlatives:

Juan es el muchacho más inteligente **de** la clase.
Es la ciudad más grande **del** Perú.

**III. Superlative of adverbs.** The superlative of adverbs is exactly the same as the comparative. Once again, the sense
of the sentence will make clear which is intended.

Juan y Pedro aprenden rápidamente, pero  (Comparing two only)
Juan aprende **más rápidamente.**
Todos pronuncian fácilmente, pero Vd.  (Comparing three or more)
pronuncia **más fácilmente.**

Notice that the superlative of adverbs does not take the definite
article; however, the neuter **lo** is used if an expression of possibility
follows the adverb:

Juan fué **lo más pronto posible.**

**IV. Irregular comparisons.** Spanish has a few adjectives and adverbs which are compared irregularly. The most common of these are:

ADJECTIVES

|  |  | *Comparative* |  | *Superlative* [1] |  |
|---|---|---|---|---|---|
| **bueno** | good | **mejor** | better | **el mejor** | best |
| **malo** | bad | **peor** | worse | **el peor** | worst |
| **grande** | large | **más grande** | larger | **el más grande** | largest |
|  |  | **mayor** | older | **el mayor** | oldest |
| **pequeño** | small | **más pequeño** | smaller | **el más pequeño** | smallest |
|  |  | **menor** | younger | **el menor** | youngest |

Note that **mayor** and **menor,** the irregular forms of **grande** and
**pequeño,** when applied to persons, denote age. Study the following
examples carefully:

[1] All of these forms have plurals and feminines: *el mejor, los mejores, la mejor, las
mejores,* etc.

LECCIÓN CATORCE

Este mercado es bueno, pero el mercado del señor Ramírez es **el mejor** de la ciudad.

Mi hermana es **la mayor** de la clase, pero no es **la más grande.**

ADVERBS

| | | Comparative | | Superlative | |
|---|---|---|---|---|---|
| **bien** | well | **mejor** | better | (**lo**) **mejor** | best |
| **mal** | badly | **peor** | worse | (**lo**) **peor** | worst |
| **mucho** | much | **más** | more | (**lo**) **más** | most |
| **poco** | little | **menos** | less | (**lo**) **menos** | least |

Elena habla bien; habla **mejor** que su hermano.

Vd. estudia poco, pero Juan estudia **menos.**

Los alumnos que se burlan **menos** y estudian **más** aprenden **más.**

**V. Absolute superlative.** To make an adjective or adverb stronger, either use **muy** before them (**muy hermoso, muy bien,** etc.) or add **–ísimo** (**–a, –os, –as**) to the adjective and **–ísimo** to the adverb. When **–ísimo** or one of its forms is added, the final vowel of the adjective or adverb and all accents, except the one on **–ísimo,** are dropped. **Muchísimo,** never **muy mucho,** is used.

| | | |
|---|---|---|
| **hermoso** | **muy hermoso** | or: **hermosísimo** |
| **fácil** | **muy fácil** | or: **facilísimo** [1] |
| **rico** | **muy rico** | or: **riquísimo** [2] |
| **largo** | **muy largo** | or: **larguísimo** [2] |

Estudio **muchísimo.**

The absolute superlative expresses the same idea as **muy** plus adjective or adverb and can never replace the superlative with **más,** discussed above. It does not establish comparison. It signifies a high degree of the quality expressed by the adjective or adverb.

Juan es **inteligentísimo** pero María es más inteligente.

**VI. Comparisons of equality.** In comparison, equality in quantity or in number is expressed by:

A. **Tanto** (**–a, –os, –as**) plus noun plus **como,** *as much (many) . . . as:*

Yo tengo **tantos** amigos **como** él.

Tenemos **tanto** dinero **como** Vd.

Comió **tanto como** yo.

[1] Note the dropping of the original accent (´) from *fácil.*
[2] Notice that the *c* of *rico* and the *g* of *largo* change to *qu* and *gu* respectively. Why?

B. **Tan** plus adjective or adverb plus **como,** *as* (*so*) . . . *as:*

> Soy **tan** grande **como** mi amigo.
> Escriben **tan** bien **como** nosotros.

VII. **Había.** The imperfect tense corresponding to the present tense **hay** is **había.** Compare the meanings of the two forms:

| | | |
|---|---|---|
| *Pres.* | **hay** | there is, there are |
| *Imperf.* | **había** | there was, there were; there used to be |

### Ejercicios

A. Read *El mercado* aloud at least twice for pronunciation.

B. Change the verb to the tenses indicated:
1. Descargo la fruta (*pret.; imperf.*). 2. Se detenían en el mercado (*pres.; pret.*). 3. Mi abogado se trasladaba a un lugar rústico (*pres.; pret.*). 4. Le gustan los guisantes (*pret.; imperf.*). 5. En este mercado se venden las cebollas (*imperf.; pret.*). 6. Vd. se queda en Tampico (*pret., imperf.*).

C. Supply the proper form of the verb in parentheses:
1. Cuando yo era pequeño, (estar) acostumbrado a vivir en el campo. 2. Vd. me (prestar) estos cinco dólares hace muchos años. 3. Para (tener) una sonrisa agradable, necesitamos dientes blancos. 4. Empiezo a (acostumbrarse) a la vida de la ciudad. 5. Eduardo no (tener) más que quince años cuando yo le conocí. 6. A mis compañeros les (gustar) la sopa de cebollas. 7. Carlos nos dijo que él no (entender) la palabra « algo ». 8. Vds. van a (cumplir) los diez el primero de junio. Yo los (cumplir) hace dos meses. 9. Vd. no estaba contento aquí, por eso (decidirse) a trasladarse a otro lugar más agradable. 10. Mientras que estaba en el mercado, yo (perder) todo el dinero, y así no (poder) comprar las ciruelas. 11. ¿ Qué (querer decir) la palabra « amarillo » ? 12. A mí me gusta muchísimo (montar) a caballo. 13. Cuando tengo sed, (ponerse) a beber limonada.

D. Give all three degrees of comparison:
e.g. María es grande; María es más grande; María es la más grande.

1. El caballo es inteligente. 2. Pedro es pequeño (*referring to size*). 3. Las peras son buenas. 4. Alfredo trabaja lentamente. 5. Estas manzanas son amarillas. 6. Rosita aprende bien. 7. Juan está malo.

E. Supply the proper form of any suitable expression of comparison:
1. La casa es alta; la escuela es _____ alta _____ la casa, y el hospital es _____ alto. 2. La vida del campo es agradable; la vida de aquí es

_____ agradable, pero la vida de la ciudad me parece ser _____ agradable de las tres. 3. Vd. me presta mucho dinero, pero mi compañero va a prestarme _____. 4. Las naranjas y las toronjas son frutas muy sabrosas; pero las ciruelas y las manzanas son _____ de todas. 5. Los españoles hablan rápidamente; los franceses hablan _____ rápidamente que ellos, pero los italianos hablan _____ rápidamente de los tres.

F. Supply *tan* or the proper form of *tanto* as required:
1. El gato no es _____ pequeño como el pájaro. 2. Pedro tiene las espaldas _____ fuertes como su hermano mayor. 3. ¿ Necesitan Vds. _____ dinero como Ricardo ? 4. Ramón no gana _____ como yo. 5. Las peras de este mercado son _____ bonitas como las manzanas. 6. Aquí hay _____ gallinas como otros animales. 7. No bebo _____ agua como mi compañero. 8. Enrique habla _____ francamente como ella. 9. El gran mercado central está _____ lejos como los pequeños. 10. A María le gustan _____ los pájaros como los perros.

G. Supply the words necessary to complete the following comparative sentences:
1. No soy el peor alumno _____ la clase. 2. Ella tiene _____ tiempo que Vd. para hacerlo. 3. Nuestra universidad es _____ más grande _____ este país. 4. El dueño de aquel restaurante es _____ mayor _____ su familia. 5. Los mexicanos parecen ser _____ pequeños _____ los ingleses. 6. Eduardo sabe menos _____ Vd. 7. Me gusta más la pera, porque de todas las frutas es _____ sabrosa. 8. San Francisco es una de las ciudades _____ grandes de aquí. 9. Vd. me prestó más _____ diez dólares hace un mes. 10. Lolita no sabe el francés _____ bien como yo. 11. Me decidí a decir tanto _____ Elena. 12. Ana recibió _____ de dos cartas de Felipe. 13. ¿ Descargan Vds. hoy _____ frutas como ayer ? 14. El español es _____ viejo como el alemán. 15. No había _____ veinte personas en la oficina del abogado.

H. Compose three original sentences comparing: (1) *el abogado con el médico;* (2) *el gato con el perro;* (3) *el mercado grande con el pequeño.*

I. Change to the "absolute superlative" by adding *–ísimo* or one of its forms:
1. un abogado famoso 2. un caballo rápido 3. una fruta sabrosa 4. una abuela rica 5. muchachos pequeños 6. María es pobre 7. un trabajo fácil

J. Dictation of *El mercado.*

K. Review *El mercado.* Answer in Spanish:
1. ¿ Cuánto tiempo me detuve en el mercado ? 2. ¿ Qué se vende en el mercado ? 3. ¿ Que hacían los dos muchachos ? 4. ¿ Cómo se llaman algunas frutas y legumbres ? 5. ¿ Por qué no me quedé más tiempo ?

6. ¿ Dónde llevo mi dinero ? 7. ¿ A dónde fuí a comer ? 8. ¿ Cuántos mercados hay en la ciudad donde Vd. vive ? 9. ¿ Cuál es más grande, una uva o una manzana ? 10. ¿ Qué fruta le gusta más a Vd. ? ¿ Qué legumbre ? 11. ¿ Cómo deben ser los que descargan los camiones ? 12. Cuando Vd. va al centro, ¿ cuál es el lugar que le es más interesante ?

L. Prepare eight or ten statements on:
Una visita al mercado.
(What did you see there ? With whom did you go ? What did you intend to buy ? Did you find what you wanted ? If not, why not ? Was there anything of special interest ? How large a place was it ? Did you have enough money for your purchases ? etc.)

M. Prepare three questions referring to what you have said in the foregoing statements. The other members of the class will furnish the answers to your questions. Use the idioms and various verb tenses you have learned.

N. Give the Spanish for:
1. Which (Cuál) is the largest city in the United States (los Estados Unidos)? 2. Agustín doesn't speak as rapidly as Nicolás. 3. Sometimes animals are better than men. 4. To me it seems that tomatoes are not as tasty as oranges. 5. I like fruits and vegetables very much. 6. These flowers are redder than those tomatoes. 7. Do you have more than $3.00 in your pocket ? You always have more money than I. 8. Rafael cannot read as much as he wishes. 9. Alfonso doesn't stop here more than five minutes. 10. He has a (las) strong back because he works a great deal.

Colombia: Girón (colonial town, formerly capital of Santander).  The steep cobblestone street and the tile roofs are characteristic of many Spanish-American cities and towns.

Lake Titicaca. While Titicaca does not rival the Great Lakes in size, its 4000 square miles make it the largest in South America, and the world's highest of the large lakes. It is located in the Andes between Peru and Bolivia, at 12,500 feet above sea level.

# Lección 15

## LAS DIVERSIONES

### VOCABULARIO

**arreglarse** to get ready; dress
**la avenida** avenue
**bailar** to dance
**el baile** dance
**el compromiso** date; appointment; engagement
**la costumbre** custom, habit
**creo que** I think, believe (that)
**¿ cuál ?** which (one) ?
**dígame** tell me
**la diversión** amusement
**divertido** amusing, entertaining
**importar** to matter, be important
**llevar** to wear
**mejor** (*adv.*) better; best
**ningún** (*adj.*) no, not any
**preferir** (**ie**) to prefer
**querer** to wish, want; to like, love (*a person*)

**la suerte** luck
**el teatro** theater
**el vestido** dress

### MODISMOS

**a casa** (to) home
**a propósito** by the way, incidentally
**como de costumbre** as usual
**de acuerdo** agreed; I agree, etc.
**¿ de qué color . . . ?** what color . . . ?
**después de todo** after all
**eso es** that's right, that's so
**nada de particular** nothing special, not much, nothing in particular
**¿ qué hay de nuevo ?** what's new ?
**que se divierta(n) Vd(s).** have a good time
**¿ (no es) verdad ?** isn't it so ? etc.

### Las diversiones

— ¡ Hola ! ¿ Qué hay de nuevo ?

— Nada de particular. ¿ A dónde va Vd. ?

— Voy a casa a arreglarme para ir a un baile esta noche. Ya sabe Vd. que a mí me gusta mucho bailar.

— Sí, lo sé. ¿ Con quién va Vd. al baile ? ¿ Va con Margarita, como de costumbre ?

**147**

— Sí, voy con ella. Tuve la suerte de verla ayer, y no tenía compromiso para esta noche. Me gusta bailar con ella. Baila muy bien, ¿ verdad ?

— De acuerdo. Baila muy bien, tan bien como sus hermanas Ana y Dorotea. No sé cuál de las tres baila mejor.

— ¿ Por qué no va Vd. al baile también ?

— Pensaba ir con Dolores, pero cuando la invité me dijo que como no tenía vestido nuevo, prefería ir al cine. ¿ De qué color es el vestido que va a llevar Margarita ?

— Creo que es verde. ¿ Por qué le gusta más a Dolores ir al cine que a bailar ?

— No sé, pero creo que tiene razón de preferir ir al cine cuando no tiene un vestido bonito para ir al baile.

— Eso es. Dígame Vd., ¿ cuál es la película que dan esta noche ?

— No sé cómo se llama, pero dicen que es muy divertida. Después de todo, no me importa ir al cine o al baile; lo que quiero es un poco de diversión. Bueno, me voy, porque tengo que esperar a Dolores en la avenida Bolívar para ir al cine.

— Yo también tengo prisa. Hasta la vista. ¡ Que se divierta Vd. !


### Conversación

— Y ¿ qué hay de nuevo por aquí ?

— ¿ No lo sabe Vd., Jaime ? Esta noche vamos a un baile.

— Bueno, pues, ¿ y no me invitan Vds. ?

— Lo sentimos mucho pero no podemos llevarle, Jaime, porque es el compromiso de una amiga de mi hermana Margarita y necesitamos una invitación especial. Vd. conoce bien la costumbre aquí en Santiago, y en la mayor parte de los países sudamericanos.

— ¡ Hombre, no la conozco !

— La familia de la novia invita solamente a los amigos más íntimos en las ceremonias sencillas. Después de todo, es una fiesta informal, nada especial.

— A propósito, — dice Juanita — mamá y las chicas ya terminan de arreglarse. Luisa lleva el vestido de color rosa, y Laura el vestido azul claro, ¿ verdad, tía ?

— Bueno, bueno. Ya veo que están Vds. muy ocupados. ¡ Ah ! El próximo sábado dan la película mexicana « Candelaria », y tuve suerte, pues Carlos me regaló cinco entradas. Creo que Vds. pueden ir, ¿ no es verdad ?

— De acuerdo. Aunque prefiero ir al teatro donde representan el « Fausto » de Goethe.

— ¿ De veras ? Pues yo, — responde Juan — quiero ver « Candelaria ».

— Bueno, amigos, hasta el sábado. Adiós.

— Adiós. Hasta la vista.


## VOCABULARIO SUPLEMENTARIO

*Did you guess the meaning of these words correctly ?*

azul (claro) (light) blue
la chica girl
la entrada ticket, permit to enter
íntimo close, intimate
la novia fiancée; sweetheart
por aquí around here, in these parts

próximo next
el sábado Saturday
sencillo simple, plain
(lo) sentimos we are sorry (about it)


## *Gramática*

I. **Interrogatives.** Below is a list of the most common interrogative words in Spanish. All of them have a written accent (´) to distinguish them from other words of similar spelling.

| | |
|---|---|
| ¿ qué ? | what ? which ? |
| ¿ quién ? | who ? whom ? |
| ¿ cuál ? | which (one) ? what (one) ? |
| ¿ cuánto ? | how much ? |
| ¿ cómo ? | how ? |
| ¿ cuándo ? | when ? |
| ¿ dónde ? | where ? |
| ¿ por qué ? | why ? |

A. **¿ Qué . . . ?** is used as an adjective modifying a noun, or alone as a pronoun. Used alone it refers to *things only.* **¿ Qué . . . ?** never changes its form.

1. As an adjective:

¿ **Qué** libro tiene Vd. ?
¿ Con **qué** amigos fueron Vds. a Nueva York ?

2. As a pronoun:

> ¿ Qué hace Juan ?
> ¿ De qué hablan Vds. ?
> ¿ Qué van a hacer ?

B. ¿ **Quién** (**Quiénes,** *pl.*) . . . ? can refer only to *persons*.

¿ **Quién** llama a la puerta ?   ¿ **Quiénes** son ?
Voy al cine. — ¿ Con **quién**?   — Con mis padres.
¿ A **quién** escribe Vd.?   ¿A **quién** ve Vd.?   ¿ De **quién** habla Vd.?

¿ **De quién** ? means *whose* in a question:

> ¿ **De quién** es el libro ?

C. ¿ **Cuál** (**Cuáles,** *pl.*) . . . ?

> ¿ **Cuál** de los tres es Roberto ?
> ¿ **Cuáles** de los alumnos son más inteligentes ?

¿ **Cuál es** . . . ? and ¿ **Cuáles son** . . . ? are also used to ask: *What is* . . . *?* and *What are* . . . *?*

> ¿ **Cuál es** la capital de Chile ?
> ¿ **Cuáles son** los ríos más importantes de España ?

However, when a definition is required in the answer, ¿ **Qué?** is used instead.   Compare:

> ¿ **Cuál es** la ciudad más hermosa de los Estados Unidos ?
> ¿ **Qué es** un diccionario ?

D. ¿ **Cuánto** (–a, –os, –as) ?, ¿ **Cómo**?, ¿ **Cuándo**?, ¿ **Dónde**?, ¿ **Por qué** ? are used with the meanings previously given.   Notice that ¿ **Cuánto**? is the only one of these words that changes its form:

> ¿ **Cuánto** helado tiene Vd. ?
> ¿ **Cuántas** muchachas hay en la escuela ?
> ¿ **Cuánto** saben ?

Spanish distinguishes between ¿ **Dónde**?, ¿ **De** (*from*) **dónde**?, and ¿ **A** (*to*) **dónde**?   Compare:

> ¿ **Dónde** está su padre ?
> ¿ **De dónde** son Juan y María ?
> ¿ **A dónde** van los caballos ?

E. Interrogative words retain the written accent in indirect questions:

> Eduardo me pregunta **dónde** está su libro.
> Queríamos saber **quiénes** eran.

II. **Infinitives.** The infinitive in Spanish may be used as either the subject or the object of another verb. As the subject, it is usually preceded by the definite article **el.** Study the following examples:

> **El trabajar** no es muy interesante.  No me gusta **comer.**
> **El estudiar** es muy importante.  Quiero **leer.**

III. **¿ Verdad?** In English, one often makes a statement and then adds something like *Isn't it, Didn't he, Can't you?*, etc. In Spanish such expressions are given in one of three ways: **¿ Verdad?**, **¿ No es verdad?**, or simply **¿ No?** Of the three, **¿ Verdad?** seems to be the most common:

> Vd. es español, **¿ verdad?**
> María va a visitarnos, **¿ no es verdad?**
> Estudian el inglés, **¿ no?**

IV. **Uses of *por* and *para*.** Both **por** and **para** frequently mean *for*. It is sometimes difficult to know which to use. However, generally:

A. **Para** is used: (1) before an infinitive, in the sense of *in order to;* (2) to show the person, the use, or the destination for which something is intended; (3) to indicate a "deadline," often in the sense of *by.*

(1) Estudiamos **para** aprender.  Compro el libro **para** leerlo.

(2) Salieron **para** España.  Tomo el tren **para** Burgos.
El lápiz es **para** Juan.  La leche es **para** Vd.

(3) Tenemos que terminar la lección **para** las diez.
La lección es **para** mañana.

B. **Por** is used: (1) to indicate movement *along* or *through;* (2) in the sense of *because of,* or *in place of;* (3) in the sense of *in exchange for;* (4) to show rate or measure; (5) to show the agent or the means by which something is done; (6) to express a period of time:

(1) Juan corría **por** las calles
Salió **por** la puerta.

(2) No puede viajar en automóvil **por** falta (*lack*) de gasolina.
Lo hizo **por** Vd.

(3) Le dimos un dólar **por** el libro.
Compraron el billete **por** dos pesos.

(4) Gana cincuenta dólares ($50) **por** semana.

(5) El libro fué escrito (*was written*) **por** Cervantes. (*agent*)
Juan me llama **por** teléfono. (*means*)
(6) Habla **por** quince minutos.
Estudia **por** la noche.

## *Ejercicios*

A. Read *Las diversiones* aloud at least twice for pronunciation.

B. Select the word in parentheses which correctly completes the question:
1. ¿ (Quién, Qué, Cuál) de los muchachos es más inteligente ? 2. ¿ (Quién, Cómo, Qué) se llama el maestro de español ? 3. ¿ (Cuáles, Cuánto, Qué) libro está en la mesa ? 4. ¿ (A dónde, Cuál, Dónde) van los alumnos ? 5. ¿ (Cuál, Dónde, Cuánta) es el amigo de Pedro ? 6. ¿ Sabe Vd. (dónde, a dónde, de dónde) están mis padres ? 7. ¿ (Cuánto, Cuántas, Cuáles) muchachas hay en el cuarto ? 8. ¿ (Cuál, Qué, Quiénes) es la capital de Chile ? 9. ¿ (Quiénes, De quién, A quién) es la casa blanca ? 10. ¿ (A quién, A qué, Quiénes) visitamos hoy ? 11. ¿ (Quién, A quién, De quién) es el libro ? 12. ¿ Con (quién, cuál, qué) amigo va Vd. al cine ? 13. ¿ (Qué, Quién, Cuáles) de los hombres no trabajaron ? 14. ¿ (Dónde, De dónde, A dónde) está la alcoba ? 15. ¿ (Cuáles, Qué, Cuánto) libro le gusta más a Vd. ?

C. Prepare two short questions and answers based on the following statements:
e.g.   Pedro habla español.   ¿ *Qué* lengua habla Pedro ?   Habla *español*.
¿ *Quién* habla español ?   *Pedro* lo habla.

1. José abrió la puerta. 2. Me siento en una silla roja. 3. Escribimos el primer ejercicio. 4. Quiero llevar mi abrigo nuevo. 5. Eduardo es de Chile. 6. A María no le gusta la película. 7. María se arregla para ir a un baile. 8. Voy al teatro con Pedro. 9. Buenos Aires es la capital de la Argentina. 10. Manuel me escribió una carta ayer.

D. Fill the blanks with ¿ *Qué* ? or ¿ *Cuál* ?, ¿ *Cuáles* ? as required:
1. ¿ _____ son los alumnos franceses ? 2. ¿ _____ escriben Vds. ? 3. ¿ _____ dice Vd. cuando encuentra a un amigo en la calle ? 4. ¿ _____ de las muchachas es más bonita ? 5. ¿ _____ de mis vestidos quiere Vd. ? 6. ¿ _____ de todos los muchachos salió primero ? 7. ¿ _____ película es mejor ? 8. ¿ _____ de sus hermanas se llama Ana ? 9. ¿ _____ es la diversión que le gustó más ? 10. ¿ _____ muchacha baila mejor ?

E. Formulate questions for which the following statements are the answers. The words in italics suggest which interrogatives are to be used:
e.g.   *Mi padre* habla español.   ¿ *Quién* habla español ?

LECCIÓN QUINCE

1. Mi madre está *en México*. 2. *Ayer* hablé dos horas con **Pedro**.
3. *María* preparaba la lección para mañana. 4. Necesito *un libro nuevo*.
5. Pedro está de acuerdo *con su maestro*. 6. Ayer fuí a visitar *a mi abuelo*, como de costumbre. 7. *Su amigo Eduardo* me los dió. 8. Dorotea y su familia son *de Madrid*. 9. El señor Pérez va a escribir *un libro*.
10. La muchacha bonita se llama *Dorotea*. 11. *María y José* son los alumnos más inteligentes de la clase. 12. *París* es la capital de Francia.
13. Mañana vamos a comer *en un buen restaurante*. 14. Nuestra casa tiene *cuatro* ventanas. 15. Manuel no sabía *dónde estaba Margarita*.
16. Elena lleva *un vestido azul*. 17. El libro de francés es *el libro de María*. 18. Me gusta mucho escuchar *a Luisa*. 19. Después de todo el hombre es *un animal*. 20. Tenemos que leer *muchos* libros.

F. Prepare four sentences using *¿ verdad?*, *¿ no es verdad?*, or *¿ no?*

G. Give the proper form of the verb in parentheses:
1. El (comer) es una diversión muy agradable. 2. Pedro (bailar) con María. 3. Eduardo (querer) ir al teatro. 4. Antes de (entrar) en la sala, ví a María. 5. Después de (salir) de Laredo fueron a la ciudad de México. 6. No nos gusta (levantarse) temprano.

H. Use *por* or *para* as required:
1. El libro es _____ leer. 2. Tenemos que terminar la lección _____ mañana. 3. Vds. van a comprar un vestido _____ mí, ¿ verdad?
4. _____ llegar más rápidamente vamos _____ la calle Roosevelt.
5. Mañana salgo _____ Nueva York. 6. No puedo entrar _____ la ventana. 7. ¿ Cuánto dió Juan _____ el sombrero? 8. El café es _____ mí; me lo llevaron _____ esa puerta. 9. Tengo que arreglarme _____ ir al baile. 10. _____ veinte dólares ($20) puedo comprar un abrigo nuevo.

I. Dictation of *Las diversiones*.

J. Review *Las diversiones*. Answer in Spanish.
1. ¿ Quién no tenía compromiso? 2. ¿ Cómo se llaman las hermanas de Ana? 3. ¿ Cómo bailan las tres hermanas? 4. ¿ Por qué prefería Dolores ir al cine? 5. ¿ Qué película dan en el cine? 6. ¿ En qué avenida voy a esperar a Dolores? 7. ¿ Por qué se marchan los dos muchachos? 8. ¿ Cuáles son dos diversiones agradables? 9. ¿ Cuántos vestidos verdes tiene Vd.? 10. ¿ Qué clases de películas le gustan más?
11. ¿ Cómo bailan las hermanas de Vd.? 12. ¿ Qué es una avenida?
13. ¿ Cuáles son algunas avenidas de esta ciudad? 14. A Vd. ¿ qué le gusta hacer cuando tiene un compromiso?

K. Prepare two sentences using each of the following: *como de costumbre, después de todo, de acuerdo, nada de particular, tener suerte.*

L. Prepare five short questions which you will ask other students to answer about one of the following:

1. *Una película divertida.*

   (Ask about the title, where it was shown, some interesting part of the plot, the name and description of one of the principal characters, etc.)

2. *Un baile.*

   (Ask about the person you invited, or who invited you, about his or her personal qualities, if he or she likes to dance, how well he or she dances, where you went, how many were there, how long it lasted, the music, the girl's dress, etc.)

M. Give the Spanish for:

1. What is Mr. García's address? 2. Good movies are entertaining, aren't they? 3. Going to dances is very interesting. 4. Whose sister is Margarita? 5. We don't like to take tests. 6. Eating is important, isn't it? 7. Which of your books do you like most? 8. With whom did they go to school yesterday?

## Repaso III   (Gramática 11–15)

A. Supply the proper form of the verb in parentheses in the tense indicated. When no tense is indicated, use the infinitive or the present indicative as usage requires.

1. Como de costumbre, Elena me (dar, *pret.*) un regalo para mi cumpleaños.
2. Pedro (decir, *pret.*) que no (saber, *imperf.*) (montar) a caballo.
3. A Agustín no le gustaba (trabajar), ni mucho menos.
4. Nicolás (tener, *pret.*) un compromiso agradable. (Ir, *pret.*) al baile con Rosita.
5. Yo no (poder) decirle a Vd. cómo se llama esa calle.
6. ¿ Qué importa si Juan y yo (venir, *pret.*) más temprano?
7. Eduardo y Felipe (tener) que (pasar) dos días más en Laredo.
8. Vds. (leer, *pret.*) en una carta del señor Morillas que sus hijos le (echar) de menos.
9. A mí no me (gustar) leer, pero Felipe y Pablo (estar) acostumbrados a (leer) mucho.
10. Yo (empezar, *pret.*) a arreglarme para el baile hace dos horas.
11. José (leer, *pret.*) todo el libro en tres horas.
12. A propósito, tengo dos vestidos nuevos.   ¿ Quiere Vd. (llevar) uno esta noche ?
13. Parece que no le (convenir) a Felipe esta costumbre.
14. El (ganar) mucho no es tan importante para los niños.
15. La niña del señor Pérez (tener) dos dientes, y mañana va a (tener) cuatro.
16. La sonrisa de María (ser, *imperf.*) muy importante para mí.
17. Hacía dos meses que yo (ver, *imperf.*) a Luisa y todavía no (querer, *imperf.*) (dar) me su dirección.
18. El (escribir) es interesante para los inteligentes.
19. A propósito, tenemos que (arreglarse) para un compromiso importante.
20. Ayer nuestra familia (ir, *pret.*) a Montevideo.   Ahora pensamos (ir) a Bogotá.
21. Mi abuelo (ser, *pret.*) abogado.   Él (saber, *imperf.*) bailar bien.
22. Vds. me (presentar, *pret.*) a Rosa, y todos (ir, *pret.*) al cine.
23. Yo (estar, *pret.*) en París, hace diez años.   Me (gustar, *pret.*) muchísimo, y por eso quiero (regresar).
24. Por lo común, Vd. (ir, *imperf.*) a la oficina en coche y regresaba en autobús.
25. Vds. me (decir, *pret.*) que Martín no quería (dar) otra vez esta película.
26. Si Jorge me (dar) la dirección de Dorotea, puedo (ir) a (ver) la.

BEGINNING SPANISH COURSE

27. Si queremos (comprar) un regalo a Andrés, tenemos que (decidirse) ahora.
28. Enrique (pasar, *pret.*) un año en España. De esta manera (acostumbrarse, *pret.*) fácilmente a conversar en español.
29. Nosotros (detenerse, *pret.*) unos momentos en casa de María, y le (dar, *pret.*) unos regalos muy divertidos.
30. Ayer Manuel (leer, *pret.*) que la casa blanca (ser, *imperf.*) hermosa, pero hoy no (poder) decirme si hay mucho o poco espacio en ella.
31. Lolita y yo (decir, *pret.*) que junio es el mes más agradable del año. Vd. contestó: — Vds. (tener) razón.
32. Juanita (empezar) a trabajar en otro puesto. Ahora (tener) que levantarse más temprano para (llegar) a tiempo.

B. Prepare five original sentences to show that you understand the difference in meaning and usage between the preterit and imperfect tenses in Spanish.

C. Select the word which correctly completes each sentence.
1. Ana me escribió de Madrid (son, hay, hace) cinco días.
2. (Hace, Hago, Hacía) unos momentos que mirábamos el coche.
3. Hoy es su cumpleaños, ¿ verdad ? Yo lo (supe, sé, sabías) hace una hora.
4. Hacía tres años que Federico (lleva, llevaba, llevo) ese abrigo negro.
5. Vd. (hace, tiene, está, es) el pelo negro.
6. (Hace, Hacían, Hay, Están) dos meses que pienso trasladarme a Madrid.

D. Prepare four sentences using *hace . . .*, or *hace . . . que* and a time expression.

E. Replace the italicized expressions with pronouns. Clarify with prepositional forms when necessary.
1. ¿ Quiere Vd. comprar *esta máquina eléctrica?*
2. La película pareció muy divertida *a Miguel.*
3. Ramón quiere regalar *ese buen caballo a su amiga Consuelo.*
4. Dígame, señor, ¿ qué sabe Vd. de *Manuel?*
5. Enrique buscaba *la cosa más divertida* para *Dorotea.*
6. Margarita quería decirle a Juan *que tenía un compromiso importante.*
7. — El pájaro blanco es para mí, — contestó Manuel *a Luisa.*
8. No le conviene a Pedro prestar *su perro a sus vecinos.*

9. Estamos acostumbrados a decir francamente lo que pensamos de *nuestros amigos*.
10. Dijimos *a María* que no conocía *la vida del campo*.
11. Marta viene con *Juan* a ver las diversiones de la avenida Juárez.
12. « Prestar » no quiere decir « dar », — respondió *a Elena* su padre.
13. La muchacha que tiene *los ojos* grandes y negros tiene mucha suerte.
14. ¿ Sabe Vd. *cuál es el edificio más pequeño de nuestra ciudad?*
15. Su amiga le dice a Pedro: — Vd. debe saber *contar de uno a diez*.

F. Use *por* or *para* as required:

1. Estoy aquí _____ ver una película.
2. Puesto que Vd. está ocupado, voy a la oficina _____ Vd.
3. Lo que comemos pasa _____ la boca.
4. Rafael tiene que darse prisa _____ poder escuchar el programa.
5. Enrique entró _____ la puerta de la cocina.
6. Las legumbres son _____ comer y el vino es _____ beber.
7. Dí veintidós dólares _____ este vestido _____ poder llevarlo esta noche.
8. Juan trabaja, y ahora gana diez dólares _____ día.
9. Diego fué al hospital _____ la Avenida Ribera.
10. ¿ Qué importa si Vds. salen hoy o mañana _____ Madrid ?

G. Prepare three original sentences with *por* and *para*.

H. Formulate questions to which the following statements are the answers. The italicized words suggest which interrogatives may be used.

e.g. *Pablo* habla español.    ¿*Quién* habla español ?

1. *Cinco muchachos* fueron al baile en coche.
2. *Pablo y Martín* nos esperan en la esquina de la calle Dos de Mayo.
3. El hombre es *un animal inteligente*.
4. Rosa encontró la limonada *en la mesa*.
5. Manuel parece ser riquísimo *porque tiene un coche tan grande*.
6. Voy a cumplir los veinte *el primero de junio*.
7. Esta película se llama « *Émile Zola* ».
8. El vestido que llevaba Elena es *el vestido nuevo de Luisa*.
9. *La Avenida Wáshington* es la calle más bonita de nuestra ciudad.

10. No me gusta bailar; quiero *otra diversión*.
11. El gallo de Margarita es *negro*.
12. Hay *cuatro o cinco* personas en la sala.
13. *Eduardo* me invitó a tomar el almuerzo.
14. *Una* de las tres es la hija del señor González.
15. Este pájaro es para *Josefa*.
16. El hombre rico siempre tiene *muchos amigos*.

I. Prepare in class five questions using a different interrogative in each. Other students will answer your questions.

J. Supply the necessary words to complete the comparative sentences below:

1. Vd. no baila _____ bien como yo; eso quiere decir que Vd. baila _____.
2. Un perro que es muy rápido es un perro _____.
3. Juan descargó _____ peras como los otros.
4. Yo tengo diez años; Juanito tiene doce años, y mi hermano Ramón tiene quince. Así Ramón es el _____.
5. Todas las diversiones son buenas pero las películas y los deportes son las _____.
6. Felipe tiene _____ dinero como yo, pero no tiene _____ suerte.
7. Dolores es la hija más simpática _____ la familia Mallo.
8. Una fruta bonita es buena, pero una fruta bonita y sabrosa es _____.
9. Este cuarto tiene menos espacio que la sala, y también es _____ cómodo.
10. Noté que Federico puede hacer _____ como Manuel porque es _____ fuerte como él.

K. Complete the following with the proper form of any suitable *tener* idiom:

1. No llevo mi abrigo porque _____.
2. Parece que Lolita va a llegar tarde a su compromiso; por eso _____.
3. Si estamos cansados, siempre _____.
4. De acuerdo, y creo que Vd. _____.
5. Generalmente cuando tengo calor, _____.

L. Prepare a sentence using each of the expressions below:

echar de menos, a casa, de acuerdo, tener razón, querer decir, de esta manera, ni mucho menos, nada de particular

## UN VIAJE EN COCHE

### VOCABULARIO

**algo** (*adv.*) somewhat
**algún** (*adj.*) some
**andar** to run (*as a machine*); to walk
**el domingo** Sunday
**la gasolina** gasoline
**gastar** to use; to waste
**mostrar** (**ue**) to show
**el neumático** tire
**la ocasión** opportunity, chance
**la oportunidad** opportunity, chance
**perder** (**ie**) to miss; to lose
**regresar** to return (i.e., go back; come back)
**el viaje** trip

#### MODISMOS

**al regreso** on the return (trip)
**a menudo** often
**al mediodía** at noon
**de casa** (from) home
**en coche** by car
**estar de vuelta** to be back
**hacer un viaje** to take a trip
**por la mañana** in the morning
**por la tarde** in the afternoon
**ser lástima** to be too bad (a shame, etc.)
**tener** (**mucho**) **gusto en** (*plus inf.*) to be (very) glad to, to take (great) pleasure in, etc.

### Un viaje en coche

Mañana iré con mis padres a visitar a mi tío a la universidad donde trabaja. Haremos el viaje en coche. Nuestro coche, que es de color negro, no es nuevo pero anda muy bien y es bastante bonito. Tiene neumáticos nuevos y gasta poca gasolina. Todo está listo. Saldremos de casa por la mañana temprano y llegaremos allí al mediodía. Creo que pasaremos un día muy agradable con mi tío. Después del almuerzo nos presentará a algunos profesores, y más tarde nos mostrará los edificios principales de la universidad.

Me gustaría visitar a menudo ese lugar para conocerlo mejor porque pienso ir a estudiar allí algún día. Nos quedaremos allí todo el sábado

**159**

y regresaremos el domingo por la tarde para estar de vuelta bastante temprano. Sin duda al regreso estaremos algo cansados, pero sería lástima perder la oportunidad de hacer este viaje, y creo que tendremos mucho gusto en hacerlo.

### Conversación

— ¿ Qué pasa, papá ?  ¿ Por qué no anda el coche ?

— No sé, hijo.  Creo que es un neumático gastado.

— Entonces, ¿ tendremos que quedarnos aquí ?

— Solamente por un momento.  Por suerte, tengo un neumático nuevo en el coche.

— ¿ Tendremos entonces el placer de visitar al tío Francisco, y también la universidad donde trabaja ?

— Naturalmente.  Visitaremos el lugar donde algún día estudiarás, y luego regresaremos temprano por la avenida principal, para estar de vuelta en casa el próximo domingo por la mañana.

— ¿ Trabajarás el lunes por la tarde ?

— Sí, hijo.  Sería una lástima perder un día de trabajo.

— ¿ Gasta mucha gasolina este coche ?

— Gasta poca porque es pequeño y nuevo.  Sin embargo, tendré que comprar más gasolina.

Carlos, muy serio, dice — Algún día yo también tendré mi coche, ¿ verdad, papá ?

— Sí, algún día. . . . Pero antes tendrás tu licencia de conductor. A menudo hay accidentes por excesiva velocidad.

— Sí, tienes razón.  ¿ Llegaremos a la universidad al mediodía ?

— Creo que sí.  Haremos el viaje muy rápidamente.

— Excesiva velocidad, ¿ no es verdad, papá ?

## VOCABULARIO SUPLEMENTARIO

*Did you guess the meaning of these words correctly?*

**excesivo** excessive
**gastado** ruined, spoiled
**la licencia de conductor** driver's license
**el lunes** Monday
**el placer** pleasure
**por suerte** by chance; luckily

**¿ Qué pasa ?** What is the matter ? What's happening ?
**serio** serious
**sin embargo** nevertheless
**solamente** only
**la velocidad** speed, velocity

LECCIÓN DIECISÉIS

## *Gramática*

**I. Formation of the future tense.** The future tense of all regular verbs is formed by adding the future endings to the *complete infinitive*. All verbs have the same endings in the future: –é, –ás, –á, –emos, –éis, –án. Notice that all of these endings except –emos have a written accent. Learn to recognize the endings by sound as well as by sight.

### hablar

| | | | |
|---|---|---|---|
| hablaré | I shall speak | hablaremos | we shall speak |
| hablarás | you will speak | hablaréis | you will speak |
| hablará | he (she) will speak; you (**Vd.**) will speak | hablarán | they will speak; you (**Vds.**) will speak |

| comer | | vivir | |
|---|---|---|---|
| comeré | comeremos | viviré | viviremos |
| comerás | comeréis | vivirás | viviréis |
| comerá | comerán | vivirá | vivirán |

**II. Uses of the future.** In general, the use of the future tense in Spanish is the same as in English:

> Lo compraré mañana.
> ¿ Irán con nosotros ?

In addition, the future in Spanish may be used to show probability, or to express what someone supposes or guesses to be so. Compare:

| | |
|---|---|
| ¿ Dónde estará José ? | Where can José be ? |
| Serán Juan y su hermana. | It's probably Juan and his sister. |

**III. Formation of the conditional.** The conditional uses the same stems as the future. Therefore, the conditional of regular verbs is formed by adding to the *complete infinitive* the endings: –ía, –ías, –ía, –íamos, –íais, –ían. All Spanish verbs have the same endings in the conditional. Practice reading the following verbs aloud.

### hablar

| | | | |
|---|---|---|---|
| hablaría | I would speak [1] | hablaríamos | we would speak [1] |
| hablarías | you would speak | hablaríais | you would speak |
| hablaría | he (she) would speak; you (**Vd.**) would speak | hablarían | they would speak; you (**Vds.**) would speak |

[1] Although "correct" English requires *should* as the first person form, common usage seems to prefer *would*.

| comer | | vivir | |
|---|---|---|---|
| comería | comeríamos | viviría | viviríamos |
| comerías | comeríais | vivirías | viviríais |
| comería | comerían | viviría | vivirían |

IV. **Uses of the conditional.** The conditional in Spanish expresses the idea of *would*. Where the future tells what *will* happen, the conditional tells what *would* happen. Study the following examples:

> Nos dijeron que **irían.**
> Me escribió que lo **compraría.**
> Eduardo no sabía si María lo **tomaría.**
> ¿ **Iría** Juan conmigo ?

The conditional also may be used to show probability, or to express what one guesses or supposes *was* so. Used in this way, the conditional refers to the *past*.

> ¿ Dónde **estaría** Juan ?   Where do you suppose Juan was ?
> **Estaría** con ellos.   He was probably with them.

Compare:

> ¿ Quién **será**?   (Refers to *present* probability)
> ¿ Quién **sería**?   (Refers to *past* probability)

V. **Irregular stems.** Some Spanish verbs have irregular future and conditional *stems*. A few of the most important of these are given below. Memorize the first person singular of each verb.

FUTURE

| decir | diré, dirás, dirá, diremos, diréis, dirán |
|---|---|
| hacer | haré, harás, hará, haremos, haréis, harán |
| poder | podré, podrás, podrá, podremos, podréis, podrán |
| poner | pondré, pondrás, pondrá, pondremos, pondréis, pondrán |
| querer | querré, querrás, querrá, querremos, querréis, querrán |
| saber | sabré, sabrás, sabrá, sabremos, sabréis, sabrán |
| salir | saldré, saldrás, saldrá, saldremos, saldréis, saldrán |
| tener | tendré, tendrás, tendrá, tendremos, tendréis, tendrán |
| venir | vendré, vendrás, vendrá, vendremos, vendréis, vendrán |

CONDITIONAL

| decir | diría, dirías, diría, diríamos, diríais, dirían |
|---|---|
| hacer | haría, harías, haría, haríamos, haríais, harían |
| poder | podría, podrías, podría, podríamos, podríais, podrían |

| | |
|---|---|
| poner | pondría, pondrías, pondría, pondríamos, pondríais, pondrían |
| querer | querría, querrías, querría, querríamos, querríais, querrían |
| saber | sabría, sabrías, sabría, sabríamos, sabríais, sabrían |
| salir | saldría, saldrías, saldría, saldríamos, saldríais, saldrían |
| tener | tendría, tendrías, tendría, tendríamos, tendríais, tendrían |
| venir | vendría, vendrías, vendría, vendríamos, vendríais, vendrían |

## Ejercicios

A. Read *Un viaje en coche* aloud at least twice for pronunciation.

B. Conjugate:
1. in the future: *tener, decir, quedarse.*
2. in the conditional: *ir, poder, salir.*

C. The instructor will pronounce various forms of the verbs introduced in this lesson. Identify the infinitive and the tense of each form.

D. Change the verb to the tenses indicated:
1. Vds. lo dirían (*present; imperf.*). 2. No lo sabemos (*fut.; pret.*).
3. Es muy interesante (*cond.; imperf.*). 4. Empecé a correr (*imperf.; fut.*). 5. Vd. lo hacía bien (*pret.; fut.*).

E. Change the verb to the future:
1. Mis amigos visitan a Chile. 2. No vivíamos en México. 3. Las comidas de María son excelentes. 4. Vds. tienen que quedarse aquí, ¿ verdad? 5. Juan lo puso en la mesa.

F. Change the verb to the conditional:
1. ¿ Qué quiere Vd. hacer? 2. Tenemos mucho gusto en conocer a su hermana. 3. A mí no me gusta ir al cine todas las noches. 4. Elena va de la cocina al comedor. 5. ¿ De dónde viene su tío?

G. Change the verb to express probability with reference to (1) the present; (2) the past:
1. Pedro escribe a su padre. 2. El coche no está muy lejos. 3. Enrique está de vuelta. 4. Ya es bastante tarde, ¿ verdad? 5. María regresa del baile.

H. Replace the expressions in italics with suitable pronouns:
1. ¿ Le gusta a Vd. bailar con *Rafael?* 2. Dolores se comprará *el vestido azul.* 3. Haremos *el viaje* con Vds. 4. No quiero llevar *mi sombrero nuevo.* 5. Pedro acompañará *a Luisa.* 6. Al salir Pedro me dijo: — ¡ *Que se divierta Vd.!* 7. Dolores quería mostrar *sus regalos a Pablo.* 8. Dieron *esta película* ayer por la tarde. 9. El señor Ramírez regaló *este coche nuevo a sus dos hijos.* 10. Veremos *gallinas y caballos* en

el campo. 11. A propósito, ¿ le gustaría a Vd. ir al baile con *Jorge?*
12. Perdí *la oportunidad de comprar un coche nuevo.* 13. Ricardo nos
mostró *los neumáticos que acababa de comprar.* 14. No sabemos *a dónde
iremos a pasar la noche.* 15. Diré *a Felipe* que haremos *el viaje* en coche.

I. Give the proper form of the verb in parentheses in the tense indicated;
when no tense is indicated, use the form required by the meaning:

1. Yo no (poder, *fut.*) hacer este viaje porque mi coche no (andar, *fut.*)
bien. 2. Mis padres (salir, *pret.*) para Cuba. Al regreso (pasar, *fut.*)
algunos días en Nueva York. 3. Pedro (preguntar, *pret.*) a Felipe si
(regresar, *cond.*) temprano. 4. Nos (gustar, *cond.*) mucho visitar a la
familia de Alfredo, pero viven lejos y nuestro coche (gastar, *present*)
mucha gasolina. 5. Como de costumbre, Luisa (venir, *fut.*) el domingo
por la tarde. 6. Dígame, Pedro, si Vd. no (tener, *present*) compromiso,
¿ (poder, *fut.*) Vd. ir al teatro conmigo ? Nosotros (estar, *fut.*) de vuelta
muy temprano. 7. María va a (mostrar) me el vestido nuevo que
(llevar, *fut.*) al baile. 8. Dolores no quiere (perder) la oportunidad de
bailar, y baila a menudo, pero a Elena no le (importar, *present*). 9. Juan
y yo (quedarse, *fut.*) en casa porque (estar, *present*) cansados. 10. Mañana veremos una película muy divertida. — ¿ De veras ? ¿ (Llevar,
*fut.*) Vd. también a Anita ? — Sin duda. (Ser, *cond.*) lástima perder
tal oportunidad.

J. Dictation of *Un viaje en coche.*

K. Review *Un viaje en coche.* Answer in Spanish:
1. ¿ A dónde iré mañana ? 2. ¿ Con quiénes iré ? 3. ¿ Cómo haremos
el viaje ? 4. ¿ De qué color es nuestro coche ? 5. ¿ Cómo son los
neumáticos del coche ? 6. ¿ A qué hora llegaremos a la universidad ?
7. ¿ Qué nos mostrará mi tío ? 8. ¿ Qué día pasaremos con mi tío ?
9. ¿ Cómo estaremos al regreso ? 10. ¿ En qué tendremos mucho gusto ?
11. ¿ Cuáles son los edificios principales de esta universidad ? 12. ¿ Con
quién va Vd. cuando hace una visita ? 13. ¿ De qué color es el coche
de Vd. ? 14. ¿ Cuántos neumáticos tiene ? 15. Cuando Vd. visita a
su tío, ¿ cuánto tiempo pasa Vd. con él ?

L. Prepare a sentence using each of the following: *tener mucho gusto en, a
menudo, por la tarde, de acuerdo, al regreso.*

M. Prepare five statements about:
*Un viaje agradable.*
(Where ? What do you expect to see of special interest ? Will you be
back soon ? What is the purpose of the trip ? Will you go in a car ?
Does the car belong to you ? Will you need anything special for the
trip ? How long will it be ? Will you go alone ? etc.)

N. Give the Spanish for:
1. I shall have to work tomorrow. 2. María was probably ill last night.
3. What do you suppose he is doing ? 4. They wouldn't be able to do
that every day. 5. Will you tell him who it is ? 6. We would be very
glad to read a good book. 7. He will not always be a professor. 8. They
miss many opportunities, don't they ? 9. What is the main street of
your city ? 10. I shall stay here until Sunday.

Sevilla, Alcázar. The Alcázar of Sevilla is further proof of the architectural genius of the Moors who formerly inhabited Spain. Besides its beautiful courtyards, it has exquisite gardens noted for their variety of plants.

*Kurt Severin*

Peru: part of the hanging gardens of Pisac Stairs. Some of the steps in this "stairway" are ten feet high. Note that both men and animals are dwarfed in comparison.

## Lección 17

## UN DÍA CONFUSO

### VOCABULARIO

**acostarse (ue)** to go to bed
**adelantar** to be fast (*said of a watch or clock*)
**atrasar** to be slow (*said of a watch or clock*)
**el baño** bath
**caliente** hot
**la confusión** confusion
**confuso** confused
**correr** to run
**creer** to believe
**dar** to strike (*a certain hour of time*)
**de** in (*with specific hours*)
**desde** from; since
**el despertador** alarm clock
**despertarse (ie)** to wake up
**la esquina** corner (*outside*)
**las (ocho, nueve,** etc.) (eight, nine, etc.) o'clock
**pararse** to stop
**el reloj** watch; clock

**el reloj de pulsera** wrist watch
**la ropa** clothes, clothing
**sonar (ue)** to sound, ring
**el trabajo** work
**traer** to bring
**trajo** he (she, you [**Vd.**]) brought

### MODISMOS

**a eso de** (at) about (*referring to time of day*)
**así es que** thus, therefore
**dar cuerda a** to wind
**de prisa** quickly, hurriedly
**en punto** exactly, sharp
**en seguida** at once, immediately, right away
**poner en hora** to set (*watch or clock*)
**por lo visto** apparently
**tomar un baño** to take a bath
**. . . y cuarto** quarter past
**. . . y media** half past

### Un día confuso

Generalmente me levanto a las ocho de la mañana, pero hoy me levanté a eso de las nueve porque mi despertador no sonó a tiempo. Por lo visto no le dí cuerda anoche antes de acostarme, y por eso no sonó esta mañana. Cuando me desperté y noté que era

**169**

tarde me levanté en seguida, me arreglé de prisa y fuí a tomar mi desayuno a un restaurante que está en la esquina de mi casa. En seguida corrí a la oficina. Cuando llegué daban las diez en punto. En la oficina donde trabajo generalmente todos estamos más ocupados por la mañana que por la tarde. Pero este día para mí fué de mucho trabajo desde las diez de la mañana hasta las cinco de la tarde. ¡ Todo fué confusión ! Cuando regresé a casa estaba muy cansado. Así es que tomé un baño caliente y me acosté después de poner en hora el despertador. Uno de mis amigos me trajo su reloj de pulsera, pero me gusta más un buen despertador. ¡ Creo que tendré que comprar un reloj nuevo puesto que el despertador que tengo a veces adelanta, a veces atrasa y a veces se para ! ¡ Qué días son para mí cuando mi despertador se para !

### Conversación

— ¿ Por qué llegó Vd. tarde a la clase de física, Pedro ?

— ¡ Hombre ! Llegué tarde porque mi despertador se paró. Creo que está descompuesto.

— Por lo visto, a Vd. le pasó lo mismo que a mí.

— ¿ Qué le pasó, Luis ?

— Pues, antes de acostarme, a eso de las nueve y media o las diez de la noche, y después de tomar un baño, dí cuerda al despertador y puse la alarma a la hora conveniente . . . pero tenía tanto sueño que no me desperté a tiempo. Me puse la ropa de prisa pero no tuve tiempo de desayunarme. ¡ Qué suerte ! Corrí y tomé el autobús a las nueve en punto.

De pronto Pedro preguntó: — ¿ No saben Vds. dónde puedo comprar un despertador bueno y barato ?

— Yo también necesito uno, — dijo Joaquín. — Mi reloj de pulsera no anda bien. A veces atrasa, a veces adelanta, y . . .

— Y a veces se para — dijo Luis.

— Yo, — dijo Fernando — tengo la costumbre de poner en hora mis dos relojes todas las noches. Tenía solamente un reloj de bolsillo, pero mi hermana Juana me trajo un reloj de pared para mi cumpleaños.

— ¡ Hombre ! Me das una buena idea. Voy a decírselo a mi hermano Rafael. ¿ Qué te parece ?

— ¡ Caramba ! ¡ Qué práctico !

— ¡ Magnífico ! ¿ No es verdad ?

— Sí. Rafael le regalará un reloj de pared, y Vd. no llegará tarde.

*VOCABULARIO SUPLEMENTARIO*

*Did you guess the meaning of these words correctly?*

la alarma  alarm
¡ caramba!  goodness gracious!
conveniente  proper, suitable
de pronto  suddenly
descompuesto  out of order

la física  physics
ponerse  to put on (*an article of clothing*)
el reloj de bolsillo  pocket watch
el reloj de pared  wall clock

## *Gramática*

I. **La hora.** Time of day is expressed by **es la** or **son las** and a number (i.e. **una, dos, tres,** etc.). **Es la** . . . is used before **una**. **Son las** . . . is used before the other hours (**dos, tres,** etc.). Study the following examples:

| | |
|---|---|
| **Es la** una. | (1 : 00) |
| **Es la** una menos veinte. | (12 : 40) |
| **Es la** una y media. | (1 : 30) |
| **Son las** dos. | (2 : 00) |
| **Son las** once. | (11 : 00) |

The word **minuto** (*minute*) is seldom expressed; ordinarily only the *number* of minutes is used. In telling time *up to* the half-hour use the hour, followed by **y** and the *number* of minutes. After half past the hour, use the *next hour* followed by **menos** (*minus*) and the number of minutes to be subtracted. **Cuarto** is used for quarter-hours and **media** for the half-hour. Special time-words are: **el mediodía** (*noon*) and **la medianoche** (*midnight*).

| | |
|---|---|
| Es la una **y diez.** | (1 : 10) |
| Es la una **menos cinco.** | (12 : 55 or: *five to one*) |
| Son las dos **y cuarto.** | (2 : 15) |
| Son las dos **menos diez.** | (1 : 50 or: *ten to two*) |
| Son las cuatro **y media.** | (4 : 30) |
| Son las nueve **menos cuarto.** | (8 : 45 or: *quarter to nine*) |
| Llegarán al **mediodía.** | |
| Es **medianoche.** | |

A. To ask the time, use:

| | |
|---|---|
| **¿ Qué hora** es? | *Answer:* Son las tres. |
| **¿ A qué hora** llegaron Vds. ? | *Answer:* Llegamos a las once. |

B. *In* (the morning, etc.) or *at* (night) is expressed by **de** when the hour is mentioned, by **por** when the hour is not specified:

> Son las cinco **de** la tarde.
> Salió a las once **de** la noche.
>
> No trabajo **por** la mañana.
> ¿ Estudia Vd. **por** la noche ?

C. The imperfect is always used to tell what time it *was:*

> **Era** la una y cuarto.
> **Eran** las ocho de la mañana.

II. **Dar.** Another expression useful in indicating the time is: **dar** *to strike* (a certain hour, which is understood to be the subject):

> **Da la** una.
> **Dan las** cinco.
> **Daban las** diez y media.

III. **Keeping time.** Some common useful expressions used in connection with a watch or a clock are: **adelantar** *to be fast,* **atrasar** *to be slow,* **dar cuerda a** *to wind,* and **poner en hora** *to set:*

> Voy a **dar cuerda a** mi reloj, porque **atrasa.**
> Nuestro reloj **adelanta;** tendremos que **ponerlo en hora.**

IV. **Two irregular verbs.** **Creer** (*to believe*), and **traer** (*to bring*), are important irregular verbs:

### creer

| | |
|---|---|
| *Pres. Ind.* | **creo** (regular) |
| *Imperf.* | **creía** (regular) |
| *Pret.* | **creí, creíste, creyó, creímos, creísteis, creyeron** |
| *Fut. and Cond.* | **creeré** (regular); **creería** (regular) |

### traer

| | |
|---|---|
| *Pres. Ind.* | **traigo** (other forms regular) |
| *Imperf.* | **traía** (regular) |
| *Pret.* | **traje, trajiste, trajo, trajimos, trajisteis, trajeron** |
| *Fut. and Cond.* | **traeré** (regular); **traería** (regular) |

LECCIÓN DIECISIETE

## *Ejercicios*

A. Read *Un día confuso* aloud at least twice for pronunciation.

B. Memorize:

> Quien temprano se levanta
> tiene una hora más de vida,
> y en su trabajo adelanta.[1]

C. Conjugate in (1) present ind., (2) future, (3) preterit:
  creer  despertarse  acostarse  venir  traer

D. Pronounce and give subject, tense, and infinitive of:
  1. dieron  2. corríamos  3. creyeron  4. traje  5. hacía  6. adelantaba
  7. acaba de despertarse  8. llegaron  9. dije  10. atrasaba

E. The instructor will pronounce various forms of the verbs in C. Identify the subject and tense of each form.

F. Change the verb to the tenses indicated in parentheses:
  1. Juan corre a la escuela (*imperf.; pret.*).
  2. Me desperté a las siete y media (*pres.*).
  3. Mi reloj atrasaba (*pres.*).
  4. Nos paramos cerca de Elena (*pret.; cond.*).
  5. María se acostó temprano (*pres.; cond.*).
  6. Vds. se despertarán a las dos de la tarde (*pres.*).
  7. Aprendemos a bailar (*pret.; fut.*).
  8. ¿ Adelanta su reloj (*imperf.*) ?
  9. ¿ Qué notarán los padres (*imperf.*) ?
  10. ¿ Quién se despierta tarde ? (*imperf.; pret.*).
  11. Es la una (*fut.; imperf.*).
  12. María da cuerda a su reloj (*pret.; cond.*).
  13. Al llegar daban las diez en punto (*pres.*).
  14. Son las tres menos diez (*imperf.; cond.*).
  15. Pongo mis libros en la mesa (*pret.; cond.*).
  16. Dorotea me traía el despertador (*fut.; pret.*).
  17. Vd. ponía la carta aquí (*pret.; fut.*).
  18. ¿ De dónde vienen los muchachos (*imperf.; cond.*) ?
  19. Los traeré conmigo (*pres.; pret.*).
  20. Los alumnos no creen al maestro (*pret.*).

G. Give the following, using (1) *es la* _____ or *son las* _____; and (2) *a la* _____ or *a las* _____:
  1 P.M.;  1 : 30 P.M.;  3 P.M.;  3 : 45 A.M.;  9 : 15 P.M.;  11 : 10 A.M.;
  5 : 45 P.M.;  12 : 15 A.M.;  6 : 30 A.M.;  2 : 30 P.M.;  7 : 08 P.M.;  4 : 50 P.M.;
  8 : 55 A.M.

---

[1] Progresses, gets ahead.

H. Dictation of *Un día confuso.*

I. Review *Un día confuso.* Answer in Spanish:
1. ¿ A qué hora me levanto generalmente ? 2. ¿ A qué hora me levanté hoy ? 3. ¿ Por qué me levanté tarde ? 4. ¿ Por qué no sonó el despertador ? 5. ¿ Dónde me desayuné ? 6. ¿ A qué hora llegué a la oficina ? 7. ¿ Cuándo estamos más ocupados ? 8. ¿ Qué me trajo uno de mis amigos ? 9. ¿ Qué voy a tener que comprar ? 10. ¿ A qué hora se levanta Vd. ? 11. ¿ Qué debe hacer un despertador ? 12. ¿ Qué hay que hacer cuando suena el despertador ? 13. A Vd. ¿ qué le gusta más, un reloj de pulsera o un despertador ? 14. ¿ Qué hace Vd. cuando su despertador no suena a tiempo ? 15. ¿ Durante qué parte del día está Vd. más ocupado ?

J. Prepare two sentences using each of the following: *dar cuerda a, a eso de, por lo visto, de prisa, en punto, a tiempo, tomar un baño.*

K. Prepare five questions which you will ask other students to answer about: *La hora.*
(Ask about the time at present, the time one has dinner, gets up in the morning, about an appointment at a certain time, etc.)

L. Give the Spanish for:
1. He always studies at night. 2. It was 9 A.M. when I arrived. 3. They will arrive at 4 P.M. 4. Our Spanish class begins at 8 o'clock sharp. 5. Pedro doesn't often wake up on time. 6. She said that she would be here before 10 : 30. 7. They came early, and brought their books. 8. He saw it, but he didn't believe it. 9. Sometimes Joaquín works until 3 A.M. 10. It was striking seven when I woke up.

# Lección 18

## UNA SORPRESA PARA MI ABUELO

### VOCABULARIO

**crecer** (*conjugated like* **conocer**) to grow
**enero** January
**la fecha** date
**había** there was, there were, there used to be
**juntos** together
**los que** those who, the ones that
**mil** (one) thousand
**nacer** (*conjugated like* **conocer**) to be born
**ochenta** eighty
**el porvenir** future
**setenta** seventy
**setenta y seis** seventy-six
**solamente** only
**la sorpresa** surprise

**el traje de baño** bathing suit
**usar** to use
**veinte** twenty
**veintidós** twenty-two
**verse** to find oneself
**el viejito** *diminutive of* **viejo**: (little, dear, poor, etc.) old man

### MODISMOS

**a pesar de** in spite of
**con frecuencia** frequently
**dar una sorpresa** give a surprise
**por lo tanto** therefore
**tener (muy) buena salud** to have (very) good health, to be in (very) good health

### Una sorpresa para mi abuelo

Hoy en casa todos estamos muy ocupados, porque a eso de las doce del día mi abuelo va a venir a visitarnos. Todos estamos muy contentos cuando él está en casa; a pesar de ser viejo tiene muy buena salud, y es muy simpático. Mi abuelo nació en esta ciudad el veintidós de enero de 1880 (mil ochocientos ochenta). Él sabe mucho y con frecuencia nos cuenta cosas muy interesantes. El otro día nos dijo que cuando él nació, esta ciudad era muy pequeña, que tenía solamente dos mil o tres mil habitantes, que había más coches de caballos que automóviles, y que las personas no usaban trajes de baño tan cortos

**175**

como los que usan hoy. La ciudad es muy diferente hoy día; hay dos millones de habitantes y creemos que crecerá muchísimo más en el porvenir.

Mi abuelo saldrá para la Argentina el veinte de enero, y como su cumpleaños es el veintidós y él no estará aquí hoy vamos a darle una sorpresa. Por lo tanto, todos estamos muy ocupados. Mamá prepara la comida y yo la ayudo mientras papá va en su coche a buscar a unos amigos de mi abuelo: el señor Pérez, que tiene setenta años de edad, el señor García que tiene ochenta, y el señor Gómez que tiene setenta y seis. Estos tres señores también nacieron en esta ciudad y son muy buenos amigos de mi abuelo. Hace mucho tiempo que mi abuelo no ve a sus amigos. ¡ Qué sorpresa para él, y qué contentos estarán los cuatro viejitos de verse juntos otra vez !

### Conversación

— ¿ A dónde va Vd. tan de prisa, Juanita ?

— Voy a buscar unas rosas para arreglar nuestra casa.

— Pero, ¿ qué día es hoy ? ¿ Alguna fiesta ? ¿ Pasa algo en la familia ?

— No, Jaime. Todos estamos contentos y ocupados, porque llega mi abuelo de Guatemala.

— ¡ Qué sorpresa ! ¿ A qué hora estará aquí el abuelito ?

— A eso de las cuatro de la tarde. Mi abuelo goza de buena salud a pesar de tener más de setenta años. El 12 de enero próximo, tendrá setenta y cuatro años.

— ¿ Su abuelo nació en Guatemala ?

— No; nació en México en el estado de Yucatán. Estudió el derecho en la Universidad de México. Viajó mucho cuando era joven y por lo tanto habla cuatro o cinco lenguas.

— ¡ Qué interesante será su conversación !

— Siempre nos cuenta de cuando él era pequeño. La vida era diferente. No había automóviles, ni tanta maquinaria como hoy día. Los trajes de baño del 1900 (mil novecientos) no eran tan cortos como los que usamos hoy.

— En casa pasa algo muy interesante. En el mes de julio, mi abuelo cumplirá los ochenta años, mi abuela los setenta, y mi hermano José los veinte.

— ¿ Tienen buena salud sus abuelos ?

— Excelente. Para ese día preparamos siempre una fiesta.

— Nosotros iremos hoy a buscar en el coche a unos amigos de mi abuelo, el señor Gómez que tiene sesenta años, y el señor Martínez que cumplirá los setenta y cinco.

— ¡ Qué felicidad tener esa edad y gozar de buena salud !

— ¡ Ya lo creo ! Hasta la vista, Jaime, y saludos a su abuelo.

— Igualmente, y muchas gracias. Adiós.

## VOCABULARIO SUPLEMENTARIO

*Did you guess the meaning of these words correctly ?*

el **abuelito** *diminutive of* **abuelo**: (little, dear, poor, etc.) grandfather

**arreglar** to arrange; fix

la **felicidad** happiness, felicity

**gozar** (**de**) to enjoy

**julio** July

la **maquinaria** machinery

los **saludos** greetings

¡ **ya lo creo** ! naturally ! of course !

## Gramática

### I. Cardinal numbers.

| | | |
|---|---|---|
| 1 **uno, una** | 19 **diez y nueve** | 123 **ciento veinte y tres** |
| 2 **dos** | 20 **veinte** | (**ciento veintitrés**) |
| 3 **tres** | 21 **veinte y un**(**o**), | 200 **doscientos, –as** |
| 4 **cuatro** | **veinte y una** | 211 **doscientos** (**–as**) **once** |
| 5 **cinco** | 22 **veinte y dos** | 300 **trescientos, –as** |
| 6 **seis** | (**veintidós**) | 400 **cuatrocientos, –as** |
| 7 **siete** | 24 **veinte y cuatro** | 500 **quinientos, –as** |
| 8 **ocho** | 30 **treinta** | 600 **seiscientos, –as** |
| 9 **nueve** | 40 **cuarenta** | 700 **setecientos, –as** |
| 10 **diez** | 50 **cincuenta** | 800 **ochocientos, –as** |
| 11 **once** | 60 **sesenta** | 900 **novecientos, –as** |
| 12 **doce** | 70 **setenta** | 1000 **mil** |
| 13 **trece** | 80 **ochenta** | 1001 **mil un**(**o**), **mil una** |
| 14 **catorce** | 90 **noventa** | 1002 **mil dos** |
| 15 **quince** | 100 **ciento** (**cien**) | 1022 **mil veintidós** |
| 16 **diez y seis** [1] | 101 **ciento un**(**o**), | 1100 **mil ciento** |
| (**dieciséis**) | **ciento una** | 2000 **dos mil** |
| 17 **diez y siete** | 102 **ciento dos** | 100.000 **cien mil** |
| (**diecisiete**) | 112 **ciento doce** | 1.000.000 **un millón** |
| 18 **diez y ocho** | 120 **ciento veinte** | 2.000.000 **dos millones** |

[1] The numbers from 16 through 29 may be written as one word: *dieciséis, diecisiete, dieciocho, veintiuno* (*veintiún*), *veintidós*, etc. Note the change from *y* to *i*, and *z* to *c*, and the need for a written accent on *dieciséis, veintiún, veintidós, veintitrés,* and *veintiséis,* when the one-word form is used.

A. **Uno** and **ciento** and its multiples are the only cardinal numbers that change form.

    1. **Uno** and numbers ending in **uno** (**veinte y uno, treinta y uno,** etc.) drop the final –o before a masculine noun:

María compra **un** libro.     *Compare:* Tengo **una** hermana.
Tengo **veinte y un**         *Compare:* Conozco a treinta y **una** muchachas.
  (**veintiún**) sombreros.
¿ Tiene Vd. libros ?  — Sí, tengo **uno**.   (Why **uno,** not **un** ?)

    2. **Ciento** changes to **cien** before nouns, and before **mil** and **millones:**

        **Ciento** setenta y seis         176

but:

        **Cien** libros              100 libros
        **Cien** mil habitantes      100.000 habitantes
        **Cien** millones de dólares   $100.000.000

    3. Multiples of **ciento** (**doscientos, trescientos**) agree in gender with the nouns they modify:

        Compra **doscientos** libros.
        Hay **doscientas** muchachas en nuestra escuela.
        El libro tiene **cuatrocientas** cuarenta y seis páginas.

B. **Un** is omitted before **cien**(**to**) and **mil:**

        ciento      cien alumnos      mil hombres

However, **un** is used with **millón.** **De** follows **millón** when a noun is used with it:

        **un** millón
        **un** millón **de** personas
        dos millones **de** habitantes

C. Numbers over 100 use **y** only if they end in a number which takes **y** when it stands alone (16, 19, 27, 41, etc.)

        ciento tres (103)
        ciento quince (115)
        ciento treinta (130)

but:

        ciento diez **y** seis (dieciséis) (116)
        doscientos setenta **y** nueve (279)

D. The use of the decimal and comma with numbers is just the reverse of English. Compare:

LECCIÓN DIECIOCHO

| SPANISH | ENGLISH |
|---------|---------|
| $1.000 | $1,000 |
| $9.500.000 | $9,500,000 |
| $2,25 | $2.25 |

E. Dates from the year 1000 on, begin with **mil,** followed by the remaining hundreds, etc., of years:

> ochocientos cuarenta y tres (843)
> mil setecientos diez (1710)
> mil novecientos cuarenta y seis (1946)

## II. Ordinal numbers.

| | | | |
|-----|-----------|------|----------|
| 1st | **primer(o)** | 6th | **sexto** |
| 2nd | **segundo** | 7th | **séptimo** |
| 3rd | **tercer(o)** | 8th | **octavo** |
| 4th | **cuarto** | 9th | **noveno** |
| 5th | **quinto** | 10th | **décimo** |

A. Ordinal numbers commonly used in Spanish are **primero** through **décimo.** They agree with the nouns they modify. **Primer(o)** and **tercer(o)** lose the final –o before masculine singular nouns.

La **primera** lección no es difícil.     La **tercera** carta.
Los **primeros** libros son fáciles.     Leo el **tercer** capítulo del **primer** libro.

> III. **Position of numbers.** Numbers ordinarily stand before a noun. When they are used together the cardinal number comes first.

> La **segunda** lección.     Las **tres primeras** muchachas.

Ordinal numbers must follow the names of kings, popes, etc.; the cardinal numbers are used in this way for anything above **décimo.**

> Jorge **Sexto** de Inglaterra     George VI of England
> Pío **Doce**     Pius XII

## Ejercicios

A. Read *Una sorpresa para mi abuelo* aloud at least twice for pronunciation.

B. Conjugate in the (1) present, (2) future, (3) preterit:

> crecer     cumplir     nacer

C. Change the verb to the tense indicated in parentheses:
1. Mi padre dice que un hermano nació (*fut.*).
2. Nos ponemos la ropa (*imperf.; cond.*).

3. Crecerían (*pret.; pres.*).
4. ¿ Cuándo cumple Vd. los veinte (*fut.; pret.*) ?
5. Veré a los muchachos (*imperf.; pres.*).
6. ¿ Dónde lo pondría Vd. (*pret.*) ?

D. Count in Spanish from:
   30 to 50; 50 to 80; 100 to 120; 200 to 220; 485 to 500

E. Read the following in Spanish:

| 25 | 81 | 341 | 1.000 | 1.000.000 | 10th |
|----|-----|-----|-------|-----------|------|
| 37 | 103 | 500 | 3.800 | 3rd | 6th |
| 62 | 125 | 566 | 1.011 | 5th | |

F. Give the proper form of the numbers in parentheses:
   1. Esta noche María estudia (2) lecciones. 2. Compramos (250) sillas.
   3. Ya tenemos las (2) (primero) cartas, y ahora esperamos la (tercero).
   4. Nuestra ciudad tiene unos (17.000) habitantes. 5. Mi padre me dió
   (37) dólares. 6. Pedro acaba de cumplir los (17) años. 7. Después de
   (3) horas me fuí a casa. 8. ¿ Sabe Vd. bien la lección (21) ?

G. Add: (*Example:* tres *y* dos *son* cinco)
   $8 + 11$; $4 + 7$; $30 + 20$; $17 + 10$; $42 + 4$; $91 + 15$; $203 + 77$; $508 + 22$

H. Subtract: (*Example:* ocho *menos* cuatro *son* cuatro)
   $16 - 8$; $25 - 5$; $27 - 3$; $42 - 8$; $47 - 5$; $97 - 6$; $505 - 5$

I. Multiply: (*Example:* dos *por* dos *son* cuatro)
   $2 \times 18$; $20 \times 10$; $2 \times 40$; $4 \times 5$; $8 \times 11$; $3 \times 20$

J. Divide: (*Example:* veinte *dividido por* cinco *son* cuatro)
   $21 \div 7$; $125 \div 25$; $100 \div 50$; $120 \div 30$; $40 \div 8$; $27 \div 9$

K. The instructor will give various numbers in Spanish. Write them as they
   are given.

L. Dictation of *Una sorpresa para mi abuelo*.

M. Review *Una sorpresa para mi abuelo*. Answer orally in Spanish:
   1. ¿ Por qué estamos ocupados ? 2. ¿ A qué hora vendrá mi abuelo ?
   3. ¿ Cuántos años tiene mi abuelo ? 4. ¿ Qué nos cuenta mi abuelo ?
   5. ¿ Cuántos habitantes tiene la ciudad ? 6. ¿ Para dónde saldrá mi
   abuelo ? 7. ¿ Cuándo es el cumpleaños de mi abuelo ? 8. ¿ Quiénes son
   los señores García, Pérez y Gómez ? 9. ¿ Cuál de los cuatro viejos es el
   mayor ? 10. ¿ Cuál será la sorpresa ? 11. ¿ Cuándo es el cumpleaños
   de Vd. ? 12. ¿ Cuántos habitantes tiene la ciudad donde estamos ahora ?
   13. ¿ Cuántos estudiantes tiene esta universidad ? 14. ¿ Dónde está
   la Argentina ? 15. ¿ Cuántos años tiene el abuelo de Vd. ?

N. Prepare two sentences using each of the following: *hoy día, con frecuencia, por lo tanto.*

O. Prepare eight statements about one of the following:
1. *Un cumpleaños muy feliz.*
   (How many were present? What day of the week was it? Where was he (or she) born? What did you do? What did you have to eat? etc.)
2. *Mi ciudad natal* (native).
   (Where is it? How large is it? Do you like to live there? How long have you resided there? Are you planning to leave soon? If so, when? etc.)

P. Give the Spanish for:
1. Professor Ramírez is 41 years old. 2. Bathing suits are very short nowadays. 3. President Lincoln was born in 1809. 4. Five years ago, there were only 1000 persons here. 5. I know a man who is 100 years old. 6. There are usually 365 days in a year. 7. There are 200 beds in the new hospital. 8. My grandfather's friends are very pleasant old men. 9. Very few men have a million dollars. 10. The city of Paris is now more than 2000 years old.

*Screen Traveler, from Gendreau*

Sevilla's magnificent Giralda, one of the architectural glories of Spain. Atop this cathedral tower, once a Moorish minaret, is a bronze statue of Faith, cast in 1568. It is referred to as the largest weathervane in the world. The statue, which weighs well over a ton, sways whenever there is a breeze.

Spanish State Tourist Office

A windmill on Ibiza, one of the Islas Baleares. Don Quijote's adventures took place on the mainland, of course, but the "giants" that he tackled may have looked somewhat like these. If so, it's not surprising that he came to grief!

## LOS DEPORTES

### VOCABULARIO

**el aficionado** enthusiast, "fan"
**alegrarse (de)** to be glad (of)
**el campeonato** championship
**conocido** well known
**el equipo** team
**el estado** state
**esto** this (matter), this (fact)
**ganar** to win; to gain; to earn
**haber** (*plus past participle*) to have
**jugar (ue)** to play (*a game*)
**magnífico** magnificent, splendid, "swell"
**nacional** national
**nadar** to swim
**la natación** swimming
**el nuestro** (*poss. pron.*) ours

**el partido** game; match (*meeting between teams or contestants in any sport*)
**probablemente** probably
**romper** to break
**el tenis** tennis

### MODISMOS

**acerca de** about, concerning
**dentro de poco** shortly, soon
**jugar (ue) a** (*plus def. art., plus name of sport*) to play (*a game*)
**la mayor parte** most, the majority
**por ejemplo** for example, for instance
**ser aficionado a** to be fond of

### Los deportes

En este país, la mayor parte de nuestros jóvenes siempre han sido muy aficionados a los deportes, como el beisbol, el basquetbol, el futbol, la natación y el tenis. Por ejemplo, en nuestra escuela hay muchos alumnos que juegan al futbol, al basquetbol y al beisbol, y algunos que nadan muy bien. El tenis también tiene muchos aficionados. Siempre hemos tenido equipos muy buenos en todos los deportes, pero nuestro equipo de basquetbol es magnífico, y hasta ahora ha ganado todos sus partidos. Es el mejor que he visto,

**185**

y dentro de poco probablemente habrá ganado el campeonato del estado. He leído mucho acerca de otros equipos muy famosos, pero no han hecho tanto como el nuestro. Aunque no he hablado de nuestro equipo de beisbol, él también es muy conocido, y todos nos alegramos mucho de esto porque el beisbol es nuestro deporte nacional.

## Conversación

— ¿ Sabe Vd., Eduardo, quién ganó el campeonato de beisbol ?

— ¿ El local o el nacional ?

— El campeonato local, naturalmente. Yo soy aficionado al beisbol, pero como me gustan mucho todos los deportes, siempre leo algo acerca de la vida deportiva de todo el país.

— Especialmente de la vida deportiva de su estado, ¿ verdad ?

— ¡ Claro, hombre ! ¿ Qué deportes le gustaban más, cuando era joven ?

— Yo era aficionado a todos los deportes, pero he jugado más al basquetbol.

— A mí me gusta tanto el tenis como el basquetbol.

— Este año nuestro equipo irá a México para jugar por el campeonato internacional.

— ¡ Eso será magnífico ! Pero, ¿ qué campeonato ? ¿ El campeonato de tenis, de futbol, o . . . ?

— El campeonato de tenis. Tenemos unos jugadores excelentes. Nuestro profesor de cultura física nos ha preparado muy bien.

— Dentro de poco tiempo, mi hermana tomará parte en un campeonato de natación local. Sin duda, lo ganará.

— ¿ En qué país cree Vd. que el juego de futbol ha sido más popular ?

— En Inglaterra, probablemente, y hoy día en la América del Sur.

— ¿ Cree Vd., Eduardo, que nuestros jóvenes pasan la mayor parte del tiempo dedicados a los deportes ?

— Sí, y es una lástima. Es necesario dividir el tiempo entre el trabajo mental y el trabajo físico para estar realmente sanos.

— Tiene razón, amigo.

— Todos los jóvenes debían pensar así.

— En los Estados Unidos hay un deporte que también se llama el futbol, pero es muy distinto del futbol que juegan en la América del Sur.

— ¿ Lo conoce Vd.?

— Sí, y me gusta muchísimo; es un deporte que tiene muchos aficionados.

## *VOCABULARIO SUPLEMENTARIO*

*Did you guess the meaning of these words correctly?*

¡ **claro** ! of course !
**la cultura física** physical culture
   **deportivo** (*adj.*) sporting; sport
   **dividir** to divide
**Inglaterra** England

**el juego** game
**el jugador** player
   **realmente** really
   **sano** healthy, sound
   **tomar parte** to take part

## *Gramática*

I. **Formation of the past participle.** The past participle of regular verbs is obtained by adding to the stem of the present indicative the endings: –**ado** for –**ar** verbs, and –**ido** for –**er** and –**ir** verbs.

| INFINITIVE | STEM | ENDING | PAST PARTICIPLE | |
|---|---|---|---|---|
| hablar | habl– | –ado | hablado | spoken |
| comer | com– | –ido | comido | eaten |
| vivir | viv– | –ido | vivido | lived |

A. When the stem of an –**er** or –**ir** verb ends in **a, e,** or **o,** a written accent is added to the **i** of the ending.

| | | | | |
|---|---|---|---|---|
| traer | tra– | –ido | traído | brought |
| leer | le– | –ido | leído | read |

II. **Irregular past participles.** The following list contains the most common irregular past participles in Spanish. Memorize as soon as possible.

| INFINITIVE | | PAST PARTICIPLE | |
|---|---|---|---|
| abrir | to open | abierto | opened |
| cubrir | to cover | cubierto | covered |
| decir | to say | dicho | said |
| escribir | to write | escrito | written |
| hacer | to make | hecho | made |
| morir | to die | muerto | dead |
| poner | to put | puesto | put |
| romper | to break | roto | broken |
| ver | to see | visto | seen |
| volver | to return | vuelto | returned |

III. **Perfect tenses.** The perfect tenses are composed of some tense of **haber** *to have* followed by the past participle. Except for a few idioms this is the only way in which **haber** may be used to mean *to have;* otherwise, **tener** is used. In the perfect tenses, the past participle always remains the same, regardless of the form of **haber** used. In general, the perfect tenses are used in Spanish as they are in English.

A. **Present perfect indicative.** The present perfect tense is composed of the present indicative of **haber,** and the past participle:

| he | hablado | I have spoken |
|----|---------|---------------|
| has | hablado | you have spoken |
| ha | hablado | he (she) has spoken; you (**Vd.**) have spoken |
| hemos hablado | | we have spoken |
| habéis hablado | | you have spoken |
| han | hablado | they have spoken; you (**Vds.**) have spoken |

**He visto** al señor Pérez.

B. **Past perfect indicative.** The past perfect indicative, also known as the pluperfect, is made up of the imperfect of **haber** (**había,** etc.) and the past participle:

| había | comido | I had eaten |
|-------|--------|-------------|
| habías | comido | you had eaten |
| había | comido | he (she) had eaten; you (**Vd.**) had eaten |
| habíamos comido | | we had eaten |
| habíais | comido | you had eaten |
| habían | comido | they had eaten; you (**Vds.**) had eaten |

Los alumnos no **habían vuelto.**

Another Spanish tense which is translated *I had eaten,* etc., is the preterit perfect, made up of the preterit of **haber** (**hube,** etc.) and the past participle. This is a literary form, and is usually replaced in conversation by the simple preterit.

Cuando **hubieron comido,** se levantaron de la mesa.     (Literary)
Cuando **comieron,** se levantaron de la mesa.     (Conversational)

C. **Future perfect indicative.** The future perfect is formed by using the future of **haber** (**habré,** etc.) and the past participle:

| habré | vivido | I shall have lived |
|-------|--------|--------------------|
| habrás | vivido | you will have lived |
| habrá | vivido | he (she) will have lived; you (**Vd.**) will have lived |

LECCIÓN DIECINUEVE

| habremos | vivido | we shall have lived |
|---|---|---|
| habréis | vivido | you will have lived |
| habrán | vivido | they will have lived; you (**Vds.**) will have lived |

Mañana **habrán llegado.**

D. **Conditional perfect.** The conditional perfect consists of the conditional of **haber** (**habría,** etc.), and the past participle:

| habría | leído | I would have read |
|---|---|---|
| habrías | leído | you would have read |
| habría | leído | he (she) would have read; you (**Vd.**) would have read |

| habríamos | leído | we would have read |
|---|---|---|
| habríais | leído | you would have read |
| habrían | leído | they would have read; you (**Vds.**) would have read |

Juan **habría escrito** la carta.

E. In all perfect tenses, the past participle must always come immediately after the form of **haber**; nothing may stand between them:

María **ha estudiado** la lección.
¿ Qué **había hecho** Vd. ?

### Ejercicios

A. Read *Los deportes* aloud at least twice for pronunciation.

B. The instructor will read the following poem several times. Memorize:

*Hastío* [1]

Sin el amor que encanta,
la soledad de un ermitaño espanta.
¡ Pero es más espantosa todavía
la soledad de dos en compañía !
— Ramón de Campoamor

C. Give the past participle of:

| escribir | poner | levantarse | volver |
|---|---|---|---|
| ver | nadar | hacer | vivir |
| decir | abrir | alegrarse | leer |

D. Conjugate in:
  1. present perfect: *escribir, ver, nadar*
  2. past perfect: *hacer, alegrarse, decir*
  3. future perfect: *poner, jugar, ser*
  4. conditional perfect: *ir, ganar, volver*

[1] Loathing, disgust.

E. The instructor will give various forms of the verbs in D, including perfect tenses. Identify the tense and infinitive of each form.

F. Change the verb to the tense indicated:
1. No aprendemos a jugar al beisbol (*pres. perf.*).
2. Los dos hombres se sientan en las sillas (*past perf.*).
3. Eran las nueve en punto (*fut.*).
4. Van al cine (*cond. perf.*).
5. ¿ Por qué no me escribe Vd. cartas (*pres. perf.*) ?
6. Mi hermano ponía su sombrero en la mesa (*past perf.*).
7. ¿ De qué se alegra Vd. (*cond. perf.*) ?
8. Salimos a las diez (*past perf.*).
9. Los muchachos se quedan en casa para comer helado (*pres. perf.*).
10. ¿ Quién ganó el campeonato (*cond. perf.*) ?

G. Change to the tenses indicated:
1. Me sentaba (*pres.; fut. perf.; pres. perf.*).
2. Jugaron bien (*cond.; past perf.; imperf.*).
3. Tendremos mucho gusto en conocerle (*pres. perf.; past perf.; cond.*).
4. Se para mi reloj (*pret.; pres. perf.; past perf.*).
5. Nos hemos quedado aquí (*pres.; pret.; cond. perf.*).
6. María tiene mucho sueño (*imperf.; past perf.; pres. perf.*).
7. Los muchachos se burlan de mí (*pret.; pres. perf.; fut.*).

H. Give the proper form of the verb in parentheses in the tense indicated:
1. Los hombres (irse, *fut. perf.*) mañana. 2. Juan y yo estábamos muy contentos porque nuestros padres (llegar, *past perf.*). 3. Elena (ser aficionada, *imperf.*) a los libros. 4. Los jóvenes (burlarse, *pres. perf.*) de los viejos. 5. ¿ Qué (querer decir, *pres.*) el maestro ? 6. Juan nos dice que los libros de español no (estar de venta, *pres.*) ahora. 7. ¿ Qué (hacer, *cond. perf.*) Juan ? 8. María me (decir, *pres.*) que Eduardo no (volver, *pres. perf.*). 9. El alumno (escribir, *past perf.*) que no (poder, *cond.*) venir. 10. Elena (abrir, *pres. perf.*) la ventana.

I. Dictation of *Los deportes*.

J. Review *Los deportes*. Answer in Spanish:
1. ¿ A qué son aficionados muchos jóvenes ? 2. ¿ Cuáles son algunos deportes de nuestro país ? 3. ¿ Qué equipo es magnífico ? 4. ¿ Qué habrá ganado dentro de poco ? 5. ¿ Acerca de qué he leído mucho ? 6. ¿ De qué equipo no he hablado todavía ? 7. ¿ Cómo es nuestro equipo de beisbol ? 8. ¿ Cuál es nuestro deporte nacional ? 9. ¿ Qué deporte le gusta más a Vd. ? 10. ¿ A qué deportes juegan los estudiantes de esta universidad ? 11. ¿ Cuál es el equipo más famoso de esta universidad ? 12. ¿ A qué deportes ha jugado Vd. ? 13. ¿ Qué debe hacer un equipo para ganar un campeonato ? 14. ¿ Cuántos hombres hay en un equipo de basquetbol ?

K. Prepare two sentences using each of the following: *acerca de, por ejemplo, ser aficionado a, dentro de poco, la mayor parte.*

L. Prepare five questions which you will ask others to answer about one of the following:

1. *Mi deporte favorito.*
   (Indicate which it is, why you prefer this one to others, whether it is difficult to play, how many players are needed, etc.)

2. *Un partido interesante.*
   (Indicate what kind of game it was, who the opponents were, where it took place, the score, the best player, reactions of spectators, etc.)

M. Give the Spanish for:

1. I think that Pepe has broken a window. 2. We have put our books on the table. 3. Ramiro and Esteban have returned from Brazil. 4. Elena is very fond of baseball. 5. Football is a swell sport. Have you seen many games this year? 6. They said that they hadn't prepared the surprise. 7. Most of the boys swim very well. 8. Our tennis team has already won five matches. 9. Would you have said the same thing a week ago? 10. By (*Para*) tomorrow, we'll have written several letters.

# Lección 20

## LOS DÍAS DE FIESTA

### VOCABULARIO

**adornarse** to be decorated, adorned
el **aniversario** anniversary
el **árbol** tree
**cantar** to sing
**celebrar** to celebrate
**celebrarse** to be celebrated
la **cena** dinner, evening meal
la **costumbre** custom, habit
**dar gracias** to give thanks
el **Día de Acción de Gracias** Thanksgiving Day
el **día de fiesta** holiday
**diferente** different
la **estación** season; station
los **Estados Unidos** the United States
**familiar** (*adj.*) family
la **fiesta** festival, feast, party, holiday
la **iglesia** church
la **independencia** independence
**jueves** Thursday
la **manera** way, manner
el **nacimiento** birth
**noviembre** November
el **pariente** relative, relation

las **Pascuas** Easter
**patrio** native
el **pavo** turkey
la **piñata** suspended balloon, toy animal, or pot filled with candy (*often used at masquerade balls*)
la **playa** beach, shore
la **posada** special religious Christmas festival in Mexico
**principalmente** chiefly, mainly
**religioso** religious
**reunirse** to meet together; get together
**rezar** to pray
**soler** (**ue**) to be accustomed to (*doing something*)
**último** last

### MODISMOS

**de diferente manera** in a different way
**de habla española** (**inglesa**, etc.) Spanish (English, etc.) speaking
**desde luego** of course
**es decir** that is (to say)
**sin embargo** nevertheless

192

LECCIÓN VEINTE

## Los días de fiesta

En todos los países se celebran fiestas religiosas y fiestas patrias y en cada país las celebran de diferente manera. Sin embargo, hay fiestas que son las mismas para casi todos los países como son, por ejemplo, las Pascuas, la Navidad, y el Año Nuevo. Es muy interesante saber cómo celebran ciertas fiestas en cada país. En los Estados Unidos, por ejemplo, el Día de Acción de Gracias, que suele ser el último jueves de noviembre (aunque la fecha no es siempre la misma), es costumbre reunirse toda la familia y tener una buena comida en donde el pavo es el plato principal. En México es diferente. El Día de Acción de Gracias es el treinta y uno de diciembre y toda la gente va a la iglesia a dar gracias a Dios. La Navidad, es decir el aniversario del nacimiento de Cristo, se celebra también de muy diferente manera en los Estados Unidos que en los países de habla española. En este país el 25 de diciembre se adorna un bonito árbol de Navidad. Todos los amigos se dan regalos que ponen en el árbol también. En México la Navidad se celebra la noche del 24 de diciembre con una gran « posada » o con una buena cena familiar. La « posada » es una fiesta religiosa que se celebra en las iglesias o en familia también. En una « posada » rezan, cantan, rompen una piñata, y cuando la « posada » es en familia también bailan.

## Conversación

ANTONIA: (*Mira el calendario.*) Lunes, martes, miércoles . . . agosto, septiembre . . .

SU MAMÁ: (*Entra en ese momento.*) ¿ Qué haces, hijita ?

ANTONIA: He pensado muchas veces qué hará la gente de otros países en los días patrios, y cómo celebrará las fiestas religiosas, es decir, el nacimiento de Cristo, el Día de Acción de Gracias, etc.

SU MAMÁ: Yo sé que en México, por ejemplo, y en otros países de habla española, la víspera de Navidad, es decir la Nochebuena, se celebra de diferente manera que en los países de habla inglesa, como en los Estados Unidos de Norte América.

ANTONIA: ¿ Sabes algo de la « posada » y de la « piñata » ?

SU MAMÁ: Desde luego. No solamente sé algo, he visto esas fiestas y cada una tiene su significado.

ANTONIA: Me dijiste una vez, que pasaste las fiestas de Navidad en Veracruz. Era una fiesta familiar, y fueron todos los parientes.

SU MAMÁ: Sí, y preparé la « piñata » la noche del veinticuatro de diciembre. Tenía dulces y pequeños regalos para todos. Más tarde, en la cena, antes de medianoche, comimos pavo preparado a la manera mexicana, y a las doce en punto, fuimos a la iglesia a la « misa del gallo ».

ANTONIA: Y la gente en general ¿ qué hacía ?

SU MAMÁ: Primero, te diré que la iglesia estaba muy bonita, adornada con muchas luces y flores. Toda la gente suele cantar, para celebrar el aniversario del nacimiento de Cristo, hermosos « villancicos ».

ANTONIA: ¿ Qué es eso, mamá ?

SU MAMÁ: Son canciones muy antiguas, de los siglos XI y XII.

ANTONIA: Me gustaría estar en Sud América durante las fiestas patrias. El veinticinco de mayo o el nueve de julio, por ejemplo, que es el día de la independencia argentina.

SU MAMÁ: Sí, hija. ¡ Es bueno saber algo de las tradiciones y costumbres de los países de habla española !

ANTONIA: El profesor de historia nos dijo que, si son extrañas para nosotros, debemos respetarlas.

SU MAMÁ: Desde luego, Antonia. Él tiene razón.

## VOCABULARIO SUPLEMENTARIO

*Did you guess the meaning of these words correctly ?*

**adornado** adorned, decorated
**antiguo** old; ancient
el **calendario** calendar
la **canción** song
los **dulces** candy, sweets
la **hijita** *diminutive of* **hija:** little (dear, etc.) daughter

la **misa del gallo** midnight mass
la **Nochebuena** Christmas Eve
**respetar** respect
el **siglo** century
el **significado** significance, meaning
la **víspera** night (*or* day) before

### Gramática

### I. Los días de la semana.

| el lunes | Monday |
| el martes | Tuesday |
| el miércoles | Wednesday |

LECCIÓN VEINTE

| el jueves | Thursday |
|-----------|----------|
| el viernes | Friday |
| el sábado | Saturday |
| el domingo | Sunday |

The days of the week in Spanish are masculine; also, they are not capitalized. They have the same form in both singular and plural, except that –s is added to **sábado** and **domingo**. The definite article is used with the days of the week except after **ser**.

Llegó **el martes**.
No me gustan **los lunes**.

but:

Hoy es **jueves**; mañana será **viernes**.

The definite article is used for *on:*

No estudio **los** sábados.
Lo haremos **el** miércoles.

## II. Los meses.

| enero | mayo | se(p)tiembre |
|-------|------|--------------|
| febrero | junio | octubre |
| marzo | julio | noviembre |
| abril | agosto | diciembre |

The names of the months are masculine, and are used without the definite article, unless modified. They are not usually capitalized. Compare:

**Mayo** es muy hermoso.
**El junio pasado** fué muy desagradable.

## III. Las estaciones.

| la primavera | spring | el otoño | fall, autumn |
|--------------|--------|----------|--------------|
| el verano | summer | el invierno | winter |

The definite article is used with the names of the seasons:

Tenemos vacaciones en **el verano**.
**La primavera** es muy hermosa.

IV. **La fecha.** The following are common ways of asking the date:

**¿ A cuántos (del mes) estamos ?**
**¿ Cuál es la fecha (de hoy) ?**
**¿ Qué día es (hoy) ?** (This question asks for a specific day of the week such as **lunes, sábado**, etc.)

To answer these questions the cardinal numbers (2, 6, etc.) are used, except for **el primero**. If the year is given with the date, **de** should precede it:

¿ A cuántos estamos ?  — Estamos a **dos** de mayo.
¿ Qué día es hoy ?  — Hoy es **martes**. *or:*
  Hoy es **jueves**, veintiocho de marzo **de** mil novecientos cuarenta y ocho.
¿ Cuál es la fecha ?  — Es **el primero** de octubre.

Some other words and expressions used in connection with dates:

| | | | |
|---|---|---|---|
| **una semana** | a week | **. . . que viene** | next . . . |
| **ocho días** | a week | **de hoy** (*or* **de** | a week from to- |
| **quince días** | two weeks | **aquí**) **en ocho** | day |
| **anteayer** | day before yester- | **de hoy** (*or* **de** | two weeks from |
| | day | **aquí**) **en quince** | today |
| **anteanoche** | night before last | **hace poco** | a short time ago, |
| **pasado mañana** | day after tomorrow | **(tiempo)** | not long ago, |
| **. . . pasado** | last . . . | | etc. |

V. **El tiempo.** Most statements about the weather use some tense of **hace** or **hay**. In general **hace** is used for things that can only be felt, and **hay** for things that can actually be seen.

To ask about the weather:

¿ Qué (tal) tiempo hace hoy ?

Common expressions used to answer this question are:
**Hace:**

| | |
|---|---|
| **Hace buen tiempo.** | It's nice weather. |
| **Hace mal tiempo.** | It's bad weather. |
| **Hace un tiempo muy agradable.** | It's very pleasant weather. |
| **Hace viento.** | It's windy. |
| **Hace fresco.** | It's cool. |
| **Hace frío.** | It's cold. |
| **Hace calor.** | It's warm. |

Words like **calor, viento, fresco,** and **frío** are nouns; therefore they use **mucho,** not **muy:**

Hace **mucho** calor.

**Hay:**

| | |
|---|---|
| **Hay sol.** | The sun is shining. |
| **Hay luna.** | The moon is shining. |
| **Hay polvo.** | It is dusty. |

LECCIÓN VEINTE

The verbs **nevar** (**ie**) *to snow,* **llover** (**ue**) *to rain,* **estar nublado** *to be cloudy* are used only in the third person singular.

**Nieva.**        **Nevaba** mucho.
**Llueve.**       El año pasado, **llovió** mucho.
**Está nublado.**

## Ejercicios

A. Read *Los días de fiesta* aloud at least twice for pronunciation.

B. Give in Spanish: (1) los días de la semana, (2) los meses, (3) las estaciones del año.

C. Use one of the following in each sentence below unless otherwise indicated. Notice especially the tense of each verb.

dentro de una semana      la semana que viene
anteayer      el mes pasado
anteanoche      de aquí en quince
pasado mañana      de aquí en ocho

1. Mi primo llegó a Nueva York (*give a specific date*) _____. 2. Vamos a reunirnos _____. 3. Traté de comprar una casa _____. 4. Terminaremos la clase de español (*give a specific date*) _____. 5. Acabo de hablar con Juan; volverá _____. 6. Mañana será (*give a specific date*) _____. 7. Hoy es el 26 de (*give some month*) _____, ayer fué el 25. 8. Llegamos aquí (*give some specific day and date*) _____. 9. Hoy es martes, _____ fué domingo, y _____ será jueves. 10. Siempre pasamos los (*give some specific day*) _____ con mi hermana.

D. Express in the tenses indicated:
1. nieva (*imperf.; pret.*).
2. María reza en la iglesia (*fut.; pres. perf.*).
3. hace frío (*imperf.; cond.*).
4. llovía (*pres.; past perf.; fut.*).
5. está nublado (*imperf.; fut.; pres. perf.*).
6. hay sol (*imperf.*).

E. Change the verbs in parentheses to the tense indicated:
1. ¿ Qué tiempo hace (*imperf.*) ? 2. Hace un tiempo muy agradable (*fut.*). 3. Juan me dice (*pret.*) que estará (*cond.*) nublado pasado mañana. 4. Cuando hacía viento (*pres.*), por lo común, hacía frío (*pres.*) también. 5. Le gusta el verano (*fut.*) porque no hace demasiado calor. 6. Está nublado (*imperf.*) y hace mucho frío (*imperf.*). 7. No llueve mucho (*pres. perf.*). 8. Hace frío (*imperf.*) porque ha nevado (*past perf.*). 9. En México no hace frío (*fut.*).

BEGINNING SPANISH COURSE

F. Give Spanish words or expressions of opposite meaning:
1. hace calor 2. después de 3. anteayer 4. hoy 5. el sol 6. entrar
7. el mes pasado 8. a tiempo 9. fuera de 10. por la mañana
11. siempre 12. último 13. jóvenes 14. adelantar 15. la cena

G. Dictation of *Los días de fiesta.*

H. Review *Los días de fiesta.* Answer in Spanish:
1. ¿ Qué se celebran en todos los países ? 2. ¿ Qué fiestas son las mismas
en muchos países ? 3. ¿ Cuándo suele ser el Día de Acción de Gracias ?
4. ¿ Cuál es el plato principal del Día de Acción de Gracias ? 5. ¿ Qué
es la Navidad ? 6. En México, ¿ cuándo se celebra la Navidad ? 7. ¿ Qué
es una « posada » ? 8. ¿ Qué se rompe en una « posada » ? 9. ¿ Cuáles
son algunos países de habla española ? 10. El Día de Acción de Gracias,
¿ qué hacen en algunas universidades ? 11. ¿ A dónde va Vd. para la
Navidad ? 12. ¿ Cuál es el último mes del año ? 13. Cuando llega el
Año Nuevo, ¿ qué canción (*song*) solemos cantar ?

I. Prepare two statements using each of the following: *es costumbre, soler*
and infinitive, *hace fresco, anteanoche, desde luego.*

J. Prepare four questions which you will ask others to answer about one
of the following:
1. *La fecha.*
2. *Las estaciones del año.*
3. *El tiempo.*

(Ask about the present time of year; some important dates of the
past, present, and future; about weather conditions in various parts
of the country or in foreign countries; about weather predictions for
the immediate future, etc.)

K. Prepare four statements about one of the following:
1. *La estación que me gusta más.*
(Which is it ? Why this preference ? What time of year corresponds
to it in Chile ? What are some important events that have taken
place or will take place during this time ? etc.)
2. *Un día de fiesta interesante.*
(When is it ? Is it a religious celebration ? Is it a day the whole
world celebrates ? Is it a national holiday ? Do you do anything
special on this occasion ? etc.)

L. Give the Spanish for:
1. March is the third month of the year. 2. Our cousins will arrive on
Friday. 3. We had thought that it would be windy today. 4. Eduardo
was born on August 1. 5. It will probably be very warm next week.
6. Two weeks ago, Martín went to Buenos Aires. 7. Isabel came here
last winter. 8. We shall leave the city on October 9.

## Repaso IV  (Gramática 16–20)

A. Give the proper form of the infinitive in parentheses in the tense indicated.

1. Hoy Juan y yo (jugar, *pres. perf.*) al tenis dos horas.
2. Andrés siempre (tener, *pres. perf.*) mucho gusto en nadar. Su maestro (creer, *pres.*) que dentro de poco (ganar, *fut. perf.*) el campeonato nacional.
3. María estaba cansada porque (cantar, *past perf.*) tanto en la iglesia.
4. Mi abuela (ir, *pres. perf.*) al mercado, y como hoy (celebrarse, *pres.*) su aniversario, más tarde nosotros le (dar, *fut.*) una sorpresa agradable.
5. El despertador que Vd. me (traer, *pret.*) ayer no (andar, *imperf.*) bien; así es que yo (creer, *imperf.*) que Vd. lo (romper, *past perf.*).
6. ¿ (Ver, *pres. perf.*) Vds. las rosas de Elena ? Ella (abrir, *pres. perf.*) la ventana para mostrárselas a Vds.
7. A Luisa le (gustar, *pres.*) mucho la natación; por eso (comprarse, *pres. perf.*) un traje de baño nuevo.
8. Los cuatro jóvenes (volver, *fut. perf.*) a Nueva York para el campeonato de tenis. (Parecer, *3rd person sing., pres.*) que tienen un equipo magnífico.
9. La familia López (hacer, *pres. perf.*) un viaje a Francia, pero (estar, *fut.*) de vuelta el jueves de esta semana. Creo que me (traer, *fut.*) algún regalo.
10. Diego y unos amigos suyos (soler, *pres.*) reunirse el sábado a las ocho y media en punto. Ayer a eso de las nueve encontré a uno de ellos que (correr, *imperf.*) muy de prisa por la calle. Sin duda su reloj atrasaba y no (llegar, *cond.*) a tiempo.
11. Hoy es día de fiesta. Si Vd. quiere, yo le (esperar, *fut.*) en la iglesia al mediodía. Al regreso (tomar, *fut.*) el almuerzo aquí.
12. Josefina (nacer, *pret.*) el diez de octubre de 1940, y (crecer, *pres. perf.*) muchísimo. Hoy yo (decir, *cond.*) que (tener, *imperf.*) más de quince años.
13. Andrés (ser, *imperf.*) muy aficionado a la natación, pero puesto que no (hacer, *past perf.*) su trabajo, no (poder, *pret.*) salir con nosotros a nadar en el río.
14. ¿ Le (escribir, *pres. perf.*) Vd. al señor Pérez que en los Estados Unidos (soler, *3rd person pl., pres.*) celebrar el día de la independencia el cuatro de julio ?
15. Eduardo (leer, *pres. perf.*) mucho acerca de la historia del Perú. Por eso un amigo mío le (traer, *pres. perf.*) algo muy interesante acerca de la vida de ese país hace cien años.

**199**

16. Al señor Castaño no le (gustar, *pres.*) los coches nuevos. Por ejemplo, dice que no (salir, *fut.*) a menudo en su coche porque no anda bien, de modo que (gastar, *cond.*) mucha gasolina.

17. Creo que Luisa (perder, *pres. perf.*) la oportunidad de volver a España. ¡ Ella (alegrarse, *cond. perf.*) tanto de verse otra vez allí!

18. Cuando me desperté ya (sonar, *imperf.*) las nueve. Miré el despertador y noté que (pararse, *past perf.*) durante la noche. No; mi hermano de tres años lo (poner, *past perf.*) en hora por la tarde.

19. Estos jóvenes (beber, *fut. perf.*) demasiado; cantan y hacen tanto ruido. Desde luego, y los vecinos no (poder, *fut.*) dormir.

20. Nuestra familia siempre (reunirse, *pres.*) en casa de mis padres para celebrar el Día de Acción de Gracias. Creo que lo (hacer, *fut.*) también este año.

B. Give the Spanish for the words in parentheses:

1. María estaba cansada porque (*she had sung*) en la iglesia aquella noche.

2. Elena (*has put*) su traje de baño en la mesa mientras se arregla para ir al río.

3. Dentro de algunos días, los cuatro jóvenes (*will have returned*) a Nueva York a buscar el campeonato del tenis. Si (*I seem*) hablar mucho de ellos, es porque este año (*they have had*) un equipo magnífico.

4. Andrés (*used to be*) muy aficionado a los deportes, pero puesto que (*it's been bad weather*) (*he hasn't been able*) salir muchas veces este año.

5. Ya sé que (*I'll have to*) hacerlo mañana, pero esta noche ya (*I've worked*) bastante.

6. Yo (*shall wait for you*) en la esquina de la Avenida Bolívar, y le prometo que (*I shall arrive*) a las seis en punto.

C. Compose six original sentences using a different tense in each one. As far as possible use the vocabulary studied in the last five lessons.

D. Read aloud in Spanish:

17;  231;  547;  62;  1.171;  $67,00;  $1.541.000;  85;  103;  49

E. Read aloud in Spanish:

1) Add:       27 + 13;   12 + 18;  300 + 250;   13 + 7;    16 +   9
2) Subtract:  25 − 10;  110 − 30;   95 −  15;   17 − 8;  745 − 125
3) Multiply:  17 × 3;   35 × 2;  500 ×   4;   24 × 3;   75 ×   4
4) Divide:   100 ÷ 5;   35 ÷ 7;   45 ÷ 15;  200 ÷ 4; 1000 ÷ 200

F. Write the numbers given orally by the instructor.

G. Prepare four questions about the weather, the answers to which will be furnished by other students. Use a different weather expression in each question.

H. Give orally: (1) *cuatro días de la semana;* (2) *cuatro meses;* (3) *todas las estaciones;* (4) *cinco fechas importantes de este año.*

I. Prepare a sentence using each of the following:

> anteayer, la semana pasada, dentro de una semana, de hoy en ocho, quince días, la mayor parte, en seguida

J. Give the Spanish for:

> 8 A.M.; 9:10; 1:30 P.M.; 10:45; 12:00; 6:25 A.M.; 7:15 P.M.; 8:40; 11:55

K. Read aloud using *a* before each of the following specific times. Remember the difference between *Es la una* and *A la una.*

> 3:15; 1:40; 10:25 P.M.; 8:30 A.M.; 5:00 A.M.; 6:10; 7:45

L. The instructor will pronounce a series of infinitives. Give the past participle for each as it is pronounced. Included among these infinitives will be some which have irregular past participles, introduced in Lección 19.

M. Prepare in class one sentence using each of the following:

> ser aficionado a, sin embargo, tener mucho gusto en, a menudo

N. Select the word in column *B* which is most closely related in meaning to that in column *A*. These are not synonyms.

| A | B |
|---|---|
| 1. parece que | 1. desde luego |
| 2. soler | 2. a menudo |
| 3. la gente | 3. estar bien |
| 4. alegrarse | 4. de prisa |
| 5. acostarse | 5. querer |
| 6. rápidamente | 6. de acuerdo |
| 7. pararse | 7. detenerse |
| 8. tener buena salud | 8. los habitantes |
| 9. conocido | 9. por lo visto |
| 10. con frecuencia | 10. famoso |
| | 11. notar |
| | 12. estar alegre |
| | 13. levantarse |
| | 14. como de costumbre |

The design on this Costa Rican oxcart, representing a donkey, is supposed to be a good luck symbol. Notice the bananas, which play an important part in the economy of several of the Central American countries.

*Kurt Severin*

A side view of one of these oxcarts. A prospective customer is being shown the art work on the vehicle, much as an automobile salesman might point out the beauties of the upholstery.

*Kurt Severin*

These two Costa Rican girls testify to their country's reputation for the beauty of its women, outstanding even in the Spanish-speaking world, where the standard is high. The Spanish of Costa Rica is also well thought of; it might not be a bad place to study!

*Kurt Severin*

Detail of the old part of the Cathedral, Mexico City. Work on this magnificent structure, the largest cathedral in the New World, was begun only a short time after Cortés arrived in the ancient city. Cortés himself laid the cornerstone, in 1530, on the site of an Aztec temple.

Here is a general view of the same cathedral, showing its unusual bell-shaped towers. Situated in the heart of the Mexican capital, it faces the Zócalo, the central square of the city.

The church of Santa Prisca, in Taxco, is a favorite subject of painters and photographers. It was built in 1751 by José de la Borda in gratitude for the fortune that he had made from Taxco's silver mines. "Lo que el buen Dios dió a Borda, Borda le da a Dios."

# Lección 21

## UN PAR DE ZAPATOS

## VOCABULARIO

**andar** to walk
**cómodamente** comfortably
**descansar** to rest
**devolver (ue)** to return (give back)
**doler (ue)** to hurt, pain, ache (**me duelen los pies**)
**el dolor** pain, sorrow, grief
**la de** the one of (*f.*)
**el nombre** name
**oiga (Vd.)** listen! etc. (*used to attract someone's attention*)
**el par** pair
**el pie** foot
**el rato** short time, short while
**el surtido** stock, supply
**la tienda** store
**la variedad** variety

**la zapatería** shoe store, shoemaker's shop
**el zapato** shoe

### MODISMOS

**de (muy) buena gana** (very) gladly, willingly
**en cuanto a** as for, in regard to
**está bien** very well, all right
**más bien (que)** rather (than)
**¿ me hace Vd. el favor de** (*plus inf.*)? will you please?
**muchísimas gracias** thank you very much, many thanks
**¿ qué le pasa?** what's the matter (with you)?
**vamos a** (*plus inf.*) let's . . .

### Un par de zapatos

— Oiga, Roberto; ¿ qué le pasa ?

— Acabo de devolver a la zapatería un par de zapatos que compré allí hace algunos días. Todavía me duelen los pies; no puedo andar sin dolor. A propósito, Alfredo, ¿ me hace Vd. el favor de darme el nombre de una buena zapatería ?

— Sí, amigo; de muy buena gana. Vamos a mi coche donde podremos hablar más cómodamente. (*Los dos amigos van al coche.*) Ahora, sentémonos, y descansemos un rato. En cuanto a las zapaterías, le

**205**

diré que la mejor que conozco es la de Ramón González. Más bien
que una zapatería, es una tienda donde es posible comprar gran variedad
de cosas; pero hay también un buen surtido de zapatos, y sin duda
encontrará Vd. allí lo que busca.

— Muchísimas gracias, Alfredo; pero, dígame: ¿ dónde está la tienda
del señor González ?

— La tienda está en la calle Benavente; pero, como a Vd. le duelen
los pies, yo tendré mucho gusto en llevarle allí en mi coche. Además,
yo también necesito comprar zapatos. ¡ Vamos a buscarlos en seguida !

— Está bien. ¡ Vamos !


### Conversación

— ¡ Ay ! ¡ Ay ! ¡ Ay !

— ¿ Qué le pasa, Rosaura ? ¿ Le duelen los pies ?

— Sí, Susana, muchísimo. ¡ Ay ! No puedo andar más.

— Oiga, Rosaura. Parece que sufre mucho. Mire, aquí en la otra
esquina hay una zapatería.

— No, Susana, yo voy a la zapatería del señor González porque allí
compré los zapatos.

— Vamos, pues.

— ¡ Ay ! No puedo, no puedo andar. Iría de muy buena gana,
Susanita, pero ¿ cómo ?

— ¡ Mujer ! No quiero . . . (*Mira un momento a su amiga, y le dice*) —
Siéntese Vd. y descanse en este banco, Rosaura, mientras yo voy a
buscar mi coche. Tenga Vd. la bondad de esperarme unos momentos.

(*Susana, ya de vuelta*) — Mire, amiga. Dígale al vendedor o al dueño
de la tienda que esos zapatos son pequeños y que quiere cambiarlos.

— Por suerte, el señor González es amigo de la familia, y como en
su tienda hay un gran surtido de zapatos, me los cambiará.

— Es terrible tener dolor de pies. Bueno, ya llegamos. No veo la
entrada.

— Por aquí. Muchas gracias, Susana.

— No hay de qué. Luego, más tarde, vendré a buscarla.

— Está bien. Hasta luego.

(*Rosaura, después de un momento*) — ¿ Me hace Vd. el favor de
esperarme ? Voy a cambiar en seguida los zapatos.

— Bueno. Cambie Vd. los zapatos, y yo iré a charlar con un amigo
en una tienda cerca de aquí. Más tarde vendré a buscarla.

— Está bien. Muchísimas gracias. Hasta luego.

## *VOCABULARIO SUPLEMENTARIO*

*Did you guess the meaning of these words correctly?*

¡ ay ! ¡ ay ! ¡ ay ! *exclamation of pain*
el **banco** bench, seat
**cambiar** to change
la **entrada** entrance
¡ **mujer** ! heavens, woman !
**no hay de qué** don't mention it

**por aquí** this way
**por suerte** luckily
**sufrir** to suffer
**tenga Vd. la bondad de** (*plus inf.*)
    please
el **vendedor** clerk, salesman; vendor

### *Gramática*

      I. **Formation of the present subjunctive.** The present subjunctive of most Spanish verbs is formed by dropping the final –o of the first person singular present indicative, and adding the endings:

     –ar verbs:     –e, –es, –e, –emos, –éis, –en
     –er and –ir verbs: –a, –as, –a, –amos, –áis, –an

Thus:

| | |
|---|---|
| hablar | hable, hables, hable, hablemos, habléis, hablen |
| comer | coma, comas, coma, comamos, comáis, coman |
| vivir | viva, vivas, viva, vivamos, viváis, vivan |
| tener | tenga, tengas, tenga, tengamos, tengáis, tengan |

Memorize the most common exceptions:

| | |
|---|---|
| ser | sea, seas, sea, seamos, seáis, sean |
| estar | esté, estés, esté, estemos, estéis, estén |
| haber | haya, hayas, haya, hayamos, hayáis, hayan |
| ir | vaya, vayas, vaya, vayamos, vayáis, vayan |
| dar | dé, des, dé, demos, deis, den |
| saber | sepa, sepas, sepa, sepamos, sepáis, sepan |

In stem-changing –ar and –er verbs, the same changes occur in the present subjunctive as in the present indicative:

| | |
|---|---|
| volver (ue) | vuelva, vuelvas, vuelva, volvamos, volváis, vuelvan |
| perder (ie) | pierda, pierdas, pierda, perdamos, perdáis, pierdan |
| contar (ue) | cuente, cuentes, cuente, contemos, contéis, cuenten |

      II. **Commands.** There are two kinds of commands in Spanish: familiar commands (referring to **tú** and **vosotros, –as**) and polite commands (referring to **Vd.** and **Vds.**). The polite forms are commonest in general conversation, but one should be able to recognize both.

A. In familiar affirmative commands, the singular (used with **tú**) of all regular and of many irregular verbs is the same as the third person singular of the present indicative. The plural (used with **vosotros, –as**) of all verbs is obtained by dropping the **–r** of the infinitive and adding **–d**:

|          | SINGULAR | PLURAL |
|----------|----------|--------|
| –ar: hablar | habla | hablad |
| –er: comer | come | comed |
| –ir: abrir | abre | abrid |

A few irregular forms of the familiar affirmative commands in the singular are:

| decir | di | salir | sal |
|-------|-----|-------|-----|
| hacer | haz | ser | sé |
| ir | ve | tener | ten |
| poner | pon | venir | ven |

B. Negative familiar commands and all polite commands use the present subjunctive. In polite commands, the verb is usually followed by **Vd.** or **Vds.**

No hables.      No **vayan Vds.** con ellos.
No me **digas** eso.      **Venga Vd.** conmigo.

Compare:

Escribe. (Familiar affirmative)
No escribas. (Familiar negative)
Lea Vd. el libro. (Polite)
Hablen Vds. con cuidado. (Polite)

C. Commands referring to **nosotros, –as** (*let's run, let's sing*, etc.) are expressed:
1. By **vamos a** and the infinitive if the intention is to do it now:

Tengo hambre, **vamos a comer.**

2. Otherwise by the first person plural of the present subjunctive:

**Hablemos** con Juan.

D. Indirect commands (*May he prosper, Let him go*, etc.), also use the present subjunctive and are usually introduced by **que**:

Que lo haga Jorge.
Que me lo diga María.

### III. Position of object pronouns in commands.

A. In affirmative commands, the object pronouns follow and are attached to the verb. An accent is written over the stressed vowel of the verb-form:

Háblame, María.      Comámoslo ahora.
Escríbanoslo Vd.      Siéntese Vd.

When the reflexive pronoun is added to the first person plural, the final –s of the verb-form is dropped:

sentemos plus nos = sentemo– plus nos = sentémonos

B. In negative and indirect commands, the object pronouns precede the verb:

No lo hagas.      Que lo compren los muchachos.
No se siente Vd.      No nos sentemos.

After **Vamos a** ("let's") and the infinitive, the object pronouns are attached to the infinitive:

Vamos a comprarlo.
Vamos a dárselo.

### IV. Special command forms. Greater politeness may be shown by using one of the following:

Haga Vd. (or: Hagan Vds.) el favor de plus infinitive.
¿ Me hace Vd. (¿ Me hacen Vds.) el favor de? plus infinitive.
Tenga Vd. (Tengan Vds.) la bondad de plus infinitive.
Sírvase Vd. (Sírvanse Vds.) plus infinitive.
Por favor preceding or following a regular command form.

Hable Vd. lentamente.   *or*   Haga Vd. el favor de hablar lentamente.
                              ¿ Me hace Vd. el favor de hablar lentamente?
                              Tenga Vd. la bondad de hablar lentamente.
                              Sírvase Vd. hablar lentamente.
                              Hable Vd. lentamente, por favor.
                              Por favor, hable Vd. lentamente.

### V. *Andar,* to walk, go.

*Pret.* **anduve, anduviste, anduvo, anduvimos, anduvisteis, anduvieron**

## Ejercicios

A. Read *Un par de zapatos* aloud at least twice for pronunciation.

B. Review the rules for the pronunciation of diphthongs and triphthongs pp. 7–8. Pronounce:

caigo, rey, limpia, día, continúa, suelen, averigüéis, guiáis, varíe, reumatismo, caído, cuidar, leído, flúido, hay, voy

El autor escribió al rey que no podría cuidar a la moza que limpiaba el suelo del palacio.

Después de visitar a Buenos Aires, fuimos a bailar en una ciudad del Paraguay.

C. How is the stem obtained for the present subjunctive of most Spanish verbs? What are the present subjunctive endings for *–ar* verbs? For *–er* and *–ir* verbs? What is the present subjunctive *stem* of: *ser, ir, salir, poner, nadar, descansar, volver, saber?*

D. Conjugate in the present subjunctive:

| | | |
|---|---|---|
| devolver | descansar | decir |
| despertarse | querer | abrir |

E. Pronounce and give the tense of the following:
1. descansó  2. había vuelto  3. devuelva Vd.  4. sépalo Vd.  5. abrimos  6. habrá escrito  7. escribamos  8. coman Vds.  9. pudieron  10. éramos  11. ha abierto  12. encuentren  13. me desperté  14. que lo quieran  15. levántese Vd.  16. descansen Vds.  17. comprendamos  18. anduve  19. habrán salido  20. éramos buenos

F. The instructor will pronounce various forms of the verbs introduced in this lesson. Identify the subject and tense of each form.

G. What is the familiar command form in the singular (*tú*) of *escribir, pasar,* and *responder?* What tense is used in Spanish to express polite commands? When must a written accent be added to the verb in commands?

H. Give the command forms of the following infinitives:
e.g.   hablar:   *hable Vd., hablen Vds., hablemos*

saber   tener   contar   ser   burlarse   acostarse

I. Form commands with the verbs in parentheses referring to *Vd., Vds.,* and *nosotros.*

e.g.   (andar)   *ande Vd., anden Vds., andemos*

1. (Escribir) la lección ahora.  2. (Volver) temprano.  3. (Jugar) lentamente.  4. No le (prestar) los libros.  5. (Levantarse) a las ocho en punto.  6. (Saber) lo bien.  7. No se lo (contar) a él.  8. No (salir)

esta noche. 9. (Sentarse) en una silla cómoda. 10. (Ser) bueno, no (ser) malo. 11. (Descansar) un momento. 12. (Devolver) lo en seguida.

J. Form indirect commands using *Que . . .:*
e.g. (salir) José   *Que salga José.*

1. lo (comprender) bien María. 2. (descansar) los muchachos dos horas esta noche. 3. (ir) él al cine con nosotros. 4. (estar) de vuelta ellos a las tres en punto. 5. (entrar) Pedro en seguida.

K. Indicate where a written accent is needed:
1. Tengalo Vd. 2. Busquemosla. 3. No la miren Vds. 4. Sentemonos. 5. Vamos a comprarlas. 6. No quiere darmelo. 7. Cuentenoslo Vd. 8. No me lo diga Vd. así. 9. Acompañemosle. 10. No los pierdan Vds.

L. Change to affirmative commands:
1. No me dé Vd. el libro. 2. Que no hable María con Vd. 3. No se sienten Vds. aquí. 4. No los miremos. 5. No nos levantemos a las seis.

M. Change to negative commands:
1. Déle Vd. la carta. 2. Dígame Vd. lo que piensa. 3. Salgan Vds. pronto. 4. Escríbala Vd. con cuidado. 5. Acuéstense Vds. temprano.

N. Express the commands in M with still more politeness.

O. Replace the italicized words with object pronouns. Make the necessary changes in word order.
1. Escriban Vds. *la lección.* 2. Lea Vd. *la carta a María.* 3. No deje Vd. aquí *los zapatos.* 4. Devuelva Vd. *mi reloj.* 5. No abramos *las ventanas del comedor.* 6. Dígame Vd. *su nombre.* 7. Sepan Vds. *las lecciones nuevas* para mañana. 8. Vamos a comprar *el sombrero negro.* 9. No mire Vd. *a Luisa.* 10. Dé Vd. *su vestido blanco a Elena.*

P. Dictation of *Un par de zapatos.*

Q. Review *Un par de zapatos.* Answer in Spanish:
1. ¿ Qué acaba de hacer Roberto ? 2. ¿ Qué le duele a Roberto ? 3. ¿ Con quién habla Roberto ? 4. ¿ A dónde van a hablar los dos amigos ? 5. ¿ Cuál es la mejor zapatería que conoce Alfredo ? 6. ¿ Dónde está la tienda del señor González ? 7. ¿ Cómo va Roberto a la calle Benavente ? 8. ¿ Por qué va Alfredo con Roberto ? 9. ¿ Qué otras cosas cree Vd. que podría comprar en la tienda de Ramón González ? 10. ¿ Cómo se llama la tienda que más le gusta a Vd. ? 11. Si venden zapatos en una zapatería, ¿ qué venden en una sombrerería ? 12. Cuando un amigo parece triste ¿ qué podemos preguntarle ? 13. ¿ Cuál es otra manera de decir « Lo haré de muy buena gana » ? 14. ¿ Cómo va Vd. de una tienda a otra ?

R. Prepare two sentences using each of the following: *de buena gana, en cuanto a, más bien (que), ¿ Me hace Vd. el favor de — ?, a propósito.*

S. Prepare five short commands to be carried out by another student in the class.

T. Give the Spanish for:
1. Please return these books to the library. 2. Let's tell him who we are. 3. What's the matter? — I am not well. 4. Let's have breakfast early tomorrow. 5. Please don't tell it to me now. 6. As for that, don't do it. 7. Don't give me your paper; give it to the teacher. 8. I walked three hours yesterday, and my feet hurt. 9. Listen: you need to rest; let's sit down here and we can talk more comfortably. 10. Go to Mr. González's store; he usually has a good supply of shoes.

## UN PASEO AL CAMPO

### VOCABULARIO

**claro** clear; of course
**la culpa** fault, blame
**fresco** fresh
**llamado** called
**nada** nothing, not anything
**nadie** no one; not anyone
**necesariamente** necessarily
**ni** nor; (not) even
**ni . . . ni** neither . . . nor
**el número** number
**nunca** never; not ever
**oír** to hear
**la orilla** bank (*of a river*)
**el paseo** walk, stroll; drive
**pescar** to fish
**posiblemente** possibly
**presentarse** to present oneself; put in an appearance
**pronto** soon, quickly, promptly

**el río** river
**el segundo** second
**tal vez** perhaps
**tampoco** neither; either (*opposite of* **también**)
**¡ vamos !** let's go !

### MODISMOS

**a ver** let's see
**dar un paseo** to take a walk
**en primer lugar** in the first place
**en todo caso** anyway; in any case
**estar citado, –a, –os, –as (con)** to have a date or appointment (with)
**estar listo, –a, –os, –as** to be ready
**por fin** finally, at last
**puesto que** since; because
**¿ Qué pasará ?** What (do you think) is the matter ?

### Un paseo al campo

Hoy estamos citados para dar un paseo al campo. Mi hermano José y yo nos levantamos a las seis de la mañana para arreglar todas las cosas que vamos a llevar y estar listos para esperar a dos amigos que irán con nosotros. Nuestro paseo será a un lugar llamado los Pinos, que es un lugar muy bonito. Hay muchos árboles muy grandes, un río de agua clara y fresca, y en las orillas del río hay flores

**213**

de todos colores. En primer lugar jugaremos un rato antes de nadar; después a ver si podemos pescar.

Pronto serán las siete y media pero hasta ahora nuestros amigos no han venido, ni han llamado por teléfono; en todo caso no he oído sonar el teléfono. ¿Qué pasará? Ellos nunca llegan tarde. Posiblemente no es su culpa llegar tarde puesto que viven bastante lejos de aquí, o tal vez otra cosa los ha detenido. ¿Los llamaré por teléfono?

— ¿ Sabe Vd. el número de su teléfono ?

— No, no lo sé.

— ¡ Oh, en esta casa nadie sabe nada nunca !

Por fin, ya están aquí. Tomaremos el tranvía que sale a las ocho. ¡ Vamos ! ¡ Qué contentos vamos a estar en nuestro paseo !


### Conversación

— ¡ Oiga ! Marta. El teléfono suena.

— ¡ Cómo ! No lo he oído; tampoco oí a mi hermana. Siempre la oigo cuando se levanta a las siete y media de la mañana. ¿ Seré sorda ?

— No, Marta. Lo que pasa es que hoy no oiría Vd. ni el ruido de un cañón.

— ¡ Claro ! La culpa . . . la tiene la excursión que hicimos ayer los alumnos de la universidad. ¡ Pasamos un día espléndido !

— ¿ Fueron los profesores con Vds. ?

— Sí, fueron algunos. En primer lugar, como había varios partidos de tenis fué el profesor de cultura física. No tuvimos que esperarle ni un minuto.

— Bueno. Hable, pero tome su desayuno. No ha comido nada, y son las diez de la mañana.

— Está bien. A las siete en punto, todos los profesores y estudiantes estábamos listos.

— ¿ Las mujeres también ?

— ¡ Vamos ! No somos tan morosas. Las mujeres fuimos las primeras en presentarnos en la estación, que era el lugar donde estábamos citados con los profesores.

— La oigo, pero, ¡ coma Vd., por favor !

— No puedo hacer dos cosas al mismo tiempo.

— Entonces, hable pronto.

— Fuimos a un lugar muy bonito y muy fresco. Primero, dimos un paseo por la orilla del río. Había muchos árboles y hermosas flores de varios colores. Nos sentamos un rato sobre la hierba para oír el canto de los pájaros. Más tarde, nos pusimos el traje de baño y nadamos durante una hora.

— Parece que han pasado un día magnífico, ¿ verdad?

### VOCABULARIO SUPLEMENTARIO

*Did you guess the meaning of these words correctly?*

el **canto** song
el **cañón** cannon
**espléndido** splendid, wonderful
la **estación** station
el **estudiante** student

la **excursión** trip, excursion
**moroso** tardy; inclined to be late
**por favor** please
**sordo** deaf

## Gramática

I. **Negatives.** **No** is the commonest negative word in Spanish. It ordinarily precedes the verb. Used with a subject pronoun alone, **no** stands after the pronoun.

> **No** trabaja.                Yo **no.**
> **No** lo compraremos.      Vd. **no.**

Notice the position of **no** in the following expressions. Memorize: **ahora no, aquí no, todavía no, no mucho, no muy bien, no siempre.**

Two or more negative words are regularly used in Spanish. When any of the negatives listed below follows the verb, **no** must precede the verb. If one of these negatives stands before the verb, **no** is omitted.

**nada** nothing (not anything)
**nadie** nobody (not anybody)
**nunca** never (not ever)
**ni** nor (not even)

**ni ... ni** neither ... nor
**ninguno** no one, not one, not any
**tampoco** neither ... not either

> **No** sé **nada** de eso.
> **No** nos acompaña **nadie.**   *or:* **Nadie** nos acompaña.
> Juan **no** me visita **nunca.**   *or:* **Nunca** me visita Juan.
> Felipe **no** tiene dinero; **ni** yo **tampoco.**   *or:* **Tampoco** lo tengo yo.
> **Ni** Juan **ni** su hermano lo saben.

(Note that the verb in **ni ... ni** sentences such as the preceding one is usually plural, in contrast with English usage.)

Any of the negative words listed above may be used alone, usually
to answer a question:

> ¿ Quién puede hacerlo ?  — Nadie.
> ¿ Qué dijeron ?  — Nada.

**Nadie** or **ninguno, –a,** when the latter refers to a person, must be
preceded by the personal **a** when used as a direct object.  The same
applies to their respective affirmative forms **alguien** and **alguno, –a**
when the latter refers to a person.

> Aquí no conozco a nadie.
> No he visto a ninguno de sus primos.
> Buscaban a alguien.
> ¿ Conoce Vd. a alguno de los maestros ?

## II. *Oír,* to hear.

| | |
|---|---|
| *Pres. ind.* | oigo, oyes, oye, oímos, oís, oyen |
| *Imperf.* | oía (regular) |
| *Pret.* | oí, oíste, oyó, oímos, oísteis, oyeron |
| *Future* | oiré (regular) |
| *Cond.* | oiría (regular) |
| *Pres. subj.* | oiga, oigas, oiga, oigamos, oigáis, oigan |
| *Past Part.* | oído |

## *Ejercicios*

A. Read *Un paseo al campo* aloud at least twice for pronunciation.

B. Change to the tenses indicated:
1. Nada me detiene (*pret.; pres. perfect*).
2. Hace (*imperf.*) dos horas que le esperamos (*imperf.*).
3. ¿ Quién sabe la lección (*imperf.; fut.*) ?
4. No podremos pescar (*cond.; cond. perf.*).
5. María se presentaría a las ocho (*past perf.; fut.*).
6. Tomamos el tranvía en Nueva York (*pret.; fut.*).
7. José lo arregla todo (*pret.; cond.*).

C. Choose the word in parentheses that correctly completes the meaning of
each sentence:
1. (Ningún, Ninguno, No) de ellos lo hizo. 2. No hay (nadie, alguien,
algún) aquí. 3. ¿ Tiene Vd. (algo, alguien, nada) que hacer ?  — No,
no tengo (nadie, ninguna, nada) que hacer. 4. ¿ Quién irá con Vds. ?
— (Ningún, Nunca, Nadie). 5. No lo he visto (nunca, ninguno, nadie).

LECCIÓN VEINTIDÓS

6. (Nada, Nunca, Ningún) me interesa ahora. 7. A mí, no me gusta esperar a (alguien, nadie, alguno). 8. Pedro no tiene sombrero, ni yo (también, nunca, tampoco). 9. ¿ Conoce Vd. a los muchachos españoles ? — No, señor, no conozco a (nada, ninguno, nunca) de ellos. 10. (Nunca, Nada, Ningún) voy al cine con mi padre.

D. Make the following sentences negative. The words in italics suggest which negative is to be used.

1. Escribimos *una* lección de francés. 2. Hay *alguien* en la biblioteca. 3. ¿ Tiene Vd. *algún* libro ? 4. *Siempre* vamos al cine los lunes. 5. ¿ Le gusta a Vd. *algo ?* 6. Vd. conoce al señor González; yo *también.* 7. ¿ Trabaja Vd. mucho ? — *Siempre.* 8. ¿ Cómo está María ? — *Muy bien.* 9. ¿ Necesita Vd. *algo* para pescar, señor ? 10. Juan *y* su hermano trabajan bien. 11. Felipe tiene *un* primo. 12. He visto *muchas veces* a María. 13. ¿ Hay alguien en la casa ? — *Ahora sí.* 14. José compró el sombrero *y* los zapatos. 15. *Toda la clase* sabe bien la lección.

E. Give the Spanish for the words in parentheses. Notice the position of the negatives; add *no* when necessary:

1. No hemos visto (*anybody*). 2. (*No one*) está aquí. 3. Yo conozco (*no one*) en la ciudad. 4. No lo comprendo; (*not one*) de mis amigos me ha visitado. 5. (*Neither*) Pedro (*nor*) su hermano pueden esperar. 6. (*Never*) sabré hablar español. 7. (*Never*) habría hecho tal cosa 8. Vd. no conoce al señor Pérez; (*nor I, either*). 9. (*None*) de las preguntas es fácil. 10. No encuentran nunca (*anyone*). 11. ¿ Ha llegado su amigo ? — (*Not yet*). 12. ¿ Quiere Vd. hablar con el maestro ? — (*Not here*). 13. ¿ Puede Vd. ayudarme ? — Un poco más tarde; (*not now*). 14. (*Nothing*) puede detenerme. 15. (*No one*) quiere pescar aquí.

F. Prepare two original sentences using each of the following negatives: *nada, nadie, nunca, ninguno, ni . . . ni.*

G. Dictation of *Un paseo al campo.*

H. Review *Un paseo al campo.* Answer in Spanish:

1. ¿ Qué vamos a hacer hoy ? 2. ¿ Cuántos iremos al campo ? 3. ¿ Cómo se llama el lugar a donde iremos ? 4. ¿ Cómo es el agua del río ? 5. ¿ Qué haremos antes de nadar ? 6. ¿ Cómo llegan siempre nuestros amigos ? 7. ¿ Cómo llamaré a los amigos ? 8. ¿ A qué hora saldrá el tranvía ? 9. ¿ Vive Vd. cerca o lejos del campo ? 10. ¿ A qué hora se levanta Vd. cuando piensa ir al campo ? 11. Además de nadar, ¿ qué se puede hacer en un río ? 12. ¿ Dónde es posible pescar, cerca de aquí ? 13. Cuando Vd. está citado con algún amigo, ¿ llega tarde o temprano ? 14. ¿ A Vd. le gusta más el campo o la ciudad ?

BEGINNING SPANISH COURSE

I. Prepare two sentences using each of the following: *a ver, en primer lugar, estar citado (con), por fin, dar un paseo.*

J. The instructor will divide the class into groups of two or three. Each group will work out a short dialogue on one of the following:
1. *Un compromiso con una persona importante.*
2. *Una lección difícil.*
3. *Un paseo agradable.*
   (Don't forget to use negatives, commands, and the various tenses you have learned.)

K. Give the Spanish for:
1. I called him, but he didn't hear me. 2. Who's going to win the game? — Not you. 3. Don't ever bring that book to school again! 4. Whom did you visit last night? — No one. 5. We haven't seen any of the teachers today. 6. My father doesn't work Sundays, and I don't, either. 7. They don't know anyone in Rio de Janeiro. 8. Come to see me some day, but not now. 9. They don't always arrive late when they have an appointment. 10. Has the telephone rung? I haven't heard anything yet.

Toledo: Puente de San Martín and gate in the old wall. Antonio de Trueba's short story *La mujer del arquitecto* gives an interesting account of the destruction and rebuilding of this bridge in the fourteenth century. One of El Greco's most famous paintings is a view of Toledo and the Río Tajo.

Interior of the Cathedral, Segovia. Outstanding among Spain's many beautiful Gothic churches, this cathedral makes Segovia worth while for any tourist. Other Segovian landmarks are the Alcázar, shown on page 257, and the ancient aqueduct, built by the Romans and still in use.

# *Lección* 23

## LAS VACACIONES

## *VOCABULARIO*

**acompañar** to accompany, go with
**alto** tall, high
**aplazar** to postpone, put off
**breve** short, brief
**comenzar (ie)** to begin
**divertirse (ie, i)** to enjoy oneself.
   have a good time
**dormir (ue, u)** to sleep
**escolar** scholastic, school
la **excursión** excursion, trip
el **fin** end, finish
**hasta** even
el **impermeable** raincoat
**mojarse** to get wet, become wet
la **nariz** nose
el **pecho** chest
**ponerse** (*plus adj.*) to become
el **proyecto** plan, project

**realmente** really
**seguir (i)** to follow
las **vacaciones** vacation(s)

### *MODISMOS*

**a lo largo de** along
**estar resfriado** to have a cold
**lo más pronto posible** as soon (fast) as
   possible
**no servir (i) para nada** to be no good
**pensar (ie) en** to think about
**seguir (i)** (*plus pres. participle*) to
   continue, go on (*doing something*)
**siempre que** whenever
**sucedió que** it happened (that)
**tener (mucho) cuidado** to be (very)
   careful

### Las vacaciones

     Siempre que llega el fin del año escolar me da mucho gusto, porque esto quiere decir que podré hacer cosas que he tenido que aplazar. Por ejemplo, en las vacaciones de este año pienso divertirme mucho, visitando a mis amigos, dando paseos a lo largo del río o acompañando a mi familia en excursiones por el campo. Anoche fuí a visitar a Miguel para hablarle de mis proyectos de vacaciones. Cuando llegué a su casa ya estaba en la cama porque estaba resfriado. Sucedió

**221**

que salió sin impermeable cuando estaba lloviendo, y claro, se puso enfermo. Me dijeron que tenía la nariz roja y que le dolía mucho el pecho. Él es un muchacho alto y fuerte, pero cuando hace mal tiempo hasta los fuertes deben tener cuidado. Ahora yo estoy buscando mi impermeable porque está lloviendo y no quiero mojarme. Es tan viejo que ya no sirve para casi nada. Creo que tendré que comprarme otro antes de seguir arreglando mis proyectos para las vacaciones. Quiero comenzarlas lo más pronto posible porque siempre me parecen muy breves.

### Conversación

— ¡ Qué bien he dormido y qué sueño más agradable he tenido anoche !

— Yo, en cambio, no dormí bien porque estoy muy resfriada, y tengo un fuerte dolor en el pecho. Creo que no podré realizar mi proyecto de acompañarte a la ciudad; está lloviendo y debemos tener mucho cuidado cuando tenemos un resfriado fuerte.

— Entonces, tendrás que aplazar la excursión al campo que estaban preparando los alumnos de segundo año.

— Así es. Es bueno divertirse cuando estamos bien, pero si no estamos bien, tal excursión no es muy interesante.

— Claro. Hablando de esta excursión recuerdo las vacaciones magníficas del año pasado. ¿Recuerdas?

— ¡ Cómo no ! ¡ Qué bien nos divertimos !

— ¡ Ya lo creo ! Te contaré mi sueño de anoche; es muy breve. Sucedió que estábamos de vacaciones en México, como el año pasado, y que caminábamos a lo largo de un río. Había muchos árboles muy altos, y flores de todos colores que emitían perfumes incomparables. Después estábamos nadando y comenzó a llover. Pero, en seguida terminó la lluvia. El sol brilló nuevamente y como teníamos mucho apetito, nos pusimos a comer sentados sobre la hierba. ¡ Ah, las vacaciones !

— A propósito, este año tendré que comprarme otro impermeable porque el que tengo es muy viejo y no sirve para nada. Sabes que durante las vacaciones necesitamos a veces un buen impermeable. No puedo salir hoy porque está lloviendo mucho, pero mañana, al pasar por la tienda de ropas, me compraré uno nuevo.

— En fin, con sólo pensar en las vacaciones me siento feliz. Tengo muchos proyectos este año.

— Tienes razón. Las vacaciones son siempre muy breves, y las pasamos visitando a los amigos, haciendo excursiones, nadando, paseando, etc.

— Y durmiendo, ¿ no es verdad ?

— Sí. Eso es lo primero que hacen los que están cansados.

## VOCABULARIO SUPLEMENTARIO

*Did you guess the meaning of these words correctly?*

al pasar  on passing
caminar  to walk, move along, go
¡ cómo no !  of course, naturally
con sólo  just; only
el que, los que  the one(s) that, those who, etc.
emitir  give off, emit
en cambio  on the other hand
la lluvia  rain
nuevamente  again, anew
pasear  to take a walk

el perfume  perfume
ponerse a  (*plus inf.*) to begin to
lo primero  the first thing
realizar  to carry out, achieve; realize
el resfriado  cold
sentado  seated
sentirse (ie, i)  to feel
el sueño  dream
tener (mucho) apetito  to be (very) hungry

## Gramática

I. **Formation of the present participle.**  The present participle of regular verbs is obtained by adding –**ando** to the stem of –**ar**, and –**iendo** to the stem of –**er** and –**ir** verbs. Therefore, the present participle always ends in –**ndo** and never changes its form.

hablar: habl– plus –ando hablando  speaking
comer: com– plus –iendo comiendo  eating
vivir:  viv–  plus –iendo viviendo  living

However, if the stem of an –**er** or –**ir** verb ends in a vowel, the **i** of –**iendo** changes to **y**:

creer: cre– plus –yendo creyendo
leer:  le–  plus –yendo leyendo

Learn the following irregular present participles:

decir: diciendo    ir:  yendo
poder: pudiendo    venir: viniendo

## II. Uses of the present participle.

A. **Progressive tenses.** To form the progressive tenses in Spanish, use some tense of **estar** and the present participle. The progressive tenses are used instead of simple tenses to emphasize that an action is (was, will be, etc.) actually in progress. (Technically, the simple tenses may also indicate that an action is going on, but they are less emphatic than the progressive tenses.) The present participles of **estar, haber, ir, ser, tener,** and **venir** should not be used in progressive tenses. Study:

> Mi hermana **está leyendo.**
> Yo **estaba hablando** con él.
> **Estarán esperando.**

Compare:

> **Estudio** el español. (Not necessarily at this very moment.)
> **Estoy estudiando** el español. (Right now — emphatic.)

B. **Other uses.** The present participle is also used to show the circumstances that accompany an action, such as its cause, when it takes place, the way it was accomplished, etc.

> Me divierto **visitando.**
> **Siendo** él tan viejo, ya no puede trabajar.
> **Estando** yo enfermo, mi amigo fué a Nueva York.
> **Estudiando,** aprendemos mucho.

## III. Position of object pronouns with present participles.
Pronouns which are the object of a present participle are attached to the end of it. In such cases the participle always takes a written accent on the stressed syllable.

> escribiéndo**le**　　comprándo**las**　　esperándo**lo**　　diciéndo**melo**

In progressive tenses, object pronouns may either precede **estar** or be attached to the end of the participle. Compare:

> **Estoy** escribiéndo**lo.** *or:* **Lo** estoy escribiendo.
> **Estábamos** diciéndo**selo** a ella. *or:* **Se lo** estábamos diciendo a ella.

## IV. Summary of the position of object pronouns.

A. Object pronouns (direct, indirect, and reflexive) ordinarily stand immediately before the verb:

> **Lo** tomé.　　　　　　　　　Vd. **se** marchó.
> **Nos** escribieron la carta.　　No **me lo** digas.

B. However, they follow and are attached to the verb in affirmative commands, the infinitive, and the present participle. In such cases an accent is written above the stressed syllable of the verb when necessary to maintain its original accentuation:

**Hágalo** Vd. ahora.     Juan aprende a **pronunciarlas.**
**Voy a dárselas.**     **Dándole** la carta, salí.

In progressive tenses the object pronouns may be attached to the present participle or precede **estar:**

Está estudiándola.   *or:*   **La** está estudiando.

Likewise, object pronouns may precede certain auxiliary verbs followed by the infinitive, such as **ir a** plus the infinitive:

**Lo** voy a hacer.

However, **Voy a hacerlo** would also be correct.

C. Whenever an indirect and a direct object pronoun are used simultaneously with the same verb, the indirect object stands first:

Voy a dárselas.     Se las voy a dar.

## V. Stem-changing verbs.

**Class II.** This class of stem-changing verbs, which includes only **–ir** verbs, has two different changes:

1. Stressed **e** of the stem changes to **ie,** and stressed **o** to **ue,** in the same forms as those of Class I (i.e., all singular and the third person plural forms in present tenses, that is, present indicative and present subjunctive).

2. Unstressed **e** of the stem changes to **i,** and unstressed **o** to **u,** in:
   a. Present subjunctive 1st plural and 2nd plural (familiar).
   b. Present participle.
   c. Preterit 3rd singular and 3rd plural.

Stem-changing verbs of this type will be listed in most texts and dictionaries as: **sentir (ie, i), dormir (ue, u),** or **sentir (II), dormir (II).** This text uses the first method. These and Class III verbs will be more easily remembered if the infinitive and the first person singular present indicative are learned together.

**sentir** (to feel; regret, be sorry)

| | |
|---|---|
| *Pres. ind.* | siento, sientes, siente, sentimos, sentís, sienten |
| *Pres. subj.* | sienta, sientas, sienta, sintamos, sintáis, sientan |
| *Pret.* | sentí, sentiste, sintió, sentimos, sentisteis, sintieron |
| *Pres. part.* | sintiendo |

BEGINNING SPANISH COURSE

### dormir (to sleep)

| | |
|---|---|
| *Pres. ind.* | **duermo, duermes, duerme, dormimos, dormís, duermen** |
| *Pres. subj.* | **duerma, duermas, duerma, durmamos, durmáis, duerman** |
| *Pret.* | **dormí, dormiste, durmió, dormimos, dormisteis, durmieron** |
| *Pres. part.* | **durmiendo** |

**Class III.** This class also affects –ir verbs only. It has but one change: **e** of the stem becomes **i** in:
1. Present indicative, all singular forms and 3rd plural.
2. All forms of the present subjunctive.
3. Present participle.
4. Preterit 3rd singular and 3rd plural.

Again, these verbs must be learned individually. They are listed in most texts and dictionaries: **pedir (i)** or **pedir (III)**. This text uses the first method.

### pedir (to ask, beg, request, ask for)

| | |
|---|---|
| *Pres. indic.* | **pido, pides, pide, pedimos, pedís, piden** |
| *Pres. subj.* | **pida, pidas, pida, pidamos, pidáis, pidan** |
| *Pret.* | **pedí, pediste, pidió, pedimos, pedisteis, pidieron** |
| *Pres. part.* | **pidiendo** |

## Ejercicios

A. Read *Las vacaciones* aloud at least twice for pronunciation.

B. The instructor will read the following proverb and poem several times. Memorize both:

*Proverb:* De la mano a la boca se pierde la sopa.

> ¡ Juventud, divino tesoro,
> ya te vas para no volver!
> Cuando quiero llorar, no lloro,
> y a veces lloro, sin querer.
> — Rubén Darío.

C. Below are some common stem-changing verbs (Classes II and III). Conjugate in: (1) present indicative; (2) preterit; (3) present subjunctive.

divertirse (ie, i); dormir (ue, u); pedir (i); seguir (i).

D. Change to the tenses indicated:
1. El libro de español no servía para nada (*pres. ind.; pret.*). 2. Elena dormirá aquí (*pret., pres. ind.*). 3. Seguimos a una muchacha muy bonita (*imperf.; pres. subj.*). 4. Miguel y su amiga se divertirán mucho

(*pret.; pres. ind.*). 5. ¿ Duermen Vds. bien (*pret.; fut.*)? 6. Sigo a Pedro (*pret.; pres. perf.*). 7. María le pedirá un dólar a su madre (*pret.; pres. ind.*). 8. Felipe volvió a casa (*pres. ind.; pres. perf.*). 9. Me divierto muchísimo aquí (*pret.; pres. perf.*). 10. María comenzó a trabajar (*pres. ind.; fut.*).

E. Give the present participle of:

| | | |
|---|---|---|
| saber | abrir | encontrar |
| decir | correr | nadar |
| ver | poner | divertirse |
| seguir | mojarse | dormir |

F. Complete the following by adding the present participle of the infinitive:
1. estoy (buscar) 2. estamos (leer) 3. está (servir) 4. están (acompañar) 5. estaba (divertirse) 6. estaremos (dormir) 7. estarían (esperar) 8. están (seguir) 9. estábamos (poner) 10. está (acostarse)

G. Give the Spanish for the words in parentheses:
1. Estoy (*reading*). 2. Estamos (*studying*). 3. Está (*serving it*). 4. Están (*accompanying us*). 5. Estaba (*enjoying himself*). 6. Estaremos (*sleeping*). 7. Estarían (*waiting for me*). 8. Están (*following them*). 9. Está (*telling it to her*).

H. Change the verbs to the corresponding progressive tenses:
1. Mi hermano come un helado. 2. Eduardo me sigue a pie. 3. Bebíamos la leche. 4. María duerme en el sofá. 5. El camarero servía la comida, y no decía nada. 6. Elvira mira sus lecciones, pero no las prepara. 7. Mis primos se sientan en el sofá. 8. Los niños piden dinero, y el padre se lo da.

I. Change from the progressive to the simple tense:
1. Manuel está descansando.
2. Estaremos divirtiéndonos.
3. ¿ Con qué muchacho está bailando Luisa ?
4. Estábamos leyendo un libro.
5. Dentro de poco, estaré saliendo de casa.
6. Los jóvenes estaban comenzando a bailar.
7. ¡ Qué cosas ! Un hombre inteligente no estaría diciéndomelas.
8. Se los estoy mostrando a Vd.

J. Add a written accent (′) whenever necessary:
1. Se los estamos mostrando a Vd.
2. Digame, ¿ qué quiere decir la palabra *fácil?*
3. Acostemonos temprano.
4. Juan está leyendo una novela y va a prestarmela.
5. No salga Vd. ahora. Quedese en casa.
6. Todavía no he terminado la carta; estoy escribiendola ahora.

K. Replace the italicized noun objects with pronouns. Change the position of the objects if necessary.

1. Compramos *un despertador.* 2. Mi madre está mostrando *el libro a José.* 3. Vamos a decir *una palabra nueva al alumno.* 4. Elena está abriendo *las ventanas.* 5. Escriba Vd. *una carta a Juan.* 6. No me traiga Vd. *el café,* por favor. 7. Cuando paso *la semana* en la ciudad, siempre estoy cansado. 8. Mi hermano quiere ver *a sus amigos.* 9. Elena comienza *su excursión* mañana. 10. ¿ Quién va a acompañar *a María?* 11. María dormía bien en *el sofá.* 12. ¿ Qué pidió Vd. *a su padre?* 13. Enrique sigue *al maestro.* 14. Tengo que aplazar *las vacaciones.* 15. Cuando llueve tengo que llevar *mi impermeable.*

L. Dictation of *Las vacaciones.*

M. Review *Las vacaciones.* Answer in Spanish:

1. ¿ Por qué estoy alegre cuando termina el año escolar ? 2. ¿ Qué haré durante las vacaciones que vienen ? 3. ¿ A dónde fuí anoche ? 4. ¿ De qué quería hablar con Miguel ? 5. ¿ Dónde estaba Miguel cuando llegué ? 6. ¿ Qué tiempo hacía cuando salió Miguel ? 7. ¿ Cómo es mi impermeable ? 8. ¿ Por qué tengo prisa para empezar las vacaciones ? 9. ¿ Cuándo es el fin de nuestro año escolar ? 10. ¿ Qué cosas ha tenido Vd. que aplazar ? 11. ¿ Qué hay que hacer cuando está lloviendo ? 12. ¿ Cómo piensa Vd. divertirse durante las vacaciones ? 13. ¿ Qué hace Vd. cuando está resfriado ? 14. ¿ Qué es un impermeable ?

N. Prepare two sentences using each of the following: *estar resfriado, en primer lugar, lo más pronto posible, querer decir, a lo largo de, no servir para nada.*

O. Prepare ten statements on:
*Mis proyectos de vacaciones.*
(Where do you plan to spend your time ? If you have a trip in mind, where do you expect to go ? How do you expect to get there ? How long will you stay ? What special activities will there be for you ? What do you anticipate especially ? etc.)

P. Give the Spanish for:
1. Last night, Manuel slept ten hours. 2. I was studying when it began to rain. 3. Please don't get up; go on working. 4. Thank you for (*por*) the book; I'm reading it now. 5. (By) enjoying ourselves, we continue being young. 6. While we were at home, they visited us. 7. I know a good story, and I'm telling it to them. 8. She is thinking of making a trip to the country. 9. Pablo could see that I was getting wet, but he went on wearing my raincoat. 10. He put off his trip because he was enjoying himself so much here.

# *Lección* 24

## UN DOMINGO MUY AGRADABLE

## *VOCABULARIO*

**almorzar** (**ue**) to eat lunch
**arreglar** to arrange, fix, adjust, put in order
**azul** blue
la **camisa** shirt
**clásico** classic(al)
**comenzar** (**ie**) **a** (*plus inf.*) to begin to
el **concierto** concert
la **corbata** necktie
**dudar** to doubt
**insistir en** to insist on
**limpiar** to clean
**luego** then, next
la **música** music
el **músico** musician
las **noticias** news
**nublado** cloudy

**prepararse** to get ready, prepare oneself
**probable** probable
el **programa** program
**tocar** to touch; to play (*an instrument, a selection*)
el **traje** suit (*of clothes*)

### *MODISMOS*

**al aire libre** in the open air
**al mismo tiempo** at the same time
**alrededor de** around, about (*in the sense of surrounding something*)
**a más no poder** to the utmost, to the fullest extent, etc.
**más vale** it is better
**ponerse en camino** to set out, start out

## *Un domingo muy agradable*

Como hoy es domingo, es probable que por la tarde vayamos al parque a escuchar un concierto al aire libre. Pero antes será preciso que ayude a mi padre a arreglar el jardín; realmente, no sé qué hacer porque al mismo tiempo mi madre insiste en que limpie mi cuarto. No sé cuál de las dos cosas me conviene hacer primero. En fin, ahora limpiaré mi cuarto y ayudaré a mi padre. Después de terminar, todos iremos a la iglesia y luego regresaremos a la casa para

**229**

almorzar. Después del almuerzo nos sentaremos alrededor del radio a oír las noticias del día, o algún buen programa de música. A todos nos gusta la música clásica. A eso de las tres mi padre nos dirá que nos preparemos para ir al parque, porque los músicos comenzarán a tocar a las tres y media, y más vale que no lleguemos tarde. Yo me pondré el traje nuevo que acabo de comprar, una camisa azul, y una corbata roja que me gusta mucho. Nos pondremos en camino a las tres y cuarto. Cuando nos levantamos estaba nublado, pero dudo que llueva esta tarde. Si no llueve, nos divertiremos a más no poder.

### Conversación

— Vamos a almorzar, Roberto.

— Sí, papá. Espero que para las tres de la tarde haya terminado de copiar todos mis apuntes.

— Bueno, ya sabes que, como hoy es domingo, después de ir a la iglesia iremos a oír el concierto de música clásica que dan los más distinguidos músicos de esta ciudad. El concierto comienza a eso de las seis de la tarde.

— Es posible que llueva. En esta estación siempre hay que dudar del tiempo. Me pondré la camisa azul, que está bien limpia, el traje gris, y probablemente la corbata roja.

— Es mejor que trabajes, y que no hables tanto, hijo. Luego pensarás en las diversiones.

— ¿ Y qué programa han preparado los músicos?

— Las noticias del periódico dicen que la orquesta tocará la « Sinfonía Inconclusa » de Schubert, y es probable que también toquen la « Serenata », del mismo compositor. Sin duda, el programa será muy interesante; por eso, hay que prepararse temprano.

— Y quieres que termine a tiempo, ¿ no es verdad ? Bueno.

— Mira, hijo. Escribe la dirección de mi amigo Antonio Martínez. Iremos a preguntarle si quiere venir con nosotros al concierto, y luego al teatro. Nos pondremos en camino a las cuatro y media de la tarde.

— Pero, papá, ¿ no llegaremos tarde al concierto si nos detenemos en casa del señor Martínez?

— No. Creo que tendremos bastante tiempo; además, quiero que Antonio nos acompañe porque sabe mucho de la música, y te contará cosas muy interesantes.

— Y nos divertiremos a más no poder. ¿ Verdad, papá ?

— Claro, hijo. Por eso insisto en que te apures.

— Terminaré muy pronto, papá.

## *VOCABULARIO SUPLEMENTARIO*

*Did you guess the meaning of these words correctly?*

el **apunte** note (*taken in class, etc.*)
  **apurarse** to hurry
  **dudar de** to doubt, distrust
el **compositor** composer

**gris** gray
la **orquesta** orchestra
el **periódico** newspaper

## *Gramática*

**I. Formation of the present perfect subjunctive.** (For the formation of the present subjunctive, see Lección 21.) The present perfect subjunctive is composed of the present subjunctive of **haber,** and the past participle:

haya hablado (comido, vivido)
hayas hablado
haya hablado

hayamos hablado (comido, vivido)
hayáis hablado
hayan hablado

**II. Subjunctive mood.** The subjunctive is widely used in Spanish. The indicative is used to express facts, or what is considered to be a fact. But when the meaning of a statement depends on the speaker's attitude, feeling (emotion), or desire, or if the speaker is in doubt about the truth or eventual fulfillment of his statement, then the subjunctive is generally used.

Vd. sabe que Juan **está** aquí.
Me alegro de que Juan **esté** aquí.

(An expressed fact; indicative.)
(Complete meaning of sentence depends on the speaker's emotion; subjunctive.)

Quiero que Vd. me **ayude.**

(Meaning depends on the speaker's desire.)

Dudamos que **venga** esta tarde.

(Speaker is in doubt about the fulfillment of his statement.)

**III. Uses of the subjunctive.** The subjunctive is frequently used in commands (see Lección 21), and especially in dependent clauses (i.e., clauses which depend on another clause in the same sentence for their full meaning) whose subject is different from that of the main clause. A few rules will be helpful in learning to use the subjunctive.

A. The subjunctive is used in dependent clauses beginning with **que** following a verb or expression of:

1. Feeling or emotion:

| | |
|---|---|
| **alegrarse de que** | to be glad that |
| **estar contento de que** | to be happy (pleased, glad, etc.) that |
| **es lástima que** | it's too bad that |
| **sentir** (ie, i) **que** | to regret, be sorry that |
| **temer que** | to fear, be afraid that |
| **gustar que** | to please that |
| **esperar que** | to hope that |

Estamos contentos de que **estén** aquí.
Siento que Vd. no **pueda** ir.
Es lástima que yo no **hable** español.

2. Will, preference, desire, request, etc.:

| | |
|---|---|
| **decir que** | to tell *or* command that |
| **querer que** | to wish *or* want that |
| **desear que** | to want *or* desire that |
| **insistir en que** | to insist that |
| **pedir** (i) **que** | to ask (i.e., request) that |
| **permitir que** | to allow *or* permit that |
| **preferir** (ie, i) que | to prefer (*or* I'd rather, etc.) that |

Dígale que **venga** en seguida.
El muchacho quiere (desea) que le **ayudemos**.
Insiste en que se lo **contemos** a él.
Le pedimos a Juan que nos **preste** su libro.
María prefiere que yo lo **haga**.

3. Uncertainty, doubt (possibility, probability, etc.), denial:

| | |
|---|---|
| **dudar que** | to doubt that |
| **no creer que** | not to believe that |
| **es posible que** | it is possible that |
| **es probable que** | it is probable that |
| **negar** (ie) **que** | to deny that |

Dudamos que **sepa** la lección.
No creen que yo lo **haya** visto.
Es posible que no **tenga** el libro.
Negamos que los **hayan** tomado.

4. Necessity, advisability, etc.

| | |
|---|---|
| **es necesario que** | it is necessary that |
| **es preciso que** | it is necessary that |

LECCIÓN VEINTICUATRO

| | |
|---|---|
| **conviene que** | it is suitable (fitting, proper, etc.) that |
| **más vale que** | it is better that |

Será preciso (*or* Será necesario) que nos **quedemos** en casa.
Conviene que yo se lo **escriba** ahora.
Más vale que no lo **hagamos.**

B. The infinitive may be used instead of the subjunctive:
1. When there is only one subject for both verbs. Study and compare:

Siento no **poder** ir con Vd. (**Yo** is the only subject.)
Siento que Vd. no **pueda** ir. (Different subjects: **yo** and **Vd.**)

Me alegro de **haberlo** visto. (**Yo** is the subject of both verbs.)
Me alegro de que Vd. lo **haya** visto. (Different subjects: **yo** and **Vd.**)

2. After impersonal verbs, if no definite person is the subject of the second verb. Study and compare:

Es preciso **estudiar.** (No definite person indicated as subject of **estudiar.**)
Es preciso que nosotros **estudiemos.** (Definite subject of second verb.)

No es posible **vivir** sin agua. (No definite person as subject of **vivir.**)
No es posible que Vds. **vivan** sin agua. (Definite personal subject of second verb.)

## *Ejercicios*

A. Read *Un domingo muy agradable* aloud at least twice for pronunciation.

B. Memorize:

### *Ellos y ellas*

Se quieren dos, y él y ella
de amor y de bondad el pecho lleno,
mientras él nos pregunta: « ¿ Es bella, es bella ? »
ella va preguntando « ¿ Es bueno, es bueno ? »
— Ramón de Campoamor

C. Conjugate in (1) pres. subj. and (2) pres. perf. subj., beginning with *que:*
e.g. *que hable, que hables,* etc.

tocar    preferir    almorzar.

D. Conjugate the second verb:
1. María duda que (yo) venga. 2. Es lástima que (yo) esté enfermo.
3. Es posible que (yo) salga en seguida. 4. Juan insiste en que (yo)
limpie el cuarto. 5. Pedro siente que (yo) me vaya.

E. Explain why the second verb remains in the infinitive. Repeat these sentences using *Vd.* as the subject of the second verb.

    e.g.   Quiero dormir en el sofá.

           Quiero *que Vd. duerma* en el sofá.

1. Prefiero quedarme en casa. 2. Me alegro de estar aquí. 3. Mi amigo desea asistir al concierto. 4. Sienten no poder ir a la iglesia. 5. Es necesario saber las noticias. 6. Niego ser español. 7. Más vale estudiar ahora.

F. Supply the proper form of the infinitive in parentheses:

1. No creo que eso (ser) posible. 2. ¿ Por qué duda Vd. que lo (hacer) los muchachos ? 3. Es preciso que Vd. lo (poner) en hora. 4. José prefiere que yo se lo (escribir) en francés. 5. Insisten en que Juan y yo los (visitar). 6. Es probable que Vds. (tener) que volver temprano. 7. ¿ Está Vd. contento de que su hermana (haber) salido bien en los exámenes ? 8. Negamos que Juan (estar) aquí. 9. María quiere que mi amigo la (acompañar) al baile. 10. ¿ Me permite Vd. que yo (almorzar) con Vds. ?

G. The instructor or another student will read the following statements and questions. Answer the questions in Spanish:

    e.g.   Quiero que Vd. me lo diga. ¿ Qué quiero yo ?

           *Vd.* quiere que *yo* se lo diga.

1. Mi hermano duda que estudiemos. ¿ Qué duda mi hermano ?
2. Nos alegramos de que María pueda ir al cine. ¿ De qué nos alegramos ?
3. Mi padre nos dice que nos quedemos aquí. ¿ Qué nos dice mi padre ?
4. Niego que Elena esté dando un paseo. ¿ Qué niego yo ?
5. Vd. siente que no escuchemos el programa. ¿ Qué siente Vd. ?
6. José desea que yo vaya con él. ¿ Qué desea José ?
7. Mis padres me piden que no lo haga. ¿ Qué me piden mis padres ?
8. Mi abuelo quiere levantarse temprano. ¿ Qué quiere hacer mi abuelo ?

H. Supply the proper form of two different verbs which require the subjunctive:

    1. Vds. _____ que yo conozca a la señora Pérez.
    2. María _____ que juguemos al tenis.
    3. Juan _____ que Vd. no se quede.
    4. José y yo _____ que Vds. tengan frío.
    5. Yo _____ que los alumnos puedan nadar en el río.
    6. _____ que nos preparemos para mañana.
    7. María _____ que Vds. aprendan a bailar con ella.
    8. ¿ _____ Vd. que le digamos lo que pensamos ?

9. _____ que limpiemos la casa.

10. Mi primo _____ que yo hable español.

I. Dictation of *Un domingo muy agradable.*

J. Review *Un domingo muy agradable.* Answer in Spanish:
1. ¿ A dónde iremos esta tarde ? 2. ¿ Qué quiere mi padre que haga yo ? 3. ¿ En qué insiste mi madre ? 4. ¿ A dónde iremos por la mañana ? 5. ¿ Qué clase de música nos gusta a todos ? 6. ¿ A qué hora comenzará el concierto ? 7. ¿ Qué tiempo hacía cuando nos levantamos ? 8. ¿ Cómo es el traje que me pondré ? 9. ¿ Qué suele Vd. hacer los domingos ? 10. ¿ Dónde escuchan los conciertos en la ciudad donde Vd. vive ? 11. ¿ A qué hora le gusta a Vd. oír las noticias del día ? 12. ¿ Qué otros programas le gustan a Vd. ? 13. ¿ Cuál es el parque principal de esta ciudad ? 14. ¿ De qué color es la corbata que más le gusta a Vd. ?

K. Prepare two sentences using each of the following: *al aire libre, al mismo tiempo, en fin, alrededor de, a más no poder.*

L. The instructor will divide the class into small groups. Each group will prepare a conversation on one of the following:
1. *Lo que hago los domingos.*
2. *Un concierto que me gustó mucho.*

M. Give the Spanish for:
1. They want me to start out this afternoon. 2. Please tell them that I prefer to stay at home. 3. Frankly, we doubt that he knows how to do it. 4. He is glad that you like his new suit. 5. It's too bad that the musicians don't play well. 6. Carlos' mother insists that he wear his blue tie. 7. I'm sorry that the concert begins so early. 8. Margarita doesn't think that red shirts are very pretty. 9. It seems probable that it will be cold tonight. 10. Is it possible that César has never seen a movie ?

Burgos: interior of the Cathedral. This beautiful cathedral is one of the most famous Gothic churches in the world. The city of Burgos, in northern Spain, was the scene of important events in the life of Spain's national hero, the Cid.

Cáceres: Monasterio Guadalupe. Built on a site where a shepherd is said to have seen the Virgin, this monastery became important as a center of art and devotion between 1330 and 1650. Like most such edifices, it took several centuries to complete. The beautiful great cloister is shown here.

# *Lección* 25

## LOS RECIÉN CASADOS

### VOCABULARIO

la **boda** wedding
el **brazo** arm
**casarse** (**con**) to get married (to)
**celebrarse** to take place; to be
  celebrated
**construir** to build, construct
**convenir** to suit
**delgado** thin
**enviar** to send
**esperar** to hope
la **esposa** wife
el **esposo** husband
**éste** the latter
**feliz** happy
**guapo** handsome, good-looking
**hospedarse** to take lodging, room
**largo** long
la **luna de miel** honeymoon
el **marido** husband
la **novia** sweetheart; fiancée

el **novio** sweetheart; fiancé
los **novios** sweethearts; engaged couple
la **pierna** leg
**quizá**(**s**) perhaps, maybe
los **recién casados** newlyweds
**recordar** (**ue**) to remember
el **regreso** return
**sino** but
**sino que** but
la **tarjeta postal** post card
**viajar** to travel
el **viaje de novios** wedding trip

### MODISMOS

**hacer una visita** to pay a visit
**parecerse a** to look like, resemble
**por fortuna** fortunately, luckily
**tener interés** to be interesting, be of
  interest

### Los recién casados

Hace poco, se celebró aquí la boda de mi hermana mayor, Dolores. Se casó con un muchacho de veintiséis años llamado Tomás. Él es bastante guapo y no muy alto, pero parece alto porque es muy delgado. Tomás se parece mucho a mi primo Manuel, aunque no creo que nadie pueda tener las piernas y los brazos tan largos como

**239**

los tiene éste. Hace dos años que Dolores vive en otra ciudad cerca de aquí, y fué allí donde conoció a Tomás. Recuerdo que cuando eran novios venían a nuestra casa algunas veces, y a todos nos parecía él muy simpático. Su viaje de novios no lo harán en tren sino en coche. Piensan visitar varios lugares que tienen gran interés para los dos. Quieren hospedarse en hoteles que sean bonitos y baratos al mismo tiempo. Quizás encuentren algo que les convenga. Todos deseamos que los recién casados tengan una luna de miel muy feliz y naturalmente también queremos que nos envíen algunas cartas o tarjetas postales de los lugares que van a ver. Un amigo de Tomás construyó para ellos una casa bastante bonita pero no vivirán en ella hasta después de volver de su viaje de novios. Quizá a su regreso Dolores y su marido vengan a hacernos una visita. Por fortuna Dolores se casó con un muchacho simpático, inteligente y bueno como ella. Esperamos que siempre sean muy felices.

### Conversación

— ¡ Qué cantidad de gente ! ¿ Qué pasa ?

— Se celebra la boda de María Carmen, la hermana mayor de mi amigo Ortiz, la que se casa con Alfredo Lazarte.

— Busquemos un sitio desde donde podamos ver a los novios. ¡ Ah ! Aquí, sí, desde aquí los vemos.

— No sé si usted recordará al novio. Es el que construyó nuestra casa el año pasado. Tiene veintiocho años; es bastante guapo, pero ahora está muy delgado. Se parece mucho a mi primo Pablo. ¿ Le recuerda usted ?

— Sí, ahora le recuerdo. ¿ Sabe Vd. dónde pasarán la luna de miel los recién casados ?

— Creo que piensan visitar la Pirámide del Sol en Teotihuacán, y tal vez continúen su viaje de bodas por Yucatán, Tampico, etc.

— ¡ Magnífico ! Por fortuna el tiempo continuará bueno un mes más, porque el viaje será largo si lo hacen en tren. En avión el viaje de novios sería mucho más corto.

— Tal vez el nuevo matrimonio nos envíe cartas o tarjetas postales de todos los lugares que visiten. Piensan ir a sitios que sean de interés para los dos.

— Ahora veo bien al futuro esposo; está hablando con sus amigos. ¿ Le ve Vd. ?

— Es un muchacho muy bueno y simpático que hará feliz a su esposa.

LECCIÓN VEINTICINCO

— Tengo mucho interés en hacerles una visita después de su luna de miel, pero me gustaría saludarlos ahora. No es por nada, sino que me gusta esa pareja tan interesante.

— Sí; los dos son muy buenos e inteligentes, y espero que sean muy felices. Celebran su boda el mismo día que otros amigos; iré al otro casamiento un poco más tarde. Por fortuna se celebran a diferente hora.

— Dos fiestas en un mismo día. ¡ Qué suerte tiene Vd. !

— Así es, amigo. Adiós.

— ¡ Hasta la vista !


## VOCABULARIO SUPLEMENTARIO

*Did you guess the meaning of these words correctly?*

el **avión** airplane
el **casamiento** marriage; wedding
**futuro** future
el **matrimonio** married couple; matrimony

la **pareja** pair; couple
la **Pirámide del Sol** Pyramid of the Sun
**por nada** for no special reason
el **sitio** place


## *Gramática*

### I. Uses of the subjunctive (continued).

A. The subjunctive is required in a dependent clause beginning with **que** that refers to:

1. An indefinite antecedent (i.e., an antecedent which the speaker does not really know exists, or about which he is in doubt). If the antecedent is known the indicative is used.

| | |
|---|---|
| Busco un libro que **sea** interesante. | (The speaker doesn't really know that there is such a thing.) |
| Tengo un libro que **es** muy interesante. | (The speaker is sure that such a thing exists.) |
| Quiero comprar un sombrero que me **guste.** | (What is the antecedent? Why the subjunctive?) |
| He comprado un sombrero que me **gusta** muchísimo. | (What is the antecedent? Why the indicative?) |
| ¿ Conoce Vd. a alguien que **hable** español ? | (What is the antecedent? Why the subjunctive?) |

2. A negative antecedent:

> Aquí no hay nadie que lo **sepa.**
> No tengo ningún libro que me **ayude.**

B. After **quizá(s)** or **tal vez** (*perhaps*), either the indicative or the subjunctive may be used, depending on the amount of uncertainty in the speaker's mind.

| DOUBTFUL | QUITE SURE |
|---|---|
| Quizá(s) **venga** mañana. | Quizá(s) **vendrá** mañana. |
| Tal vez **sea** Juan. | Tal vez **es** Juan. |

II. **Pero, sino, sino que.** **Pero** is ordinarily used for *but.* However, when the first part of a sentence is negative and the second part contradicts it, **sino** is used instead of **pero,** in the sense of *on the contrary.* **Sino que** is used instead of **sino** when a conjugated verb-form follows.

| NO CONTRADICTION | CONTRADICTION |
|---|---|
| Sabe jugar al tenis, **pero** no le gusta. | La nieve no es negra, **sino** blanca. |
| | No es Eduardo, **sino** José. |
| | No me escribió, **sino que** vino a verme. |

III. **Some irregular verbs: continuar** *to continue,* **construir** *to build, construct,* and **enviar** *to send.* Which of the forms below are regular? Other tenses of these verbs, not listed, are formed regularly.

### continuar

*Pres. ind.*   **continúo, continúas, continúa, continuamos, continuáis, continúan**

*Pres. subj.*   **continúe, continúes, continúe, continuemos, continuéis, continúen**

### construir

*Pres. ind.*   **construyo, construyes, construye, construimos, construís, construyen**

*Pres. subj.*   **construya, construyas, construya, construyamos, construyáis, construyan**

*Pret.*   **construí, construiste, construyó, construimos, construisteis, construyeron**

### enviar

*Pres. ind.*   **envío, envías, envía, enviamos, enviáis, envían**

*Pres. subj.*   **envíe, envíes, envíe, enviemos, enviéis, envíen**

LECCIÓN VEINTICINCO

## *Ejercicios*

A. Read *Los recién casados* aloud at least twice for pronunciation.

B. Change to the tenses indicated in parentheses:
1. Elena se casaba con Juan (*pret.; pres. perf.; cond.*).
2. Yo construyo una casa grande (*imperf.; past perf.; pret.*).
3. Me parezco a mi padre (*imperf.; cond. perf.*).
4. No recordaban la lección (*pret.; pres. perf. subj.; pres. ind.*).
5. Ana viajaba en coche (*pret.; fut. perf.; pres. subj.*).
6. Juan me ha enviado una tarjeta (*pres. ind.; past perf.; fut.*).
7. Yo continuaba mi lectura (*pres. ind.; pres. perf.; pres. subj.*).

C. Give the proper form of the infinitive in parentheses:
1. No conozco a nadie que lo (saber). 2. ¿ Prefiere Vd. que María (casarse) con otro ? 3. Buscamos un hombre que (ser) tan guapo como Pedro. 4. Es probable que yo (estar) de vuelta pronto. 5. Quiero (encontrar) un traje que me (gustar). 6. Juan conoce a un hombre que (hablar) francés. 7. ¿ Quiere Vd. que yo se lo (presentar) ? 8. ¿ Hay alguien que (construir) una casa aquí ? 9. No he encontrado ningún libro que (ser) tan interesante como *Don Quijote*. 10. Pedro (recordar) una fecha importante. 11. No hay nadie que (querer) casarse conmigo. 12. Vd. tiene una novia que (ser) muy bonita. 13. Tengo un hermano que (parecerse) mucho a Vd. 14. No conocemos a nadie que (poder) ayudarle. 15. El maestro no tiene ningún alumno que (trabajar) bien.

D. Compose three original sentences using (1) *quizá(s)*, (2) *tal vez*.

E. Use *pero, sino,* or *sino que* as required.
1. María quiere salir, _____ no se lo permite su madre. 2. Juan no es francés, _____ italiano. 3. Sé hablar español, _____ no sé escribirlo. 4. Alfredo no quería hacer su viaje de novios en coche _____ en tren. 5. Juan no es el novio, _____ el marido de Ana. 6. Eduardo no envió la carta, _____ la recibió.

F. Dictation of *Los recién casados*.

G. Review *Los recién casados*. Answer in Spanish:
1. ¿ Quién se casó hace poco ? 2. ¿ Cómo se llama el esposo de Dolores ? 3. ¿ Quién es Manuel ? 4. ¿ Cuántos años tiene Tomás ? 5. ¿ Dónde se conocieron Tomás y Dolores ? 6. ¿ Cómo harán su viaje de novios ? 7. ¿ Qué esperamos recibir de los recién casados ? 8. ¿ Quién construyó la casa de Tomás y Dolores ? 9. ¿ Cuándo vivirán en la casa ? 10. ¿ Qué vida esperamos que tengan los recién casados ? 11. ¿ Quién construyó la casa donde vive Vd. ? 12. ¿ Qué lugares visitaría Vd. en su viaje de novios ? 13. ¿ Qué es un recién casado ? 14. ¿ Cómo es el marido (o el novio) de la hermana de Vd. ? 15. ¿ Dónde conoció ella a él ? 16. ¿ Prefiere Vd. viajar en coche o en tren ?

H. Prepare two sentences using each of the following: *hacer una visita, parecerse a, por fortuna, de vez en cuando, tener interés.*

I. The instructor will divide the class into small groups. Each group will prepare a conversation on one of the following:
   1. *La boda de algún amigo.*
   2. *Mis proyectos de boda.*
   3. *No voy a casarme nunca.*
   4. *Tengo un novio (una novia) muy simpático (–a).*

J. Give the Spanish for:
   1. My brother's wife is very pretty and intelligent. 2. They didn't greet me, but went on reading. 3. Please don't send me so many books. 4. She wants to marry someone who is handsome. 5. I don't think that Guillermo looks like his father. 6. Post cards are very useful when there isn't much time. 7. We doubt that Mr. Morales builds houses. 8. Do you know anyone who plays tennis as well as Andrés? 9. There is no restaurant here where they serve Spanish meals. 10. The newly-weds want their friends to visit them, but only from time to time.

# Lección 26

## EN LA TIENDA DE ROPA

### VOCABULARIO

barato cheap, inexpensive
el botón button
el calcetín sock
caro dear, expensive
la compra purchase; shopping
costar (ue) to cost
la cuenta bill
chico small
el dedo finger
el dependiente clerk (*in a store*)
ése that one (*pron.*)
ésos those
fino fine (*in quality*)
gris gray
el guante glove
el juguete toy, plaything
las medias hose, stockings
la medida size, measure
pagar to pay (for)
el pañuelo handkerchief
el peine comb
la perla pearl
la piel skin, hide, leather
el precio price
la prenda de vestir article of clothing

probarse (ue) to try on
¡ qué ...! how ...!
quisiera I (he, she, you [Vd.])
  would like
la ropa interior underwear
sentir (ie, i) to be sorry, regret
señalar to point out, indicate
siguiente following
la tela cloth

### MODISMOS

aquí tiene(n) Vd(s). here is, here are
  (*used when showing or giving some-*
  *one something*)
(ir) de compras (to go) shopping
¿ En qué puedo servirle (–la, –los,
  –las)? What can I do for you?
por el estilo like that; of that kind
por favor please
quedar algo grande (pequeño) to be
  somewhat large (small) for
quedarse con to keep, take (*a pur-*
  *chase*)

245

### En la tienda de ropa

Generalmente todos los sábados mucha gente va de compras a las tiendas de ropa. Las mujeres compran vestidos, sombreros, telas, medias, peines, mil cosas más, y también ropa y juguetes para los niños; mientras que los hombres buscan camisas, corbatas, trajes, ropa interior, calcetines, pañuelos y otras cosas por el estilo. El otro día mi padre fué a una tienda de ropa a buscar algunas prendas de vestir que necesitaba y tuvo la siguiente conversación con el dependiente:

— Buenos días, señor. ¿ En qué puedo servirle ?

— Buenos días. Quisiera ver un par de guantes, por favor.

— Sí, señor. ¿ Qué clase de guantes quiere Vd., y de qué color ?

— Quisiera unos guantes grises, como ésos (*señalando con el dedo*).

— Muy bien, señor. ¿ Quiere Vd. probárselos ?

— Sí, me gustaría. (*Se prueba los guantes.*) Lo siento mucho, pero me quedan algo grandes. ¿ Tiene Vd. otros que sean más pequeños ?

— Sí, señor, aquí tiene Vd. otros que sin duda son de su medida. Son de piel muy fina y tienen botones de perla, pero a pesar de eso no cuestan mucho. Son muy baratos.

— Son buenos, y realmente no son nada caros. Me quedo con ellos. ¡ Qué guantes más bonitos !

Después de comprar algunas cosas más, mi padre pagó su cuenta y salió de la tienda pensando . . . ¡ Qué interesante es ir a las tiendas !

### Conversación

Mercedes va de compras a la tienda de ropa. Dentro de ella, mira con interés unos pañuelos muy finos. El dependiente, muy amable, le dice:

— Buenas tardes, señorita. ¿ En qué puedo servirla ?

— Buenas tardes, señor. Quisiera ver aquel pañuelo amarillo (*señalándolo*) y ese par de guantes grises, por favor.

— Aquí los tiene, señorita. ¿ Quisiera Vd. probarse los guantes ?

— Sí, señor. (*Se los prueba.*) ¡ Ay ! Lo siento mucho, pero estos guantes son pequeños. Yo tengo los dedos muy largos. ¿ Tiene Vd. otros guantes algo más grandes ?

— ¡ Cómo no ! señorita. Tengo éstos de piel de Suecia, que tal vez sean de su medida.

— ¡Qué suerte! Éstos me quedan bien. Me quedaré con ellos. ¿Cuánto cuestan?

— Su precio no es alto; al contrario, son muy baratos. Cinco dólares con noventa y cinco centavos.

— Realmente no son caros. ¿Pago la cuenta aquí o en la caja?

— Antes de salir, señorita, ¿quisiera Vd. pasar a la sala siguiente? Hay ropa para mujeres y niños, y vea Vd., ¡qué precios! Tenemos ropa interior para niños, y también juguetes muy baratos.

— Gracias, señor, no necesito nada más por hoy. Además es muy tarde y tengo que hacer la compra de la semana en la tienda de comestibles.

— Bueno, pero recuerde que aquí tenemos de todo. Telas para vestidos, sombreros, calcetines, medias, botones, collares de perlas, peines (*señalando con el dedo*), y esas bonitas prendas de vestir para niños.

— Está bien, pero, a pesar de todo, no me quedaré más que con los guantes y el pañuelo. Tal vez mi hermano compre muy pronto una camisa, una corbata, y otras cosas por el estilo. Adiós, señor. (*Pensando*) ¡Qué trabajo es el ir de compras!

## VOCABULARIO SUPLEMENTARIO

*Did you guess the meaning of these words correctly?*

**al contrario** on the contrary
**amable** amiable, kind
**la caja** cashier's desk *or* window
**el collar** necklace

**¡cómo no!** of course! why not?
**la sala** room (*large room*)
**Suecia** Sweden
**tienda de comestibles** grocery store

## *Gramática*

I. **Demonstrative pronouns.** The demonstrative pronouns have exactly the same forms as the demonstrative adjectives (see Lección 10). To distinguish them, an accent (´) is written on the stressed **e** of the pronouns. The same difference in meaning exists between the forms of **ése** and **aquél** as between the adjectives of the same forms.

Este traje y **ése**. (*that*, nearest the person spoken to)
Esta camisa y **aquéllas**. (*those*, away from speaker and one spoken to)

| SINGULAR | | PLURAL | |
|---|---|---|---|
| *Masculine* | *Feminine* | *Masculine* | *Feminine* |
| éste | ésta (this one) | éstos | éstas (these) |
| ése | ésa (that one) | ésos | ésas (those) |
| aquél | aquélla (that one) | aquéllos | aquéllas (those) |

Esa pluma y ésta.
Este libro y ése.
Estos muchachos y aquéllos.

A. **Éste** and its other forms are used to mean *the latter*, and **aquél** etc., *the former.* In such cases, **éste** always refers to the person or thing last mentioned.

La señora López y la señora Pérez son vecinas; **ésta** (la señora Pérez) es mexicana, **aquélla** (la señora López) es española.

Trabajo con Juan y Carlos; **éste** (Carlos) es un buen muchacho, pero **aquél** (Juan) no hace nada.

B. **Esto** *this,* **eso** *that,* and **aquello** *that,* are neuter forms; i.e., they have no gender, and are used to refer to some general idea already expressed, or to an object not yet identified.

**Esto** no me interesa.      **Eso** es muy interesante.
¿ Qué es **eso** ?      No están de acuerdo con **aquello**.

         II. **Exclamations.** In Spanish, all exclamatory words have a written accent (´) (¡ **Qué ...** ! etc.). **Qué** is the commonest exclamatory word:

A. ¡ **Qué ...** ! *how* before an adjective or adverb.

     ¡ Qué bien pronuncia !
     ¡ Qué bonita es !
     ¡ Qué ricos somos !

The subject, if expressed, usually follows the verb:

     ¡ Qué grande es **el muchacho** !

B. ¡ **Qué ...** ! *what* or *what a* before a noun. If the noun is followed by an adjective, either **tan** or **más** must be placed between the noun and the adjective.

¡ Qué muchacho !      ¡ Qué muchacha **más** (*or* **tan**) bonita !
¡ Qué lecciones !      ¡ Qué libros **tan** (*or* **más**) interesantes !

C. ¡ **Cuánto, –a ...** ! means *how much* or *what a lot of;* ¡ **cuántos, –as ...** ! means *how many* or *what a lot of.* These words are used

before nouns and verbs, and agree with the nouns they modify.
The subject, if expressed, follows the verb:

¡ **Cuántos** amigos tenemos!
¡ **Cuánta** dificultad tienen!
¡ **Cuánto** perdieron ellos ayer!

III. **Some additional tenses of** *hay.* These, like **hay**
and **había,** are forms of the verb **haber** (see Lección 19).

| | | |
|---|---|---|
| *Pret.* | **hubo** | there was (were) |
| *Fut.* | **habrá** | there will be |
| *Cond.* | **habría** | there would be |
| *Pres. subj.* | **haya** | there may be |
| *Pres. perf.* | **ha habido** | there has (have) been |

### Ejercicios

A. Read *En la tienda de ropa* aloud at least twice for pronunciation.

B. Memorize:

#### Cosas del tiempo

Pasan veinte años; vuelve él,
Y, al verse, exclaman él y ella:
(— ¡ Santo Dios! ¿ Y éste es aquél? —)
(— ¡ Dios mío! ¿ Y ésta es aquélla? —)
— Ramón de Campoamor

C. Change to the tenses indicated in parentheses:
1. La corbata costaba mucho (*pres. ind.; pres. perf.; pret.*).
2. Le pago dos dólares a Juan (*fut.; pret.; past perf.*).
3. Vd. se probará los guantes (*pret.; pres. ind.; pres. perf.*).
4. Iban de compras a las ocho (*fut.; pret.; pres. ind.*).
5. José nos señalaba un par de calcetines (*cond. perf.; pres. ind.; fut.*).
6. Pedro se queda con la camisa y dos pañuelos (*past perf.; imperf.; cond.*).

D. Give the proper form of the infinitive in parentheses:
1. Será preciso que yo (pagar) mucho. 2. ¿ Conoce Vd. a alguien que
(tener) una camisa azul? 3. Mi padre acaba de (comprar) un par de
guantes. 4. ¿ Quiere el dependiente que Vd. (probárselo)? 5. Insisti-
mos en (pagar) lo en seguida. 6. No hay nada que (costar) poco.
7. Siento no (poder) señalarle algo más interesante. 8. Estoy contenta
de (haber) encontrado un buen mercado. 9. Busco unos botones que
(costar) poco. 10. Es lástima que Vd. (haber) perdido su peine. 11. Sen-

timos que a Vd. no le (gustar) estos guantes. 12. Nada puede (ser) tan barato como ese pañuelo. 13. Necesitamos un dependiente que (conocer) bien el surtido de zapatos. 14. Me gusta (ir) de compras con Vd 15. Siempre me pruebo un abrigo antes de (comprar) lo.

E. Compose four original sentences using a different tense of *hay* in each.

F. Supply the proper form of *éste* or *aquél* as required:
1. Juan y Pedro son alumnos; _____ es inteligente, _____ aprende lentamente. 2. Voy a visitar a María; _____ vive en San Antonio. 3. Los muchachos y las muchachas estudian para el examen; _____ estudian bien; _____ trabajan poquísimo. 4. Acabo de recibir dos cartas de María y una de Eduardo. _____ está en México, y _____ visita a Chile. 5. Podremos hacer el viaje en tren o en coche; _____ es más rápido que _____.

G. Supply the appropriate exclamatory words:
e.g.  ¡ _____ bueno es Pedro !        ¡ *Qué* bueno es Pedro !

1. ¡ _____ alto es Vd.! 2. ¡ _____ bien baila! 3. ¡ _____ hombre _____ viejo! 4. ¡ _____ amigos tiene María! 5. ¡ _____ bien habla Juan!

H. Give the following sentences as exclamations:
e.g.        María es inteligente.        ¡ *Qué inteligente es María!*

1. Mi padre era delgado. 2. Este profesor enseña bien. 3. El presidente era un hombre rico. 4. Elena está mala. 5. Ana bailaba mal. 6. Esta lección es fácil. 7. El *Quijote* es largo. 8. Esos guantes son baratos. 9. Este traje es caro. 10. Esta tela es fina.

I. Give four original sentences as exclamations.

J. Dictation of *En la tienda de ropa.*

K. Review *En la tienda de ropa.* Answer in Spanish:
1. ¿ Qué día prefiere la gente que va de compras ? 2. ¿ Qué compran las mujeres para los niños ? 3. ¿ Por qué fué mi padre a la tienda de ropa ? 4. ¿ Con quién habló el dependiente ? 5. ¿ Qué quería ver mi padre ? 6. ¿ Cómo le quedaron los guantes a mi padre ? 7. ¿ De qué color eran los guantes ? 8. Al salir de la tienda, ¿ qué se dijo mi padre ? 9. Generalmente, ¿ qué compra Vd. cuando va de tiendas ? 10. Cuando Vd. entra en una tienda, ¿ qué es posible que le diga el dependiente ? 11. ¿ Qué clase de guantes prefiere Vd.? 12. ¿ Es cara o barata la ropa que se vende en esta ciudad ? 13. ¿ Qué hay que hacer antes de salir de una tienda ? 14. Para saber si un traje nos conviene, ¿ qué hay que hacer ?

L. Prepare two sentences using each of the following: *ir de compras, quedarse con, aquí tiene Vd., perder cuidado.*

M. The class will be divided into small groups. Every student in each group will prepare three questions, the answers to which will be given by the other students in the group. Prepare your questions about one of the following:

1. *Vamos de compras.*
2. *No me gusta ir de compras.*
3. *¡ Cuánto cuesta la vida!*

N. Give the Spanish for:

1. If you don't like that hat, try on this one.
2. What a tall man your brother is !
3. What is this ?  — It seems to be a pearl button.
4. All your handkerchiefs are pretty, but I prefer that one.
5. This is the best clothing store in town (in the city).
6. How difficult German is !  — Yes, but I like it.
7. Ana and Dorotea are here, and the latter wants to see you.
8. How far those countries are from here !
9. Carlos has many toys, but these are the newest.
10. What fine cloth there is in this dress!

## Repaso V (Gramática 21-26)

A. Supply the proper form of the verb in parentheses. Unless otherwise indicated, use the present indicative, present subjunctive, or the infinitive as usage requires.

1. Luisa (dar, *pres. progressive*) un paseo a lo largo del río.
2. Me alegro de que Vds. (querer) limpiar mi cuarto.
3. Mi abuelo insiste en (escuchar) este programa, por eso nos dice que nosotros no (hacer) ruido.
4. Pablo le (pedir, *fut.*) a María que (casarse) con él. Ella estará muy contenta de (hacer) lo.
5. Ana (dudar, *fut.*) que José y yo (haber) encontrado estos pañuelos en una zapatería.
6. Nunca he visto a ningún dependiente que (estar) contento de su puesto y que se alegre de (trabajar).
7. Puesto que (hay, *fut.*) baile esta noche, Manuel (pensar, *imperf. progressive*) en (acompañar) a Dorotea, pero ésta (tener, *imperf.*) otro compromiso.
8. Después de (almorzar) quizá yo (dormir) un rato.
9. Enrique me (escribir, *pres. perf.*) que necesita un hombre que (saber) cantar y tocar, y que, al mismo tiempo, (conocer) la música en general.
10. No me (gustar) las toronjas, y prefiero que Vds. no las (comer) tampoco. (Tomar, *command*) Vds. naranjas, peras u otra fruta sabrosa.
11. Dicen que (hacer) mal tiempo en San Francisco. Más vale (detenerse) aquí.
12. Jorge (dormir, *pret.*) dos horas. No era preciso (ponerse) en camino antes de las dos.
13. Aquí (hay, *fut.*) diez casas nuevas. Mi tío (construir, *pres. progressive*) la primera ahora.
14. Rosita le (pedir) a Elena que le (señalar) los recién casados.
15. Yo (alegrarse, *pres. ind.*) de que la boda (celebrarse) el mes de junio; así podré (llevar) mis medias nuevas y el peine rojo.
16. Siento mucho no (tener) su medida. ¿Quiere Vd. (ver) otra cosa?
17. Hace buen tiempo en el campo; eso (permitir) que Vd. (divertirse) mucho y que (dormir) bien.
18. No creo que le (doler) a Pedro el pecho, sino los dientes.
19. Es posible (construir) un pequeño edificio en unos pocos días, pero dudo que su arquitecto (construir) una casa tan grande en menos de cuatro meses.
20. A mí me parece muy difícil el español, pero mi padre (preferir) que yo (continuar) el estudio de esta lengua. Así es la vida.

21. No (enviar, *command*) Vd. esa tarjeta, porque quiero (decir) algo más.

22. — ¿ En qué puedo servirle, señor ? — me (preguntar, *pret.*) el dependiente mientras (seguir, *imperf.*) limpiando la tienda.

23. Parece que Elena no (querer) a Felipe. (Aplazar, *pres. perf.*) tres veces la boda.

24. Mi hermano mayor es un joven bastante fuerte, pero dudo que (tener) los hombros y las espaldas tan fuertes como Pedro.

25. Necesitaré una camisa azul que (ser) de tela muy fina.

26. (Pedir, *command*) Vd. a los músicos que (continuar) (tocar, *pres. part.*). Quizá (tocar) algo de la música española o francesa.

27. Alfredo quiere (encontrar) a alguien que (recordar) la dirección de Enrique, pero hasta ahora no (ver, *pres. perf.*) a nadie que la (saber).

28. (Servir, *1st person pl. command*) la limonada a las cuatro en punto. Es posible que Vd. (estar) de vuelta a las tres y media.

29. Llegamos un poco tarde, y María (tener, *past perf.*) que (salir) antes. Ella lo (sentir, *pret.*) muchísimo.

30. ¡ Qué novia más bonita! A mí me (gustar, *cond.*) también (casarse) con ella.

31. (Oír, *command*) Vd., Felipe. ¿ Quiere Vd. que yo le (acompañar) a la tienda del señor Ramírez ? (Hay, *fut.*) allá el mejor surtido de todo para hombres.

32. ¡ Ay ! ¡ Ay ! ¡ Ay ! ¡ Qué me (doler) los pies ! Dudo que (poder) andar. Será preciso (devolver) estos zapatos.

33. (Andar, *1st person pl. command*) un poco por este camino. ¿ No (tener) Vd. interés en (ver) si, por fortuna, hay un lugar para (pescar) ?

34. Vds. no (oír, *pret.*) la música de anoche, ¿ verdad ? En cuanto a los músicos, (tocar, *pret.*) muy bien. Es posible que (tocar) también esta noche. Yo (volver, *cond.*) de muy buena gana.

B. Change to the corresponding progressive tenses.

1. Andrés se probaba un par de guantes mientras que yo le esperaba.

2. Martín se divierte mucho porque baila con Elena.

3. Mientras almuerza al aire libre, Manuel lee un libro y escucha las noticias del día.

4. Nicolás compra frutas y dentro de poco se las dará a los niños pobres en la esquina de esta calle.

5. Carlos construye una casa nueva para su esposa.
6. Luisa escucha lo que Vd. le dice.

C. Give the proper form of an appropriate verb or other expression which requires the subjunctive.

1. _____ que los novios se casen antes del primero de junio.
2. _____ que Vd. no vaya al mercado por la mañana.
3. _____ que nos detengamos en Veracruz algunos días más.
4. Antes de ir al baile _____ que Vd. limpie mi corbata azul; no quiero llevar otra.
5. Si _____ que me ponga enfermo, présteme Vd. su impermeable.
6. _____ que Arturo nos señale con el dedo la ropa que necesita.
7. _____ que sean más baratos esos pañuelos.
8. ¿A qué hora _____ que nos pongamos en camino?
9. Busco _____ que duerma poco y sepa mucho.
10. Vd. no conoce _____ que piense ir a París este verano, ¿verdad?
11. Vamos a hacer una excursión al campo. _____ que nos mojemos si no llevamos nuestros impermeables.
12. ¡Qué hombre! Quiere encontrar _____ que se divierta tanto como él.

D. Replace the italicized nouns with object pronouns. Make all necessary changes in word order.

1. No mire Vd. *a estos viejos.*
2. Sepamos *cómo se llama la fiesta,* pero no digamos *el nombre a José.*
3. No devuelvan *los regalos a su abuelo.*
4. Cuente Vd. *a mis amigos franceses cómo se celebra la Navidad en el Ecuador.*
5. Pasemos *las Pascuas* en México.
6. Siempre he querido ver *esa película.*
7. Los muchachos van a dar *una sorpresa a su madre.*
8. Llevemos *los papeles al maestro.*
9. Dígame *dónde está Pepe,* pero no quiero saber lo que hace; no me diga Vd. *eso.*
10. Acabo de ver *a Juan,* y sé que ha hecho *su trabajo.*

E. Change the italicized words so as to express the same command in another way:

1. *Vamos a hablar* con Margarita.
2. Estoy muy cansado; *vamos a sentarnos* aquí.

3. *Vamos a jugar* al tenis esta tarde.
4. ¡ Qué buena noticia ! *Vamos a decírsela* a papá.
5. No me gusta este parque; *vamos a buscar* otro más hermoso.

F. Make indirect commands of the sentences below:

   e. g. María habla con Pedro.   *Que hable María* con Pedro.

    1. Los músicos comienzan a tocar.
    2. Los pobres cantan y rezan si son felices.
    3. Jorge descansa, si no está bien.
    4. Manuel me devuelve en seguida el sombrero.
    5. Rosita no lo hará.

G. Express the following commands in a still more polite form:

    1. Lleve Vd. el vestido blanco.
    2. Ana está mala; quédese Vd. un rato con ella.
    3. Su reloj adelanta. Póngalo Vd. en hora.
    4. No vayan Vds. al teatro con ellos.
    5. Tome Vd. un asiento más cómodo.

H. Use *pero, sino,* or *sino que* as usage requires.

    1. No recuerdo al señor Castaño, _____ es posible que le haya conocido.
    2. No nos detuvimos en el mercado, _____ en el cine.
    3. La cebolla no es roja, _____ es blanca y amarilla.
    4. A veces tomo carne para el almuerzo, _____ también me gusta el pollo.
    5. Los juguetes no son baratos, _____ cuestan demasiado.
    6. El concierto no empezó a las diez, _____ a las dos y media.

I. Supply the proper form of *este, ese,* or *aquel.*

    1. _____ camisa no me conviene.
    2. _____ proyectos no sirven para nada.
    3. Pagué diez dólares por _____ tela; es muy fina.
    4. _____ dos jóvenes van a casarse dentro de poco.
    5. No recordamos _____ conversación, pero eso no importa.

J. Supply the appropriate form of *éste* or *aquél.*

    1. Juan y Manuel no se parecen el uno al otro; _____ siempre aplaza su trabajo y _____ lo empieza en seguida.
    2. Siento que no le gusten a Vd. ni las medias ni los guantes. _____ no son bastante largos y _____ cuestan demasiado.
    3. Enrique y Elena se divertían bien en el campo; _____ montaba a caballo y _____ jugaba al tenis.

4. Pedro y su esposa van a hacer un viaje de novios. _____
quiere ir al Niágara, y _____ piensa ir a Acapulco.
5. En los Estados Unidos la Navidad y las Pascuas son días
de fiesta muy importantes. _____ se celebran en la iglesia,
y _____ en familia.
6. Tomará estas manzanas rojas y _____.
7. ¿ Cuáles de los pañuelos cuestan más, _____ o _____ ?
8. El proyecto que queremos seguir ahora es tan divertido
como _____.

K. Express the following as exclamations:

1. Luisa está resfriada.
2. Una excursión divertida.
3. Pablo seguía rápidamente a Rosita.
4. Mi amigo Carlos es un joven alto y delgado.
5. Una muchacha guapa.
6. Lo ha construido bien.
7. Era feliz.
8. Cantamos bien.

L. Prepare in class four exclamations.

M. Compose a sentence using:

al mismo tiempo, más vale, quedarse con, no servir para nada,
alrededor de, estar resfriado, ni . . . ni, ni . . . tampoco

(*above*) Plaza de Cataluña, Barcelona. This Mediterranean city, with its handsome squares and boulevards, is also Spain's busiest port and greatest industrial center. (*below*) The Alcázar, Segovia. In the foreground are three girls wearing regional costumes.

*Spanish State Tourist Office*

Like so much of Spain, Asturias, in the northwest, is a rugged, mountainous region. (*above*) The little port of Lastres. (*below*) Naranjo de Bulnes, seen from the Neverán de Urriello.

# *Lección* 27

## UN VIAJE EN FERROCARRIL

## VOCABULARIO

**adentro** inside, within
**aguardar** to wait (for); to expect
(*someone or something*)
**apenas** scarcely, barely, hardly
**atestado** crowded
**bajar** (**de**) to get out (of), to get
off (from)
**el billete** (**de ida y vuelta**) (round
trip) ticket
**despedirse** (**i**) (**de**) to take leave
(of), say good-bye (to)
**el equipaje** baggage
**el espacio** room, space
**el ferrocarril** railroad
**el gentío** crowd
**el kilómetro** kilometer (*.62 mile*)
**lo cual** which
**lleno** full
**la milla** mile
**la partida** departure
**el pasajero** passenger
**el permiso** permission
**quedar** to remain, be left
**quejarse** (**de**) to complain (of,
about)
**el rancho** ranch

**la revista** magazine
**la sala de espera** waiting room
**sentirse** (**i**) to feel
**el servicio** service
**la situación** situation
**sólo** only (*adv.*)
**subir a** to get into *or* onto (*a vehicle*)
**suponer** (*conjugated like* **poner**) to
suppose
**la taquilla** ticket window; box office
**el taquillero** ticket seller
**vacío** empty
**vender** to sell
**el viajero** traveler

### MODISMOS

**de pie** standing
**delante** (**de**) in front (of)
**¡ Dios mío !** Heavens ! Goodness !
Oh my ! etc.
**junto a** next to
**más allá de** beyond
**no tiene remedio** it can't be helped
**sin descanso** ceaselessly, without
stopping

**259**

## Un viaje en ferrocarril

¡ Qué gentío hay en la estación del ferrocarril ! Delante de la taquilla mucha gente espera para comprar sus billetes, y mientras que esperan, se despiden de sus parientes y sus amigos. El taquillero trabaja sin descanso. Yo tuve que esperar un buen rato antes de poder comprar mi billete de ida y vuelta para ir al rancho del padre de Ricardo, que es un buen amigo mío. El rancho está a unos veinte kilómetros de aquí. Ricardo estará aguardándome en la estación.

Cuando mis padres me dieron permiso para ir a hacer una visita a Ricardo me sentí muy feliz. Rápidamente arreglé el poco equipaje que tenía que llevar conmigo, me despedí de mis padres, y vine a la estación. Como el tren no llega hasta las cuatro tengo tiempo para ir a comer al restaurante, y para leer una revista después en la sala de espera. La sala de espera está atestada de gente también, lo cual quiere decir que tendré que esperar de pie, como lo hacen muchas personas; esto no tiene remedio.

Por fin ha llegado el tren, pero ¡ Dios mío ! el tren también está lleno. No creo que haya espacio para diez personas más, sin embargo tendremos que subir cerca de cuarenta pasajeros.

Apenas pude subir al tren. La situación adentro no es nada agradable. Cuando llegó la hora de la partida todos los pasajeros habían subido. Los que iban de pie, por lo menos ésos con quienes hablé, decían que estaban cansados y se quejaban del mal servicio de los ferrocarriles. En la estación donde bajé, bajaron del tren también otras muchas personas. Supongo que los pasajeros que iban más allá de esta estación se alegraron porque el tren quedó casi vacío.

## Conversación

*Miguel y Leonor, delante de la taquilla, hablan con el taquillero.*

— ¿ Para dónde van Vds. ? — pregunta el taquillero.

— Dos billetes de ida y vuelta para Lima, por favor. ¿ Cuánto cuestan ?

— Son veinticinco dólares y cincuenta centavos los dos billetes, señor.

— Está bien, señor. (*Le paga.*)

— Mira, Leonor, allí en la sala de espera, entre el gentío, junto al tío Juan, nos aguardan papá y nuestro primo José que quieren despedirse de nosotros.

LECCIÓN VEINTISIETE

—¡ Dios mío, tendremos que estar de pie, porque la estación está atestada de gente !

—No te quejes ahora, porque si el tren viene lleno, lo cual es muy probable, no tendremos más remedio que ir de pie, y supongo que hay bastantes kilómetros hasta el rancho del tío Pepe.

—Bueno.  Aguárdame aquí dentro, porque yo voy a buscar una revista.

—Procura llegar a tiempo.  Apenas llegue el tren vamos a subir el equipaje.

(*Junto a las puertas de la sala de espera todos los pasajeros aguardan el tren.*)

—¡ Ahí viene ! — dice Leonor.   — ¿ Vendrá vacío o lleno ?

—Supongo que aquí quedará casi vacío.  Mira cuántos viajeros bajan de él.

—Me alegro.  ¿ Cuál es nuestro coche, Miguel ?

—El número cuatro.  Ése es muy grande y hay bastante espacio para poner el equipaje.

—¡ Por fin llegó la hora de la partida ! — dice Leonor.  (*Sube al tren.*)

—Miguel, algunos de los pasajeros que bajaban se quejaban del mal servicio de los ferrocarriles.

—Lo cual quiere decir que viajaron de pie durante muchas millas.

—Tienen razón de quejarse, entonces.

—Mira, más allá de la puerta de la sala de espera está papá.  Se despide de nosotros con la mano.

—Es verdad.  ¡ Adiós, hasta pronto !

## VOCABULARIO SUPLEMENTARIO

*Did you guess the meaning of these words correctly ?*

**ahí** there
**el coche** railroad car
**no tener más remedio que** to have no other choice but

**el número** number
**procurar** to try; procure, get

## Gramática

**Relative pronouns.**  The relative pronouns most frequently used in Spanish are:

| | |
|---|---|
| **que** | who, whom, that, which |
| **quien, –es** | who, whom |

| el (la, los, las) que | 1) which, who, whom |
| | 2) he (she) who, the one(s) who, those who (which) |
| el (la) cual, los (las) cuales | which, who, whom |
| lo que | what, that which |
| lo que (lo cual) | which |
| cuyo, –a, –os, –as | whose |

The relative pronoun is never omitted in Spanish. Compare:

> The book (*that*) I found is interesting.
> El sombrero **que** compré es rojo.

A. **Que** is the commonest of all Spanish relatives. As a relative, it is used as the subject or object of a verb, and refers to both persons and things. After a preposition, **que** refers to things only.

> El muchacho **que** estudiaba conmigo es mexicano.
> La mesa **que** está en la alcoba es de Chile.
> El libro **que** Vd. tiene es muy interesante.
> La muchacha **que** vimos ayer estudia la música.
> La casa **de que** hablo está de venta ahora.

B. **Quien, –es** refers only to persons, and is used mainly after prepositions:

> El hombre **de quien** hablé ayer va a visitarnos.
> Juan y María son los amigos **con quienes** fuí al cine.
> El muchacho **a quien** escribo es mi primo.

**Quien** and **quienes** may also be used in place of **que** as the object of a verb, referring to persons. In this case, **quien** or **quienes** is preceded by the "personal" **a**. However, **que** is more common in conversation. Compare:

> La señora Sánchez, **a quien** Vd. conoce bien, está en Madrid.

*or:*

> La señora Sánchez, **que** Vd. conoce bien, está en Madrid.

C. **El que** (**la que, los que, las que**) or **el cual** (**la cual, los cuales, las cuales**) are used instead of **que** and **quien, –es** when the antecedent is not perfectly clear, and always refer to the first-mentioned of two possible antecedents.

> La hija de María, **la que** (*or* **la cual**) llegó ayer, es muy bonita.
> (To whom does **la que** refer ?)

These forms are also used after prepositions other than **a, con, de,** and **en** in referring to things.

El examen **para el cual** (*or* **el que**) estoy estudiando, será difícil.

D. **El que** (**la que, los que, las que**) is also used as a real compound relative, meaning *he who, the one that, those who,* etc. In this case, there is no antecedent, or rather the relative pronoun includes its own antecedent.

> **Los que** iban de pie decían que estaban cansados.
> **El que** llegó es mi hermano.
> Voy a buscar mi libro y **el que** usted compró.

*Note.* **El cual** is never used in this way as a compound relative including its own antecedent. It is interchangeable with **el que** only as a simple relative (*who, which, that;* see Section C).

E. **Lo que** (or **lo cual**) sums up a preceding idea or statement.

> Vd. no me habló, **lo que** (*or* **lo cual**) no me gusta. (**lo que** here refers to the idea: **Vd. no me habló.**)

**Lo que** may also be used as the subject or object of a verb, in the sense of *what* or *that which:*

| | |
|---|---|
| **Lo que** pasó anoche no me interesa. | (**lo que** as subject) |
| No es bueno **lo que** hizo Vd. | (**lo que** as object of **hizo**) |

F. **Cuyo, –a, –os, –as** (*whose*) always agrees in gender and number with the thing possessed. It is *never* an interrogative, and can never take the place of **¿ de quién?**

> Ernesto, **cuya** madre está enferma, es mi amigo.
> El maestro, **cuyos** alumnos son muy inteligentes, no se queja de ellos.

Compare:

> **¿ De quién** es esta casa?
> El señor García, **cuya** casa visité, es abogado.

## Ejercicios

A. Read *Un viaje en ferrocarril* aloud at least twice for pronunciation.

B. Change to the tense indicated in parentheses:
1. El vaso queda vacío (*pret.; fut.*).
2. Juan se despedirá de sus amigos (*pres. ind.; pret.; pres. perf.*).
3. El taquillero me vende dos billetes (*past perf.; pret.*).

4. Nunca me quejo de las comidas de mi madre (*imperf.; fut.; pres. perf.*).
5. Hay bastante espacio para los dos (*imperf.; fut.*).
6. No le pagamos bien a Juan (*pres. subj.; fut.; pres. perf.*).

C. Give the proper form of the verb in parentheses:
1. Necesito un hombre que (saber) (vender) zapatos. 2. ¡ Qué atestado (estar) este coche! 3. Yo no (saber) nada que le (gustar) a Vd. 4. Estamos muy contentos de que Vds. (haber) encontrado unos guantes de su medida. 5. Elena bajó del tren y (subir) al coche. 6. Manuel tendrá que (despedirse) temprano. 7. ¿ Quiere Vd. (subir) al tranvía ? 8. El maestro me pide que yo no (quejarse) de nada. 9. Me alegro de que mi primo (tocar) el piano tan bien como Vd. 10. Será preciso (tomar) un billete antes de (subir) al coche. 11. Siento mucho que los viajeros (tener) que quedarse de pie. 12. No creo que esta situación (tener) remedio. 13. María quiere (casarse) con un joven muy guapo. 14. Pedro insiste en que él y su novia (pasar) su luna de miel en Madrid. 15. ¿ No hay ningún tren que (salir) más temprano que éste ?

D. Choose the relative pronoun which correctly completes the following sentences:
1. El hombre (que, quien) nos visita, es mi tío. 2. María estudia el alemán, (lo cual, cual, quien) me gusta mucho. 3. La universidad en (que, quien, lo que) trabajo, tiene muchos profesores. 4. No hemos encontrado (lo que, que) buscábamos. 5. El muchacho con (que, lo que, quien) fuimos al cine, se llama Pedro. 6. El señor Pérez, de (quien, que) acabamos de hablar, es de España. 7. El padre de Elena, (quienes, lo cual, el cual) es taquillero, nos vendió los billetes. 8. ¿ Quiénes son esos jóvenes (que, quien, las que) nos están mirando ? 9. ¿ Sabe Vd. (que, lo que) ha hecho Juan ? 10. La muchacha a (que, quienes, quien) vimos esta mañana, es mi prima. 11. La señora Ramírez, (quien, cuya, de quien) hija estudia en Madrid, es muy simpática. 12. (Que, Lo que, Quién) veo es interesante.

E. Supply suitable relative word or words:
1. El hombre con _____ Vd. me vió ayer, es mi tío. 2. Los jóvenes _____ están cerca de Pedro, son sus amigos. 3. ¿ Recuerda Vd. _____ ha visto ? 4. La silla en _____ Vd. está sentado, es de Francia. 5. A Enrique no le gusta hacer _____ es difícil. 6. La hija del señor Fajardo, _____ llegó ayer (i.e., la hija), es muy bonita. 7. Está lloviendo, _____ nos molesta mucho. 8. Aquélla es la ventana desde _____ veremos mejor. 9. ¿ Ha visto Vd. a las señoras con _____ fuimos al mercado ? 10. Elena, con _____ conversamos esta mañana, irá a Chile. 11. ¿ Le gustan las casas entre _____ se encuentra la nuestra ? 12. ¡ Qué suerte tienen los viajeros _____ asientos son cómodos ! 13. Juan, _____ se quejaba del almuerzo, salió sin comer. 14. El hombre delante de _____

queda un asiento libre, parece cansado. 15. ¿ Es importante el rancho cerca de _____ viven Vds.?

F. Make one sentence out of two, using a relative pronoun to do so. Omit or add any word necessary to make the sentence correct.

   e.g.       Mi padre es abogado. Está en Chile.
           Mi padre, *que* está en Chile, es abogado.

1. Mi abuelo lee un periódico. Es muy viejo. 2. La amiga de Felipe vive cerca de nosotros. Tiene quince años. 3. Las alumnas estudian bien. Siempre saben la lección. 4. El hombre acaba de subir al tren. Irá a Panamá. 5. Me despido de mis amigos. Conozco a sus padres. 6. Los viajeros están de pie. Parecen muy cansados. 7. El pasajero ha salido. Le vimos esta tarde. 8. María tiene tres hermanos. Vd. los conoce muy bien.

G. Compose five short original sentences using a relative pronoun in each.

H. Dictation of *Un viaje en ferrocarril*.

I. Review *Un viaje en ferrocarril*. Answer in Spanish:
1. ¿ Dónde espera mucha gente? 2. ¿ Qué es un taquillero? 3. ¿ Qué clase de billete compré? 4. ¿ Dónde vive Ricardo? 5. ¿ Cómo quedé al saber que iba a hacer el viaje? 6. ¿ Qué voy a leer mientras espero el tren? 7. ¿ Cómo está la sala de espera? 8. ¿ De qué se quejaban los pasajeros? 9. ¿ Qué hace Vd. cuando llega temprano a la estación del ferrocarril? 10. Cuando Vd. hace un viaje en tren, ¿ cuánto equipaje suele llevar? 11. A Vd. ¿ qué le gusta leer cuando viaja en tren? 12. ¿ Cuántas estaciones de ferrocarril hay en esta ciudad? 13. Si hay más de una estación, ¿ cuál es la mejor? 14. ¿ Cómo encuentra Vd. el servicio de los ferrocarriles?

J. Prepare two sentences using each of the following: *estar de pie, delante de, junto a, la sala de espera*.

K. Prepare a short talk (not less than one minute) on one of the following:
1. *Un viaje en tren.*
    (Where were you going? Was it a business trip or for pleasure? How much baggage did you have? Did you have to buy your own ticket? Did you have a good seat? Who were some of the other passengers? Did you meet anyone new? Did anything special happen? When did you arrive? etc.)

2. *Mi primer viaje en ferrocarril.*
    (How old were you? Did you go alone? How much did the ticket cost? Did you get a round-trip ticket? What was your first impression? Do you like to travel this way? Did you eat on the train? Have you ever been on one since? etc.)

L. Prepare also four questions referring to what you have said and which the rest of the class will answer. Don't forget to use past tenses, subjunctive, and relative pronouns wherever you can.

M. Give the Spanish for:
1. My brother is standing next to the ticket window. 2. Enrique's uncle, who is a lawyer, is very old. 3. Consuelo failed the examination, which makes her extremely sad. 4. It was the examination for which she had studied all last week. 5. That is the man of whom we were talking yesterday. 6. What you say is interesting, but I don't believe it. 7. He who has enough money, is lucky. 8. Do you know anyone whose house is for sale? 9. Summer is the season during which we have the longest vacation. 10. Whose ticket is this? I found it in the magazine that I was reading.

# EL CUMPLEAÑOS DE MI MADRE

## VOCABULARIO

la **aceituna** olive
el **asunto** matter, affair
la **botella** bottle
la **caja** box, chest
la **canasta** basket
los **comestibles** provisions, things to
    eat
los **dulces** candy
el **emparedado** sandwich
    **esconder** to hide, conceal
    **festejarse** (con) to feast (on)
el **jamón** ham
    **para que** so that, in order that
el **pastel de coco** coconut cake
el **plátano** banana
    **ponerse** to set (*said of the sun*)
el **queso** cheese

el **refrigerador** refrigerator
    **sacar** to take out
el **sol** sun
    **sorprender** to surprise
el **sótano** cellar, basement

## MODISMOS

**a más tardar** at the latest
**a menos que** unless
**antes (de) que** before
**con tal (de) que** provided that
**detrás de** behind
**por completo** completely
**tener la intención de** (*plus inf.*) to
    intend; have the intention of
**todo lo posible** everything possible

## El cumpleaños de mi madre

Mañana es el cumpleaños de mi madre y haremos todo lo posible para que ella tenga un cumpleaños muy feliz. Hemos pensado darle una sorpresa. Tenemos la intención de hacer una excursión al campo si hace buen tiempo. Hemos preparado todas las cosas con mucho cuidado. Queremos sorprenderla por completo.

En el sótano, detrás de unas cajas grandes, hemos escondido unas canastas llenas de comestibles que vamos a llevar, y mañana temprano, antes de que ella se despierte, llevaremos las canastas al coche. Cuando

**267**

ella se levante todo estará listo. Nos festejaremos con aceitunas, manzanas, plátanos, emparedados de jamón y queso, pastel de coco, limonada, y unas botellas de leche que sacaremos del refrigerador antes de salir. Además, cuando vengan mi hermano Federico y su esposa Inés, que también irán con nosotros, traerán dulces y tal vez más emparedados. Pensamos salir de aquí a más tardar a las nueve y, a menos que llueva, nos quedaremos en el campo hasta que se ponga el sol. Cuando regresemos daremos a mi madre los regalos que hemos comprado para ella y si no está cansada probablemente la llevaremos al cine por la noche.

### Conversación

*Alicia, en la tienda de comestibles.*

— Señor Juárez, ¿ quiere Vd. ponerme en esta canasta un kilo de queso, doce emparedados de jamón, cuatro botellas de leche, seis de limonada, dos cajas de dulces variados, aceitunas, manzanas, plátanos, peras . . . ?

— ¡ Eh ! ¿ Y para qué quieres todos esos comestibles ? A menos que tengan Vds. visitas . . .

— Mire, don Andrés, mañana es el cumpleaños de mamá y queremos darle una sorpresa. Tenemos la intención de pasar el día en el rancho de mi primo José y hacer todo lo posible para que mamá tenga un feliz cumpleaños.

— Bueno. Te lo enviaré todo a las seis de la tarde, a más tardar.

— No, no, por favor. Como queremos sorprender a mamá, yo llevaré la cesta y la esconderé en el sótano, detrás de unas cajas grandes. Mire, don Andrés, lo que pensamos hacer. Antes de que ella se despierte iremos a su dormitorio y le diremos: — ¡ Feliz cumpleaños, mamá ! — y le daremos los regalos que le hemos comprado.

— El sol se ha puesto con muchas nubes. ¡ Con tal que no llueva !

— No lo creo, a menos que el tiempo cambie. Pensamos salir a las siete de la mañana, a más tardar. Vendrán con nosotros mi primo Rafael y su esposa, quienes también traerán dulces, emparedados, y un gran pastel de coco que ella ha preparado para regalar a mi madre. Lo hemos preparado todo con mucho cuidado para que mamá no se entere.

— Bueno, Alicia, aquí tienes un pequeño regalo mío para tu mamá.

— ¡ Muchas gracias, don Andrés ! Vd. es muy amable.

— De nada, Alicia; feliz viaje y alegre fiesta.

## *VOCABULARIO SUPLEMENTARIO*

*Did you guess the meaning of these words correctly ?*

**la cesta** basket
  **de nada** don't mention it
  **don** *title of respect used with given names*

**enterarse** to find out
**el kilo**(gramo) kilogram (*2.2 pounds*)
**la nube** cloud

### Gramática

I. **The subjunctive with expressions of purpose and the like.** The subjunctive is used after expressions that show purpose, restriction (i.e., *unless*), or concession. Below is a list of expressions always followed by the subjunctive. Memorize them.

| | |
|---|---|
| **a condición (de) que** | on condition that |
| **a menos que** | unless |
| **antes (de) que** | before |
| **con tal (de) que** | provided that |
| **para que** | so that, in order that |
| **sin que** | without (*my knowing it*, etc.) |
| **en caso (de) que** | in case |

Pedro me dará el dinero, **a condición (de) que** yo le **ayude.**
No podré hacerlo **a menos que** Vd. me lo **enseñe.**
Lo terminaremos mañana, **con tal (de) que** nadie nos **moleste.**
Juan habla lentamente **para que** José le **comprenda.**
Saldrán **sin que** Vd. los **vea.**
**En caso (de) que venga** María, no le diré nada a Juan.

**Aunque** (*although*) is followed by the subjunctive if the action expressed has not yet taken place. If the action is actually going on, or if it happened in the past, the indicative is used after **aunque.**
Compare:

| | |
|---|---|
| Voy a salir aunque **llueve.** | (Indicative: it is happening right now.) |
| Voy a salir aunque **llueva.** | (Subjunctive: it may happen later.) |

II. **The subjunctive with expressions of time.** The subjunctive is required after certain expressions of time when they refer to an action not yet accomplished. Otherwise, they are followed by the indicative. The most common expressions of this kind are:

| | | | |
|---|---|---|---|
| **así que** | as soon as | **hasta que** | until |
| **en cuanto** | as soon as | **mientras (que)** | while |
| **luego que** | as soon as | **después (de) que** | after |
| **cuando** | when | | |

Compare:

Saldremos **así que** (**en cuanto, luego que**) llegue Pedro. (Subjunctive: hasn't taken place yet.)

Salimos **así que** llegó Pedro. (Has already happened; past time)

Los niños estarán allí cuando **lleguemos.** (Why subjunctive?)

Los niños estaban allí cuando **llegamos.** (Why indicative?)

Me quedaré aquí **hasta que vuelva** mi hermano. (Why subjunctive?)

Me quedé aquí **hasta que volvió** mi hermano. (Why indicative?)

## Ejercicios

A. Read *El cumpleaños de mi madre* aloud at least twice for pronunciation.

B. The instructor will explain the poem below. Memorize:

*La vida*
La vida es dulce o amarga;
Es corta o larga ¿ qué importa?
El que goza la halla corta,
Y el que sufre la halla larga.
— Ramón de Campoamor

C. Change to the tenses indicated:
1. Este regalo me sorprende (*pret.; pres. perf.*).
2. ¿ Dónde ha escondido Vd. la cesta (*fut.; pret.; past perf.*)?
3. Es preciso llevar la caja (*fut.; imperf.*).
4. Mi padre se queja de las aceitunas (*pres. perf.; cond.*).
5. ¿ Quién trae dulces (*pret.; past perf.*) ?

D. Conjugate the second verb, repeating with each form the preposition, conjunction, or adverb that precedes it:

1. José vendrá a las ocho para que (yo) lo termine pronto. 2. María entra sin que (yo) la vea. 3. Me darán la botella a condición de que (yo) no diga nada. 4. Ana saldrá así que (yo) llegue. 5. Mi padre estará contento cuando (yo) lo sepa bien.

E. Use one of the expressions in Gramática I of this lesson or an appropriate time expression to complete the following:

1. Puedo ir al cine _____ (yo) prepare bien la lección. 2. Traeré el queso _____ pueda encontrarlo. 3. Vamos a comer unos emparedados _____ Elena se despierte. 4. Iremos al cine con Juan _____ (él) se divierta un poco. 5. Pondremos la leche en el refrigerador _____ regresemos.

F. Compose five original sentences using the expressions in Gramática I of this lesson or a time expression requiring the subjunctive.

G. Give the proper form of the verb in parentheses:
1. Tengo la intención de (ir) de compras para (buscar) unos guantes nuevos. 2. Es lástima que Vd. (haber) escondido los dulces porque ahora yo no (poder) encontrarlos. 3. ¿Quiere Vd. (vender) su refrigerador? 4. Mi amigo prefiere que yo (probarse) estos zapatos. 5. Haré el viaje con Vd. a condición de que Vd. (permitir) que yo (comprar) los billetes. 6. María insiste en (subir) al tren ahora. 7. ¿Tiene Vd. la intención de (esperar) hasta que (llegar) Manuel? 8. Tomaremos el tranvía para que no (costar) tanto el viaje. 9. ¿Conoce Vd. a alguien que (vender) tomates? 10. No hay nadie que (ser) tan fuerte como Pedro.

H. Dictation of *El cumpleaños de mi madre.*

I. Review *El cumpleaños de mi madre.* Answer in Spanish:
1. ¿Por qué es importante mañana? 2. ¿Qué intención tenemos? 3. ¿Dónde están las canastas ahora? 4. ¿Qué haremos con las canastas mañana? 5. ¿Qué sacaremos del refrigerador? 6. ¿Qué traerán Federico e Inés? 7. ¿Cuánto tiempo nos quedaremos en el campo? 8. ¿Cuándo recibirá mi madre sus regalos? 9. ¿Cómo celebran Vd. y sus parientes los cumpleaños familiares? 10. ¿Cuándo es el cumpleaños de la madre de Vd.? 11. ¿Cómo sorprende Vd. a sus parientes el día de su cumpleaños? 12. ¿Qué lugares cerca de aquí son buenos para las excursiones al campo? 13. ¿Cómo hay que preparar una sorpresa? 14. ¿A qué hora prefiere Vd. empezar una excursión al campo?

J. Prepare two sentences using each of the following: *a más tardar, por completo, todo lo posible, tener la intención de.*

K. The class will be divided into small groups. Each group will prepare a conversation on one of the following:
1. *Una sorpresa para algún amigo.*
2. *Pasemos la tarde en el parque.*
3. *Vamos al campo a tomar el almuerzo.*

L. Give the Spanish for:
1. I'll be glad to go, provided you go with me. 2. Teachers work so that others may learn. 3. Don't do anything until Cristóbal arrives. 4. Can you leave without Alicia's knowing it? 5. The class began as soon as Professor Machado arrived. 6. I'd like to read that book after Mrs. Álvarez finishes it. 7. We never play baseball when it is raining. 8. They want to do everything possible before the sun sets. 9. The children will feast on these bananas unless you put them in the refrigerator. 10. Let's get ready now. Take the olives and sandwiches out of the refrigerator and put them in the basket, in case they come early.

# *Lección* 29

## UN ENCUENTRO AFORTUNADO

## *VOCABULARIO*

afortunado fortunate, lucky
el apunte note (*taken in class, etc.*)
el artículo article
aún still, yet
los datos information, data
el diccionario dictionary
el encuentro meeting, encounter
firmar to sign
hacerse to become
el héroe hero
la historia history; story
listo ready (*with* estar)
lo más importante the most important (thing)
el mío, la mía, los míos, las mías mine
moreno dark, brunet (*complexion*)
la nota mark, grade
ofrecer (*conjugated like* conocer) to offer
el periódico newspaper

preocupado preoccupied, worried
publicarse to be published
la razón reason
repasar to review, study again
seguidos consecutive, in a row
el semestre semester
sudamericano South American
la taza cup
el trabajo work; report, term paper
único only (*adj.*)

### *MODISMOS*

al cabo de at the end of, after
a poco de a short while after
claro of course
claro que of course
dar con to (happen to) meet, find
hacer (*plus inf.*, *or* que *and subj.*) to have (*something done*), cause (*something to be done*)
tener éxito to succeed

### *Un encuentro afortunado*

El jueves pasado, mientras tomaba una taza de café en el « Café París », entró un hombre que me sorprendió muchísimo. Él se sentó en una mesa cerca de la mía. Me sorprendió porque se parecía tanto a Salvador, el hermano de mi novia. Era joven, alto, moreno y bastante simpático. Al cabo de un rato nos hicimos amigos;

**272**

le invité a que viniera a mi mesa, pero él me pidió que fuera a la suya. Fuí a sentarme a su mesa y comenzamos a conversar. Yo le dije que me sentía un poco preocupado y algo triste porque tenía que escribir para el periódico de la Universidad un artículo sobre Simón Bolívar, el gran héroe sudamericano; que necesitaba muchos datos, que ya había pasado varias horas en la biblioteca escribiendo apuntes y repasando fechas importantes, y que aún no podía escribir nada. Esto no era todo: lo más importante era que ese artículo sería el primer trabajo mío que iba a publicarse, y, claro, era muy importante para mí hacer algo muy bueno. Él me ofreció su ayuda. Fuimos a su casa donde trabajamos durante tres horas seguidas. Creo que, por fin, mi artículo quedó perfecto, porque tuvo muy buen éxito. Claro que se lo debo todo a la ayuda de ese señor, con quien dí en el café. No era nada menos que el nuevo profesor de historia de la Universidad. Era su primer día de trabajo. ¡ Qué encuentro más afortunado ! ¡ Nunca podré olvidarlo !

### Conversación

— ¿ Cómo está, Raúl ? ¡ Qué encuentro más afortunado !

— ¡ Al fin he dado con Vd., amigo mío ! ¿ Dónde ha estado durante todo este semestre ?

— Venga, se lo contaré todo mientras tomemos una taza de café. Nos sentaremos a esta mesa, lejos del ruido de la calle. Este semestre he estado muy preocupado preparando unos artículos sobre la vida de José de San Martín, el libertador de la Argentina, Chile y el Perú. Este trabajo, lo he ofrecido a un diario sudamericano muy importante.

— ¡ Qué interesante es todo eso ! Yo creo que mi amigo Luis podría darle algunos datos sobre ese héroe sudamericano; claro que Vd. habrá repasado las fechas más importantes de la historia argentina.

— Sí, es un trabajo difícil, pero al cabo del semestre, ya tendré listos todos los artículos, y no tardarán en publicarse, a menos que haya que arreglarlos algo.

— Usted tendrá éxito. ¡ Ah ! Vd. no conoce a mi amigo Luis Menéndez, ¿ verdad ? Se le presentaré. Éste es su café favorito; siempre viene aquí. Pero aún es temprano. A poco de conocerle supe que no era nada menos que profesor de historia en la Universidad de Colombia. Él es moreno, joven, alto, y sorprende a sus amigos por su inteligencia. Él tendrá apuntes muy importantes y le ayudará a repasar sus notas.

(*Mira por la ventana.*) Pero ... allí viene. (*Luis llega.*) Luis, le presento el señor Eduardo González, el único estudiante mexicano de esta universidad.

— Mucho gusto — dice Luis.

— El gusto es mío, señor.

Raúl le explica a Luis el asunto de Eduardo, y al cabo de un momento Luis pregunta:

— ¿ Cuándo se publicarán sus artículos ?

— No lo sé aún; pero espero que se publiquen pronto.

— Yo le ayudaré en lo que pueda, no se preocupe. Vamos a comparar sus apuntes con los míos.

— ¡ Magnífica idea ! — dice Eduardo.

— ¡ Ah ! sí, ya veo. Tome su lápiz y escriba estos datos.

— Muy bien, estoy listo.

— Bueno, amigos míos — dice Raúl, — yo tengo que trabajar. ¡ Hasta luego !

— ¡ Hasta pronto !

## VOCABULARIO SUPLEMENTARIO

*Did you guess the meaning of these words correctly ?*

**arreglar** to change; adjust
**comparar** to compare
el **diario** daily newspaper
**explicar** to explain
**favorito** favorite

al **fin** at last
el **libertador** liberator
**preocuparse** to worry
**tardar en** (*plus inf.*) to be long in

## *Gramática*

I. **Possessive pronouns.** The possessive pronouns are composed of the definite article and the stressed forms of the possessive adjectives (see Lección 5). Both the article and the adjective agree in gender and number with the antecedent (i.e., the thing possessed).

| SINGULAR | PLURAL | |
|---|---|---|
| el mío, la mía | los míos, las mías | mine |
| el tuyo, la tuya | los tuyos, las tuyas | yours |
| el suyo, la suya | los suyos, las suyas | his, hers, yours |
| el nuestro, la nuestra | los nuestros, las nuestras | ours |
| el vuestro, la vuestra | los vuestros, las vuestras | yours |
| el suyo, la suya | los suyos, las suyas | theirs, yours |

El libro de Juan y **el mío.**
(**El** and **mío** agree with the antecedent, **libro.**)
La casa del tío Pablo y **la nuestra.**
No vió a mi amigo, ni **al suyo.**

The exact reference of **el suyo,** etc., may be made clear by replacing
**suyo,** etc., with **de él, de ella, de Vds.,** etc.

Mi libro y el **suyo.** *or:* el de Vd. (de él, de ella, etc.)
Visitan nuestra casa y la **suya.** *or:* la de él (de Vd., de ellos, etc.)

**II. Diminutives and augmentatives.** Diminutives and
augmentatives are so frequently used in Spanish that the elementary
student should be familiar with a few of these forms.

A. **Diminutives.** Diminutives ordinarily express smallness of size,
affection or endearment, and sometimes scorn and pity. They are
formed by adding certain endings to a noun or adjective. Two very
common such endings are: **–ito** and **–ecito.** When the noun or
adjective ends in a vowel, this final vowel is dropped and is replaced
by the proper form of a suitable diminutive ending.

| | | |
|---|---|---|
| Juan | **Juanito** | *said with affection* |
| casa | **casita** | little house |
| camas | **camitas** | little beds |
| padre | **padrecito** | *said with affection* |
| pobre | **pobrecita** | poor thing |

B. **Augmentatives.** Augmentatives usually express largeness of size
or ridicule of some kind. They are formed in the same way as diminutives. Some of the commonest augmentative endings are:
**–ón (–ona)** and **–azo (–aza).**

| | | |
|---|---|---|
| mano | **manaza** | big hand; awkward hand |

**III. Formation of the past subjunctive.** The past
subjunctive is formed by dropping **–ron** from the third person plural
of the preterit and adding to what remains either of the following sets
of endings (these forms are interchangeable, but the **–ra** forms are
somewhat more usual):

1. **–ra, –ras, –ra, ́–ramos, –rais, –ran**
2. **–se, –ses, –se, ́–semos, –seis, –sen**

## −ra forms

| hablar | | comer | | vivir | |
|--------|--------|--------|--------|--------|--------|
| hablara | habláramos | comiera | comiéramos | viviera | viviéramos |
| hablaras | hablarais | comieras | comierais | vivieras | vivierais |
| hablara | hablaran | comiera | comieran | viviera | vivieran |

## −se forms

| hablar | | comer | | vivir | |
|--------|--------|--------|--------|--------|--------|
| hablase | hablásemos | comiese | comiésemos | viviese | viviésemos |
| hablases | hablaseis | comieses | comieseis | vivieses | vivieseis |
| hablase | hablasen | comiese | comiesen | viviese | viviesen |

IV. **Formation of the past perfect subjunctive.** The past perfect subjunctive is made up of the past subjunctive (either −ra or −se forms) of **haber** and the past participle of the main verb.

| | | |
|--------|--------------|------------------------|
| hubiera | (hubiese) | hablado (comido, vivido) |
| hubieras | (hubieses) | hablado |
| hubiera | (hubiese) | hablado |
| hubiéramos | (hubiésemos) | hablado |
| hubierais | (hubieseis) | hablado |
| hubieran | (hubiesen) | hablado |

## *Ejercicios*

A. Read *Un encuentro afortunado* aloud at least twice for pronunciation.

B. Conjugate the second verb, repeating the entire sentence with each form:
1. María quería que (yo) lo firmara. 2. Luisa dudaba que (yo) rompiera el vaso. 3. Elena sentía que (yo) hubiera salido. 4. Pedro insistía en que (yo) estuviera aquí. 5. Pablo temía que (yo) lo escondiera.

C. Change the verb to the tense indicated:
1. Elena ha sorprendido a su madre (*pret.; imperf.*).
2. Los alumnos repasan esta lección (*fut.; pres. perf.; pret.*).
3. No vale la pena esperar a Pedro (*pret.; pres. perf.*).
4. Damos con el diccionario en la mesa (*fut.; past perf.*).
5. Vd. rompió el lápiz (*pres. perf.; cond.*).
6. Firmamos la tarjeta de José (*pres. subj.; fut.*).

D. Give the proper form of the verb in parentheses:
1. Pedro necesita un lápiz para (escribir) su lección de historia.
2. ¿ Quiere Vd. que Juan (firmar) este artículo ? 3. El maestro insiste

en que Vds. (repasar) la cuarta lección. 4. Saldré bien en mis exámenes con tal que yo no (quejarse) de mis profesores. 5. María no desea (despedirse) de sus amigos. 6. Estoy contento de que Pedro no (haber) roto mi lápiz, sino el suyo. 7. Juan y yo vamos a (buscar) un diccionario para que (aprender) más fácilmente las palabras nuevas. 8. Iremos al baile esta noche aunque (llover). 9. Tengo la intención de (pasar) algunos días al campo sin que nadie me (molestar). 10. Es probable que Pedro (haber) perdido sus apuntes porque ahora me (pedir) los míos.

E. Tell whether the diminutives in the sentences below indicate size, affection, pity, scorn, etc.:

1. Los recién casados no necesitan más que una casita. 2. Dígame, viejito, ¿ qué hay de nuevo? 3. Tomaré un vasito de agua. 4. Vd. me parece preocupado, Juanito. 5. La hijita de la señora González no es simpática; es una persona mala. ¡ Pobrecita!

F. Replace the words in italics with possessive pronouns:
1. Mis apuntes y *sus apuntes*. 2. Sus vecinas y *nuestras vecinas*. 3. Su artículo y *tu artículo*. 4. Su revista y *mis revistas*. 5. Tu canasta y *nuestra canasta*. 6. Su trabajo y *mi trabajo*. 7. Nuestros emparedados y *sus emparedados*. 8. Sus dulces y *nuestros dulces*. 9. Mi promesa y *su promesa*. 10. Nuestra máquina y *sus máquinas*.

G. Replace the words in italics with possessive pronouns:
1. Yo voy a México para mis vacaciones. ¿ A dónde irá Vd. para *sus vacaciones?* 2. Los primos de María llegaron ayer y *mis primos* llegarán mañana. 3. Vd. se despidió de sus amigos y nosotros nos despedimos de *nuestros amigos*. 4. No limpiemos ni su cuarto ni *mi cuarto*. 5. Nuestro trabajo no es tan difícil como *su trabajo*. 6. Su casa está más cerca de la biblioteca que *nuestra casa*. 7. Su sombrero es más pequeño que *mi sombrero*. 8. José conoce bien a mi novia pero yo no conozco a *su novia*. 9. ¿ Le gusta a Vd. tanto leer sus artículos como *mis artículos?* 10. Siempre firmo mis cartas; no firmo nunca *sus cartas*.

H. Make the necessary changes to clarify the exact meaning of *el suyo, los suyos*, etc., in G.

I. Dictation of *Un encuentro afortunado*.

J. Review *Un encuentro afortunado*. Answer in Spanish:
1. ¿ Dónde tomaba café el jueves pasado? 2. ¿ A quién se parecía el hombre? 3. ¿ Cómo es Salvador? 4. ¿ Por qué estaba preocupado yo? 5. ¿ Qué hacía yo en la biblioteca? 6. ¿ Por qué era tan importante el artículo? 7. ¿ A dónde fuimos al salir del café? 8. ¿ Cuánto tiempo pasamos trabajando? 9. ¿ Cómo recibieron mi artículo? 10. ¿ Quién era el señor que me ayudó? 11. ¿ Cómo se llama el café que más le

gusta a Vd. ? 12. ¿ Qué hombre famoso tiene más interés para Vd. ?
13. ¿ Qué clase de artículo prefiere Vd. ? 14. ¿ A dónde va Vd. a buscar
datos ?

K. Prepare two sentences using each of the following: *poco a poco, dar con,
detrás de.*

L. The class will be divided into small groups. Each group will prepare a
conversation on one of the following:
1. *Un artículo interesante.*
2. *Un trabajo importante.*
3. *Algún héroe nacional.*

M. Give the Spanish for:
1. Have you finished your letter ? I still haven't signed mine. 2. Emilia
and her aunt are neighbors of ours. 3. He hopes that your book will
be successful. 4. Our house isn't as pretty as theirs. 5. A good dictionary gives us a great deal of information. 6. She wants her article
to be published this year. 7. We deny that your teachers are better
than ours. 8. Alberto has just married a friend of mine. 9. May I
read your notes tonight ? Mine are not good. 10. *El Tiempo* is the only
newspaper that is published here.

## EL CORREO

### VOCABULARIO

**acordarse (ue) (de)** to remember
**alcanzar** to reach, overtake
**el buzón** mailbox
**la casa de correos** post office
**cenar** to have supper
**copiar** to copy
**el correo** mail
**el correo aéreo** air mail
**debiera** (*plus inf.*) I (he, she, you [**Vd.**]) should, ought
**el dinero** money
**el escrito** written work; writing
**gastar** to spend (*money*)
**la hoja** sheet (*of paper*)
**indudablemente** undoubtedly
**la letra** handwriting; letter (*of the alphabet*)
**la librería** bookstore
**mandar** to send
**la máquina de escribir** typewriter
**la mesa** desk
**meter** to put (*something into something else*), insert
**la pluma** pen

**la pluma fuente** fountain pen
**la promesa** promise
**prometer** to promise
**quisiera** I (he, she, you [**Vd.**]) would like
**el sello** stamp
**el sobre** envelope
**el timbre** stamp
**la tinta** ink
**el viaje de negocios** business trip

### MODISMOS

**cuanto antes** as soon as possible
**dejar de** (*plus inf.*) to fail to; to stop (*doing something*)
**dentro de** within
**de regreso** on the way back
**echar a perder** to spoil, ruin
**echar al buzón** to put in the mailbox
**echar al correo** to mail
**frente a** opposite, facing
**¡ ojalá (que)...!** I wish (that), would that...!

### El correo

Mi padre está haciendo un viaje de negocios por varios lugares del país. Antes de salir me dijo que no dejara de escribirle y claro, yo así le prometí hacerlo. Esta noche le escribiré una carta y mañana se la mandaré por correo aéreo. Me será bastante fácil acordarme de que tengo que echarla al buzón porque la casa de correos está frente a la escuela. De regreso a casa iré a la librería a comprar una pluma fuente nueva, pero ahora no puedo gastar más dinero. ¡ Ojalá pudiera comprar también una máquina de escribir! ¡ Qué importante es el dinero y cuántas cosas se pueden comprar con él!

Después de cenar me sentaré a la mesa de mi padre para empezar la carta. Indudablemente echaré a perder bastantes hojas de papel porque mi letra es muy mala; muchas veces no es posible leer lo que escribo y tengo que copiar mis escritos dos o tres veces. Si tuviera una máquina de escribir no me pasaría esto. Cuando termine la carta la meteré en un sobre; luego escribiré la dirección de mi padre y le pondré un sello de correo aéreo. Si la envío por correo aéreo debe llegarle dentro de tres días. Quisiera que él regresara cuanto antes porque le echo muy de menos.

### Conversación

— Carmen, ¿ quisiera Vd. decirme en qué calle está el correo?

— En la próxima esquina, por esta misma calle. ¿ Por qué?

— Porque tengo que mandar esta carta por correo aéreo. Mi padre está haciendo un viaje de negocios en estos días y quiere que le escriba a menudo. Como yo necesito dinero para comprar una máquina de escribir, quisiera que la carta llegara cuanto antes a sus manos. ¿ Entiende, Carmen?

— Y por qué no la echó al buzón que está frente a su casa?

— Si hubiera tenido sobres la habría echado allí, pero no me acordé de comprar sobres. Ahora al pasar por la librería antes de entrar en el correo, compraré tinta, sobres, plumas y papel para escribir cartas. En el correo compraré sellos.

— Tal vez tenga que enviar la carta certificada. Si yo fuera Vd. la certificaría.

— No, va con solamente diez centavos de timbres. Voy a comprar mucho papel, porque he prometido a mi padre escribirle dos veces por semana. Como mi pluma fuente es vieja, la letra no es muy clara y gasto muchas hojas de papel.

— Aquí está la casa de correos. Yo también necesito sellos, pero no tengo dinero en este momento.

LECCIÓN TREINTA

— No se preocupe, Carmen. Yo compraré timbres para Vd. y para mí. Aquí, sobre esta mesa, meteré la carta en su sobre, y escribiré la dirección de mi padre, pondré el sello de correo aéreo, y dentro de tres o cuatro días esta carta llegará a mi padre que ahora espero esté en el Perú.

— ¡ Cómo echará de menos a su padre ! ¿ No es cierto, Pedro Miguel ?

— Claro que le echo de menos. Quisiera que regresara cuanto antes de su viaje. ¡ Ay ! Mire, Carmen. He echado a perder el sobre con esta pluma. Mi letra es mala y la pluma es vieja. ¡ Qué combinación ! ¡ Ojalá tuviera una máquina de escribir ! Tendré que copiar la dirección en otro sobre. ¿ Quiere prestarme su pluma fuente un momento, por favor ?

— Aquí la tiene. ¡ Ojalá que tenga suficiente tinta !


*VOCABULARIO SUPLEMENTARIO*

*Did you guess the meaning of these words correctly ?*

**certificar** to register
**la combinación** combination

**el correo** post office
**preocuparse** to worry


## *Gramática*

I. **Sequence of tenses with the subjunctive.** In dependent clauses that use the subjunctive, the present subjunctive is generally used after the present, future, present perfect, or future perfect tense in the main clause.

| | |
|---|---|
| **Dudo** que Juan **esté** aquí. | (What tense is **dudo**?) |
| No **querrá** que **lleguemos** temprano. | (What tense is **querrá**?) |
| **He dudado** que **venga** Vd. | (What tense is **he dudado**?) |
| **Habremos llegado** antes de que **salga** Vd. | (What tense is **habremos llegado**?) |

The past or past perfect subjunctive is required after any of the past tenses (preterit, imperfect, or past perfect tenses), and after the conditional.

Juan les **pidió** que lo **hicieran** en seguida. (What tense is **pidió**?)
Me **gustaría** que me **ayudase** Vd. (What tense is **gustaría**?)
María **había querido** que lo **comprásemos**. (What tense is **había querido**?)
Pedro no **creía** que **hubiéramos visitado** a Jorge. (What tense is **creía**?)

However, after a present tense, when the action expressed in the dependent clause is past, the present perfect subjunctive or the past subjunctive is used.

> **Siento** que no **llegasen** a tiempo.
> **Se alegra** de que los **hayamos visto.**

**II. Special uses of the past subjunctive.** The past (or past perfect) subjunctive must be used after **si** (*if*):

A. To express something that is contrary to fact (i.e., not true) at the present time, or something that was contrary to fact in the past:

> **Si yo fuera** Vd., estudiaría más.  If I were you (which I'm not), etc.
> **Si él hubiese llegado** ayer, habría visto a María.

B. To express something that is not expected to happen but which *might* happen at some time in the future:

| | |
|---|---|
| Si **ella viniera** mañana, tendríamos mucho gusto en verla. | If she should (were to) come tomorrow (which she probably won't), etc. |
| Si **lloviese** esta tarde, me quedaría en casa. | If it should rain this afternoon, etc. |

Note that in both A and B, the main clause (or "result clause") regularly uses the conditional, or conditional perfect.

**III. Quisiera, debiera.** The past subjunctive (–ra form) of **querer** or **deber** is often used to make a "softened" or more polite statement of a wish or an obligation.

Compare:

| | |
|---|---|
| **Quiero** que me ayude Vd. | I want you to help me. |
| **Quisiera** que me ayudara Vd. | I wish you would help me, *or* I'd like you to help me. |
| | |
| **Quiero** hacerlo. | I want to do it. |
| **Quisiera** hacerlo. | I would like to do it. |
| | |
| **Deben** estudiar más. | They must study more. |
| **Debieran** estudiar más. | They should (ought to) study more. |

**IV. ¡ Ojalá (que) ...!** The use of **¡ ojalá (que) ...!** (*would that, I wish that, I hope that*) before a dependent clause requires the past subjunctive if the idea to be expressed is something contrary to fact; and the present subjunctive if only hope for the future is expressed.

| | |
|---|---|
| ¡ **Ojalá que** no **llueva** esta tarde ! | (Referring to the future) |
| ¡ **Ojalá que estuviera** aquí ! | (Contrary to fact) |

## *Ejercicios*

A. Read *El correo* aloud at least twice for pronunciation.

B. The instructor will read the following verses several times.  Memorize:

### *Después del primer sueño*

Se casaron los dos, y al otro día
la esposa, con acento candoroso,
al despertar, le preguntó al esposo:
« ¿ Me quieres todavía ? »
— Ramón de Campoamor

C. Putting the first verb in the imperfect, change the form in parentheses as required:

1. No quiero que Vd. (se marche). 2. Es lástima que Juan no me (mande) la carta. 3. Vd. no nos permite que (charlemos) aquí. 4. Esperamos a Pedro en caso que (venga). 5. Manuel me pide que (me acuerde) de él.

D. Give the first verb in the present indicative and change the form in parentheses as required:

1. Juan quería que yo le (ayudara). 2. María tenía la intención de esperar hasta que (llegase) su madre. 3. Era posible que Vd. me (alcanzase) en seguida. 4. Vd. insistió en que (nos acordáramos) de esa fecha. 5. Me dió un sello para que yo (pudiera) mandar la tarjeta en seguida.

E. Complete the following contrary-to-fact sentences with the proper form of the verb in parentheses:

1. Si yo (tener) tiempo, le acompañaría a Vd. al cine. 2. Si yo (ser) Juan, no gastaría nada. 3. Si Pedro y Elena (estar) aquí, podrían cenar con nosotros. 4. Si Vd. se acostara más temprano, no (tener) sueño. 5. Si tuviéramos más dinero, (poder) comprar una máquina de escribir. 6. Si Luisa se hubiera acordado de mí, me (haber) escrito. 7. Si María (haber) gastado tanto dinero, no se lo diría a nadie. 8. Si yo hubiera copiado la lección, (salir) bien en este examen. 9. Si Vd. lo (saber), no lo haría así. 10. Si Vds. comieran menos, (tener) mejor salud. 11. Si estuviera más cerca la casa de correos, le (mandar) a Vd. una carta de vez en cuando. 12. Si Pedro (tener) hambre, cenaría de buena gana con nosotros.

Castillo de Turégano, Segovia. This forbidding mass of stone is one of the many medieval castles found in Spain, reminding us of the days when war was the chief occupation of the important men of the city.

*Spanish State Tourist Office*

Turégano, Segovia. Two widely different styles of architecture are evident in this picture: the heavily fortified medieval castle in the background as contrasted with the graceful arches of the arcade of the city square. Shops of various kinds are usually found under the arcades of such public squares.

*Spanish State Tourist Office*

The Alhambra, in Granada, is Spain's best-known Moorish building. Begun in the thirteenth century and completed about 100 years later, it was the palace of the Moorish kings, who made their last stand in Granada in 1492.

*Gendreau*

On this page are shown two views of the Patio de los Leones, or Court of Lions, in the Alhambra. Twelve conventionalized and rather unlionlike lions are seen holding up a great basin, the combination forming one of the most celebrated of all fountains. The lions' mouths had been pouring forth water for over 150 years when Columbus set sail for the New World.

*Gendreau*

F. Give the proper form of the verb in parentheses:
1. Siempre estoy cansado cuando (acostarse) tarde. 2. No cenaremos antes de que (llegar) mi padre. 3. Si Vd. (escribir) con cuidado, sería más fácil leer sus cartas. 4. ¡ Ojalá que (venir) Juan mañana ! 5. Si yo (ser) el maestro, no tendríamos exámenes. 6. Pedro corrió hasta que nos (alcanzar). 7. No queríamos que Vds. (copiar) la tarjeta. 8. Ana insistía en (mandar) la novela a Vd. 9. No salimos nunca cuando (llover). 10. Juan me dice que lo copiará así que (tener) tiempo. 11. Yo temía que Vd. no (haber) echado la tarjeta al correo. 12. Si no recibo una carta, no (escribir) ninguna. 13. Juan niega que él lo (saber). 14. Dudamos que Vds. (acordarse) de nuestro compromiso. 15. José había querido que yo lo (hacer). 16. Jorge salió del cuarto sin (ver) a nadie. 17. Será posible que Vd. me (echar) de menos este verano. 18. Me gustaría mucho (trabajar) en una librería. 19. Es preciso que Vd. (meter) esta pluma en su bolsillo. 20. Necesitamos dos hojas de papel para (terminar) este trabajo.

G. Dictation of *El correo*.

H. Review *El correo*. Answer in Spanish:
1. ¿ Qué hace mi padre ahora ? 2. ¿ Qué promesa me pidió mi padre antes de salir ? 3. ¿ Qué haré esta noche ? 4. ¿ Cómo recordaré que debo echar la carta al correo ? 5. ¿ Qué quisiera comprar ? 6. ¿ Por qué es tan importante el dinero ? 7. ¿ Cuándo me pondré a escribir la carta ? 8. ¿ Cuándo tendrá la carta mi padre ? 9. ¿ Cómo es la letra de Vd. ? 10. ¿ Cómo hay que enviar una carta, para que llegue pronto ? 11. Al terminar una carta, ¿ qué hace Vd. con ella ? 12. ¿ Qué necesitan todas las cartas ? 13. ¿ Cuánto cuestan los sellos de correo aéreo ? 14. ¿ Cuántas librerías hay cerca de esta universidad ? 15. Además de los libros, ¿ qué cosas suelen venderse en una librería ? 16. ¿ Cómo se llama el edificio donde venden sellos ?

I. Prepare two sentences using each of the following: *echar de menos, ojalá que, echar al correo, dejar de, frente a*.

J. Prepare a short talk (not less than one minute) on one of the following:
1. *En la casa de correos.*
   (What about its size ? Does it have more than one room ? Is it near the center of town ? Is there a waiting room ? What is there of special interest to see ? Does anyone you know work there ? What do they do there ? How is the mail delivered there ? What can you buy there ? Where do you put your letters ? etc.)

2. *Una librería interesante de nuestra ciudad.*
   (What is its name ? How does it compare with the others in town ? What can you buy there ? What makes it particularly interesting ? Do many people trade there ? Who is the owner ? Do you enjoy

LECCIÓN TREINTA

visiting this place even though you don't intend to buy anything?
Why?  Do they sell typewriters there? etc.)

K. Give the Spanish for:
1. If today were Sunday, there wouldn't be any classes.  2. They don't
believe that Alejandro was here yesterday.  3. He told me not to put
my hands in my pockets.  4. If it should be cold tomorrow, we wouldn't
go out.  5. I wish that my father had a new car!  6. If they hadn't
spent so much money, they wouldn't be poor.  7. Aren't you sorry that
we didn't come to see you?  8. He promised to write me when his
brother arrived.  9. She ought to use a typewriter, because her handwriting is so bad.  10. I'd like you to go shopping with me this afternoon.

## UNA EMISORA

## VOCABULARIO

admirar  to admire
la alfombra  rug, carpet
el arquitecto  architect
bajo  under
la caja de polvo  box of face powder
el cigarrillo  cigarette
colocar  to put, place
cómico  comic(al), funny
la compañía (constructora)  (construction) company
el cuñado  brother-in-law
el chiste  joke, funny saying, jest
la distancia  distance
distinguido  distinguished
la emisora  radio station
encenderse (ie)  to light up
el gusto  pleasure
indicar  to indicate, show
instalado  installed, located
el lapicero  mechanical pencil
el letrero  sign
el locutor  announcer
la luz  light
la llegada  arrival, coming
el micrófono  microphone
la mujer  woman; wife

el nilón  nylon
oír cantar  to hear sing(ing)
el oyente  listener
el paquete  package
pintar  to paint
el piso  floor, story
el premio  prize
presenciar  to witness, attend
recientemente  recently, lately
la red  net(work)
reír  to laugh
el salón de estudio  studio
el silencio  silence
situado  located, situated
el suelo  floor, ground

### MODISMOS

debajo de  under, below, beneath
encima de  above, on top of
estar en curso  to be going on, in progress
formar parte de  to belong to, be a part of
no es de extrañar (que, *plus subj.*)  it is not surprising (that)

**289**

## Una emisora

La semana pasada fuí con mi cuñado Andrés a visitar la emisora principal de esta ciudad. Esta emisora forma parte de una red nacional muy importante y se encuentra instalada en el tercer piso de uno de los edificios más modernos de la ciudad. El edificio fué construido recientemente por la mejor compañía constructora de la ciudad y bajo la dirección de un arquitecto distinguido. En la emisora hay un gran número de estudios grandes y pequeños con dos micrófonos en cada uno de ellos, uno alto para el locutor y otro pequeño que está colocado sobre una mesa. En la parte alta de la puerta principal de cada estudio hay un letrero que dice: « Silencio », y una luz roja que se enciende cuando un programa está en curso. El número del estudio está pintado también debajo del letrero.

Durante nuestra visita tuvimos el gusto de conocer a varias personas famosas; entre ellas conocimos a Esteban Martínez, a quien hemos oído cantar muchas veces. Martínez canta muy bien y por eso no es de extrañar que sea muy admirado de todos. También fuimos invitados por el director a presenciar un programa cómico que nos hizo reír muchísimo y durante el cual se dieron premios a los oyentes. Dieron cajas de polvo y medias de nilón para las mujeres, paquetes de cigarrillos o lapiceros para los hombres. Aunque nosotros no ganamos nada nos divertimos mucho y salimos muy contentos de nuestra visita a la emisora.

## Conversación

— ¿ Ha visitado Vd. la nueva emisora mexicana ?

— Sí; estoy admirado. He visto las oficinas que tiene instaladas en uno de los edificios más modernos de la Ciudad de México, el que fué construido recientemente por una compañía constructora donde trabajan los arquitectos más distinguidos. La emisora ocupa todo el primer piso del edificio.

— ¿ Vió Vd. las oficinas con sus hermosas alfombras ?

— Sí. Además ví que en cada uno de los estudios hay dos micrófonos, uno grande para el locutor, y otro pequeño que está colocado encima de una mesa muy moderna.

— Esta emisora forma parte de una red muy importante, y no es de extrañar que alcance distancias muy grandes.

— Allí tuve el gusto de conocer a algunos artistas cómicos que me hicieron reír muchísimo, y también oí cantar al conocido artista Pedro Vargas, muy admirado de todos los radioescuchas del país.

— Recuerdo que mi esposa y yo estábamos dentro de un estudio en el cual presenciamos un programa donde daban premios a los oyentes. Cajas de polvo y medias para las mujeres, lapiceros y paquetes de cigarrillos para los hombres. Mientras esperábamos la llegada del locutor, muy conocido como hombre gracioso, todos hablábamos de los otros programas que habíamos oído.

— Señoras y señores, — nos estaba diciendo una persona que acababa de entrar en el estudio, — cuando se vea una luz roja encima de la puerta principal, eso indicará que el programa estará en curso. — Luego señalando un pequeño letrero pintado de amarillo, que estaba debajo de una ventana, continuó: — Cuando se encienda esa luz, eso querrá decir: « Silencio. Vamos a empezar. » — Por fin empezó el programa. Todos nos reímos a más no poder.

— ¡ Qué programa más divertido ! — me dijo mi esposa, que se reía muchísimo de los chistes del locutor. — No es extraño que siempre la emisora esté atestada de gente.

El locutor, que la había oído, dijo riendo: — Especialmente cuando se dan premios, ¿ no es verdad ?

## VOCABULARIO SUPLEMENTARIO

*Did you guess the meaning of these words correctly ?*

**admirado** amazed (*with* **estar**)
**gracioso** funny, comical
**el radioescucha** radio listener

**reírse** (**de**) to laugh (at)
**se vea** is seen

## Gramática

I. **The passive voice.** The passive is composed of some form of **ser**, and a past participle. The past participle must agree in gender and number with the subject.

La casa **fué comprada** por José.    (Why **comprada ?**)
La carta **será escrita.**    (Why **escrita ?**)

In the passive, the agent (i.e., the person or thing that performs the action) is ordinarily introduced by **por.** However, if mental action only is referred to, the agent is introduced by **de.**

El libro fué escrito **por** María.
La carta ha sido firmada **por** él.
Elena es admirada **de** todos.    (Mental action.)

The passive is not very widely used in Spanish. Generally, it will be best to use it only when the agent is actually expressed. In most other cases the passive is replaced by 1) an active verb form (when the agent is known), 2) a reflexive verb (corresponding to English *one, we, they*, etc.), or 3) a verb in the third person plural (compare the indefinite use of *they* in English: *they say*, etc.). Study carefully:

Las lecciones **son estudiadas.**    (Construction possible, but very unlikely.)

Better:

1) Estudiamos las lecciones.    (Active form, with definite personal subject.)
2) Se estudian las lecciones.    (Reflexive construction, very common.)
3) Estudian las lecciones.    (Indefinite "they.")

If the subject of an English passive verb is a *person*, the passive is not translated into Spanish by a reflexive, which would give the wrong idea, but by the indefinite third person plural. Compare:

Vieron al profesor.    The professor *was seen.*
Se vió el profesor.    The professor *saw himself.*

**II. The "false passive."** The verb **estar,** followed by a past participle, is used to show the *result* of some previous action. The past participle in this construction also is used as an adjective, and therefore agrees with the subject in gender and number. Do not confuse this construction with the "true" passive, just described.

La puerta **fué abierta** por Juan.    (Action, "true" passive: **abierta** *opened.*)
La puerta **está abierta.**    (Result of some previous action: **abierta** *open.*)
Las ventanas **están abiertas.**    (Note agreement of **abiertas** with **ventanas.**)

**III. The irregular verb *reír*.** This verb is also used reflexively: **reírse (de)** *to laugh (at), to make fun (of).*

| | |
|---|---|
| *Pres. ind.* | **río, ríes, ríe, reímos, reís, ríen** |
| *Imperf.* | **reía** (regular) |
| *Pret.* | **reí, reíste, rió, reímos, reísteis, rieron** |
| *Fut.* | **reiré** (regular) |
| *Cond.* | **reiría** (regular) |
| *Pres. subj.* | **ría, rías, ría, riamos, riáis, rían** |
| *Past subj.* | **riera** (regular); **riese** (regular) |
| *Pres. part.* | **riendo** |
| *Past part.* | **reído** |

LECCIÓN TREINTA Y UNA

## *Ejercicios*

A. Read *Una emisora* aloud at least twice for pronunciation.

B. Read in the tense indicated:
   1. Vd. me lo indicaba (*pret.; past perf.*).
   2. Yo se lo indico a Vd. (*pres. perf.; imperf.; pret.*).
   3. Cantamos bien (*past perf.; pres. subj.; cond.*).
   4. Una luz pequeña alumbra el cuarto (*imperf.; fut.*).
   5. Juan le admira a Vd. (*fut. perf.; pres. perf.*).
   6. Yo lo coloqué aquí (*cond. perf.; past perf.*).

C. Give the proper form of the verb in parentheses:
   1. María quería que yo le (indicar) un asiento libre. 2. Fuimos a (escuchar) un programa cómico. 3. Si yo (ser) Vd., no pintaría la casa. 4. No le gusta a ella que (reírse) Juan. 5. Cuando visitamos una emisora siempre oímos (hablar) al locutor. 6. Elena se marchará así que Vd. le (dar) el premio. 7. No dudo que (cantar) bien su hermana. 8. Juan me dijo que era probable que Vd. (vivir) en este piso. 9. Aunque ahora (llover) tengo que (salir) para (echar) una carta al correo. 10. Este edificio (ser) construido el año pasado por el distinguido arquitecto Ramírez Gutiérrez. 11. Es probable que Vds. no (haber) escuchado nunca un concierto de música moderna. 12. No conozco a nadie que (hablar) tan bien como Pedro. Él (ser) admirado de todos. 13. Si Vd. (haber) oído cantar a María, no la (haber) olvidado. 14. Pedro nos pide que (colocar) nuestros abrigos en la mesa. 15. No conozco a nadie que (necesitar) un micrófono. 16. Los músicos empezarán a tocar así que (encenderse) la luz roja. 17. Un locutor debe (vivir) a poca distancia de la emisora. 18. Estoy contento de (haber) encontrado una alfombra azul para la sala. 19. Mientras que está en curso el programa, se (ver) una luz roja. 20. Juan es muy fuerte, y así no es de extrañar que (trabajar) en una compañía constructora.

D. Change to the passive:
   e.g.     Escribimos la carta. *La carta fué escrita por nosotros.*

   1. Todos admiran a Dolores. 2. Pedro Ramírez construyó esta casa. 3. Eduardo compró los sellos. 4. Aquel muchacho abrió la puerta. 5. Toda la clase leerá el artículo.

E. Tell why the reflexive is used in the following sentences. Point out the subject in each sentence. What might be used instead of the reflexive?
   1. Se bebe café en España. 2. En la zapatería se venden zapatos. 3. Se dice que María es española. 4. Se oyen programas de música en una emisora. 5. Aquí se comen muchas frutas.

F. Change the sentences below to reflexive sentences in which no agent is mentioned:

e.g. Leemos libros en una biblioteca. *Se leen* libros en una biblioteca.

1. Oímos buenos programas de México. 2. Compro libros y papeles en una librería. 3. Dicen que este programa tiene muchos oyentes. 4. Vemos una luz encima de la puerta. 5. De vez en cuando pintamos las casas.

G. Select the verb which correctly completes the sentence:
1. El libro (está, es) escrito en francés. 2. La ventana (estaba, fué) pintada por Juan. 3. ¿ (Estará, Será) abierta la puerta ? 4. Ya (están, son) terminadas las cartas. 5. Mi padre (estaba, era) sentado en el sofá. 6. El maestro (está, es) admirado de los alumnos. 7. La botella de leche (está, es) colocada en la mesa.

H. Dictation of *Una emisora.*

I. Review *Una emisora.* Answer in Spanish:
1. ¿ Con quién fuí a la emisora ? 2. ¿ Qué es un cuñado ? 3. ¿ Cuántos micrófonos hay en cada estudio ? 4. ¿ Para quién es el micrófono alto ? 5. ¿ Por qué se enciende la luz roja ? 6. ¿ Quién es Esteban Martínez ? 7. ¿ Qué hicimos durante el programa cómico ? 8. ¿ Quiénes recibieron premios ? 9. ¿ Qué ganamos nosotros ? 10. ¿ A qué personas famosas ha conocido Vd. ? 11. ¿ Cómo se llama la emisora principal de la ciudad donde Vd. vive ? 12. ¿ Cuántas emisoras hay en esta ciudad ? 13. Si esta universidad tiene una emisora, ¿ cómo se llama ? 14. ¿ Qué clase de cigarrillos prefiere Vd. ? 15. ¿ Cuál es el programa que más le gusta a Vd. ? 16. ¿ Qué ha ganado Vd. en un programa de radio ?

J. Prepare two sentences using each of the following: *debajo de, encima de, estar en curso, formar parte de, no es de extrañar que.*

K. The class will be divided into small groups. Each group will prepare a conversation on one of the following:
1. *Mi programa de radio preferido.*
2. *Una visita a una emisora de nuestra ciudad.*
3. *¿ Cree Vd. que se necesitan mejores programas de radio?*

L. Give the Spanish for:
1. When I asked him for a prize, he laughed. 2. The green light is lighted now. 3. Professor Muñoz is admired by all his students. 4. The windows were broken by some small boys. 5. This article was written by a famous lawyer. 6. Mr. Barrera's books are read very widely (much). 7. That magazine always seems to be carefully prepared. 8. Pilar was not married when I met her. 9. I wish that Spanish were spoken in more of our radio stations. 10. The door was closed by one of the listeners, and it is still closed.

## Repaso VI  (Gramática 27–31)

A. Give the appropriate form of the verb in parentheses.

1. ¡ Ojalá que yo (poder) bajar del tren! Está tan atestado.
2. Si (firmar) Vd. este papel, el libro se publicaría en seguida.
3. Esta historia sería muy conocida si no (ser) tan larga y si (presentar) a un héroe más simpático.
4. Mi tío me mandó una carta diciéndome que (dejar) de (divertirse) tanto.
5. Así que (encenderse) la luz, siéntense Vds. para que (empezar) el programa.
6. Aunque (parecer) que el tren está lleno, habrá bastante espacio para Vd. (Subir, *command*) con Elena para (ver) si hay algún asiento libre.
7. (Esconder, *command*) Vd. los dulces antes que los (ver) Pedro.
8. El maestro insistió en que Vds. (escribir) con cuidado los apuntes, y que los (repasar) a menudo.
9. Debía (copiar) la carta pero yo no tenía más que una hoja de papel y ésta, la eché a (perder).
10. El abuelo de Juan era un arquitecto muy distinguido. No era de extrañar que (ser) admirado de todos.
11. Juan me dijo que esperaría hasta que (volver) Elena de la librería.
12. Si los escritos de Ramón (ser) más interesantes, claro que (venderse) más rápidamente; ahora no (encontrarse) ninguno de ellos en las librerías de aquí.
13. Podremos presenciar ese programa a condición de que Vds. no (hacer) ruido, y que (haber) un silencio completo.
14. Los comestibles están (esconder) en el coche para que mi madre no (saber) que le estamos (preparar) una sorpresa.
15. Quisiera (trabajar) tres horas seguidas, con tal de que nadie me (molestar).
16. Pedro no subió al coche hasta que (llegar) su esposa.
17. Este libro, que está (escribir) en francés, fué (regalar) a la biblioteca de la universidad por el profesor Ramírez.
18. Quería (llegar) a la estación antes de la partida de María, es decir, antes que (salir) para Madrid.
19. (Traer, *pres. perf. indicative*) nuestros abrigos y el suyo, para usarlos en caso que (hacer) mucho frío.
20. Después de (descargar) el camión insistió en que Ramón y yo (contar) las cajas de frutas y legumbres.
21. Mi madre insiste en que yo le (ofrecer) a Vd. un emparedado de jamón y una botella de vino, a menos que Vd. no (tener) hambre.
22. Este artículo fué (escribir) por una persona muy conocida. Tengo la intención de (hacer) todo lo posible para que

**295**

(publicarse) en todos los periódicos importantes de aquí.
¡ Ojalá que lo (haber) tenido el año pasado!

23. Vd. debiera (firmar) la tarjeta; si no lo hace, es posible que Rosa no (saber) de quién es.

24. Manuel quiere (hacerse) médico, pero no creo que (tener) éxito en ese proyecto. Si (trabajar) sin descanso durante mucho tiempo, sí podría hacerlo, pero sé que no lo hará.

25. Me gustaría que Vd. (presenciar) conmigo un programa de televisión. Será muy divertido; todos se ríen de las historias cómicas del locutor, y también podremos (gozar) de la música excelente que se ofrece.

B. Supply an appropriate relative pronoun.

1. El hombre de _____ Vd. me habló, es un locutor conocido.

2. El buzón a _____ echó Vd. su tarjeta, es para el correo aéreo.

3. ¡ Qué suerte, la mía! Hoy rompí la pluma _____ Vd. me dió el año pasado.

4. Los asuntos de _____ habla José, son importantes para todos.

5. El joven _____ me está aguardando, tiene un billete de ida y vuelta para el viaje a México.

6. Manuel, a _____ le gustan tanto las aceitunas, se las ha comido todas.

7. El profesor Sánchez, _____ revista estoy leyendo, saldrá para España mañana, a más tardar.

8. París y Málaga, _____ son ciudades bastante atestadas, están lejos de San Francisco.

9. _____ prefiero en una emisora es el letrero _____ dice: « Silencio ».

10. Carlos vive a poca distancia de aquí, _____ nos permite hacer muchas visitas agradables.

11. Enrique, _____ cigarrillos habíamos escondido, estaba buscándolos por todas partes; por fin, dió con los míos.

12. Ramón, con _____ dí ayer en esta emisora, es _____ admira más a los locutores.

C. Form one sentence out of two, using a relative pronoun to do so. Omit or add any word needed to make a correct sentence. Use a variety of relative pronouns.

1. Agustín siempre hace reír a sus amigos. Es un joven muy cómico.

2. En esta ciudad hay cuatro emisoras. Forman parte de una red nacional.

3. Nos quejamos de la ropa. Se vende en la tienda de Felipe.
4. Margarita se despidió de su marido. Eso la dejó triste.
5. Mi madre compró unas frutas en el mercado. Hizo con ellas un plato sabroso.

D. Indicate whether the diminutives used below express size, endearment, pity, scorn, etc.

1. Me gustan mucho los gatitos; comen poco y son muy buenos.
2. Esta noche estoy citado con Rosita en la esquina de la Avenida Morelos.
3. Pobrecito, hace mucho tiempo que está enfermo.
4. ¿ Se acuerda Vd. del día que conoció a su novia, abuelito mío ?

E. Replace the italicized words with possessive pronouns. Clarify with prepositional forms when necessary.

1. Mi letra es más clara que *la letra de Roberto*.
2. La nota de María es mejor que *nuestras notas*.
3. Vd. no quiere leer ni el periódico de Felipe ni *mi periódico*.
4. Procuramos el permiso de mi padre; ahora necesitamos *su permiso*, señor Rodríguez.
5. No se queje Vd. de mi servicio, quéjese más bien *del servicio de mis compañeros*.
6. Dicen que su hermano menor ha escondido su diccionario español; aquí tiene Vd. *mi diccionario*.

F. Complete the following contrary-to-fact sentences:

1. Si la taquilla (estar) abierta, compraríamos los billetes.
2. Si estuviera en curso el programa, (verse) una luz roja.
3. Si (ponerse) más temprano el sol, no (hacer) tanto calor.
4. Claro que si éste (ser) el único escrito de Bolívar, Vd. no (saber) nada de él.
5. Si (haber) hecho más viajes, no le (ser) tan difícil despedirse de su familia.
6. Si yo (ser) el héroe de esta historia, (casarse) con Dolores.

G. Compose in class three original contrary-to-fact sentences.

H. Change the sentences below to reflexive sentences in which no agent is expressed (see Lección 31).

1. Jugamos al futbol en los Estados Unidos.
2. Bajan del tren por esa puerta.
3. Dicen que en este programa ríen mucho.
4. Hacen toda clase de ropa en el tercer piso de este edificio.
5. En París venden muchas flores en los mercados.

I. Formulate in class an original sentence using:

> a condición (de) que, debajo de, hasta que, detrás de, al cabo de, frente a

J. Select the word or expression in B whose meaning is the most nearly opposite the one in A.

| A | B |
|---|---|
| 1. vacío | 1. fuera |
| 2. de pie | 2. mostrar |
| 3. sin descanso | 3. detrás (de) |
| 4. junto a | 4. lejos (de) |
| 5. despedirse | 5. recibir |
| 6. esconder | 6. sentado |
| 7. mandar | 7. de vez en cuando |
| 8. delante (de) | 8. debajo (de) |
| 9. encima (de) | 9. lleno |
| 10. adentro | 10. saludar |
| | 11. por completo |
| | 12. a poco de |
| | 13. frente a |
| | 14. cuanto antes |
| | 15. más allá (de) |

# VERBS

## A. BASIC VERBS

### Infinitive

| hablar | comer | vivir | haber |
|--------|-------|-------|-------|

### Present Participle

| hablando | comiendo | viviendo | habiendo |
|----------|----------|----------|----------|

### Past Participle

| hablado | comido | vivido | habido |
|---------|--------|--------|--------|

### Present Indicative

| hablo | como | vivo | he |
|-------|------|------|-----|
| hablas | comes | vives | has |
| habla | come | vive | ha |
| hablamos | comemos | vivimos | hemos |
| habláis | coméis | vivís | habéis |
| hablan | comen | viven | han |

### Preterit

| hablé | comí | viví | hube |
|-------|------|------|------|
| hablaste | comiste | viviste | hubiste |
| habló | comió | vivió | hubo |
| hablamos | comimos | vivimos | hubimos |
| hablasteis | comisteis | vivisteis | hubisteis |
| hablaron | comieron | vivieron | hubieron |

### Imperfect

| hablaba | comía | vivía | había |
|---------|-------|-------|-------|
| hablabas | comías | vivías | habías |
| hablaba | comía | vivía | había |
| hablábamos | comíamos | vivíamos | habíamos |
| hablabais | comíais | vivíais | habíais |
| hablaban | comían | vivían | habían |

## Future

| | | | |
|---|---|---|---|
| hablaré | comeré | viviré | habré |
| hablarás | comerás | vivirás | habrás |
| hablará | comerá | vivirá | habrá |
| hablaremos | comeremos | viviremos | habremos |
| hablaréis | comeréis | viviréis | habréis |
| hablarán | comerán | vivirán | habrán |

## Conditional

| | | | |
|---|---|---|---|
| hablaría | comería | viviría | habría |
| hablarías | comerías | vivirías | habrías |
| hablaría | comería | viviría | habría |
| hablaríamos | comeríamos | viviríamos | habríamos |
| hablaríais | comeríais | viviríais | habríais |
| hablarían | comerían | vivirían | habrían |

## Imperative

| | | | |
|---|---|---|---|
| habla (tú) | come (tú) | vive (tú) | he (tú) |
| hablad (vosotros) | comed (vosotros) | vivid (vosotros) | habed (vosotros) |

## Present Subjunctive

| | | | |
|---|---|---|---|
| hable | coma | viva | haya |
| hables | comas | vivas | hayas |
| hable | coma | viva | haya |
| hablemos | comamos | vivamos | hayamos |
| habléis | comáis | viváis | hayáis |
| hablen | coman | vivan | hayan |

## Past Subjunctive

| | | | |
|---|---|---|---|
| hablara | comiera | viviera | hubiera |
| hablaras | comieras | vivieras | hubieras |
| hablara | comiera | viviera | hubiera |
| habláramos | comiéramos | viviéramos | hubiéramos |
| hablarais | comierais | vivierais | hubierais |
| hablaran | comieran | vivieran | hubieran |

*or*

| | | | |
|---|---|---|---|
| hablase | comiese | viviese | hubiese |
| hablases | comieses | vivieses | hubieses |
| hablase | comiese | viviese | hubiese |
| hablásemos | comiésemos | viviésemos | hubiésemos |
| hablaseis | comieseis | vivieseis | hubieseis |
| hablasen | comiesen | viviesen | hubiesen |

## COMPOUND TENSES OF THE REGULAR CONJUGATIONS

### Present Perfect Indicative

| he | |
|---|---|
| has } hablado, comido, vivido |
| ha | |

| hemos | |
|---|---|
| habéis } hablado, comido, vivido |
| han | |

### Past Perfect Indicative

había
habías } hablado, comido, vivido
había

habíamos
habíais } hablado, comido, vivido
habían

### Future Perfect

habré
habrás } hablado, comido, vivido
habrá

habremos
habréis } hablado, comido, vivido
habrán

### Conditional Perfect

habría
habrías } hablado, comido, vivido
habría

habríamos
habríais } hablado, comido, vivido
habrían

### Present Perfect Subjunctive

haya
hayas } hablado, comido, vivido
haya

hayamos
hayáis } hablado, comido, vivido
hayan

### Past Perfect Subjunctive

hubiera
hubieras } hablado, comido, vivido
hubiera

hubiéramos
hubierais } hablado, comido, vivido
hubieran

*or*

hubiese
hubieses } hablado, comido, vivido
hubiese

hubiésemos
hubieseis } hablado, comido, vivido
hubiesen

## B. VERBS WITH SPELLING CHANGES

Verbs whose infinitive ends in –car change c to qu before e:

**sacar,** to take out; get (*marks or grades*)

*Pret.*        saqué, sacaste, sacó, sacamos, sacasteis, sacaron
*Pres. Subj.*    saque, saques, saque, saquemos, saquéis, saquen

Verbs whose infinitive ends in –zar change z to c before e:

### aplazar, to put off

*Pret.*       aplacé, aplazaste, aplazó, aplazamos, aplazasteis, aplazaron
*Pres. Subj.*  aplace, aplaces, aplace, aplacemos, aplacéis, aplacen

Verbs whose infinitive ends in –gar change g to gu before e:

### llegar, to arrive

*Pret.*       llegué, llegaste, llegó, llegamos, llegasteis, llegaron
*Pres. Subj.*  llegue, llegues, llegue, lleguemos, lleguéis, lleguen

Verbs whose infinitive ends in a vowel followed by –cer add z before c in the first person singular of the present indicative, and throughout the present subjunctive. A common exception is hacer (see section on Irregular Verbs, below).

### crecer, to grow

*Pres. Ind.*   crezco, creces, crece, crecemos, crecéis, crecen
*Pres. Subj.*  crezca, crezcas, crezca, crezcamos, crezcáis, crezcan

Some verbs whose infinitive ends in –iar add a written accent (′) to the i in both present tenses throughout the singular and in the third person plural, also in the imperative singular.

### enviar, to send

*Pres. Ind.*   envío, envías, envía, enviamos, enviáis, envían
*Pres. Subj.*  envíe, envíes, envíe, enviemos, enviéis, envíen
*Imperative*   envía (tú)

Some verbs whose infinitive ends in –uar add a written accent (′) to the u in the same situations just described for some –iar verbs:

### continuar, to continue

*Pres. Ind.*   continúo, continúas, continúa, continuamos, continuáis, continúan
*Pres. Subj.*  continúe, continúes, continúe, continuemos, continuéis, continúen
*Imperative*   continúa (tú)

A few other verbs containing two adjacent vowels which might be taken for a diphthong add a written accent in these same situations:

### reunirse, to meet, get together

*Pres. Ind.*   me reúno, te reúnes, se reúne, nos reunimos, os reunís, se reúnen
*Pres. Subj.*  me reúna, te reúnas, se reúna, nos reunamos, os reunáis, se reúnan
*Imperative*   reúnete (tú)

–**uir** verbs (except –**guir**) take **y** before the personal endings, except before **i**; in tenses calling for unstressed **i** between two other vowels, **i** changes to **y**.

construir, to build

| | |
|---|---|
| *Pres. Ind.* | construyo, construyes, construye, construimos, construís, construyen |
| *Pres. Subj.* | construya, construyas, construya, construyamos, construyáis, construyan |
| *Pret.* | construí, construiste, construyó, construimos, construisteis, construyeron |
| *Past Subj.* | construyera, *etc.*, *or* construyese, *etc.* |
| *Pres. Part.* | construyendo |
| *Imperative* | construye (tú) |

## C. STEM-CHANGING VERBS

I. Class I, which includes only –**ar** and –**er** verbs, is made up of verbs in which an **e** of the stem changes to **ie**, or an **o** changes to **ue**, in all forms where the stem is stressed. In other words, this change occurs in the present indicative and present subjunctive, throughout the singular and in the third person plural, and also in the imperative singular.

contar, to tell, count

| | |
|---|---|
| *Pres. Ind.* | cuento, cuentas, cuenta, contamos, contáis, cuentan |
| *Pres. Subj.* | cuente, cuentes, cuente, contemos, contéis, cuenten |
| *Imperative* | cuenta (tú) |

perder, to lose, waste; to miss (an opportunity, a train, etc.)

| | |
|---|---|
| *Pres. Ind.* | pierdo, pierdes, pierde, perdemos, perdéis, pierden |
| *Pres. Subj.* | pierda, pierdas, pierda, perdamos, perdáis, pierdan |
| *Imperative* | pierde (tú) |

The following are some common stem-changing verbs of Class I:

| | |
|---|---|
| acordarse (de) *to remember* | jugar (ue) (a) [1] *to play* |
| acostarse *to go to bed* | llover *to rain* |
| cerrar *to shut, close* | mostrar *to show* |
| comenzar (a) [1] *to begin (to)* | negar [1] *to deny* |
| contar *to tell, count* | nevar *to snow* |
| costar *to cost* | pensar *to think, intend* |
| devolver *to give back, return* | perder *to lose, waste, miss* |
| despertarse *to awaken, wake up* | sentarse *to sit down* |
| empezar (a) [1] *to begin (to)* | sonar *to sound, ring* |
| encontrar *to meet, find* | volver *to go back, come back, return* |

[1] Also a spelling change. See *aplazar* and *llegar*, p. 302.

There is no way of telling which –ar and –er verbs are stem-changing; which means that they must be learned as they come along. This text marks such verbs as follows: contar (ue), perder (ie).

II. Class II, which includes only –ir verbs, has two different changes:
1. An e in the stem becomes ie, or an o becomes ue, in the same situations as those mentioned in connection with Class I.
2. An e in the stem becomes i, or an o becomes u, in the following forms: *Pres. Subj.*, first and second persons plural; *Pres. Part.; Pret.*, third singular and third plural; *Past Subj.*, both forms.

### sentir, to be sorry, regret

| | |
|---|---|
| *Pres. Ind.* | siento, sientes, siente, sentimos, sentís, sienten |
| *Pres. Subj.* | sienta, sientas, sienta, sintamos, sintáis, sientan |
| *Pret.* | sentí, sentiste, sintió, sentimos, sentisteis, sintieron |
| *Past Subj.* | sintiera, *etc., or* sintiese, *etc.* |
| *Pres. Part.* | sintiendo |
| *Imperative* | siente (tú) |

### morir, to die

| | |
|---|---|
| *Pres. Ind.* | muero, mueres, muere, morimos, morís, mueren |
| *Pres. Subj.* | muera, mueras, muera, muramos, muráis, mueran |
| *Pret.* | morí, moriste, murió, morimos, moristeis, murieron |
| *Past Subj.* | muriera, *etc., or* muriese, *etc.* |
| *Pres. Part.* | muriendo |
| *Imperative* | muere (tú) |

The following Class II stem-changing verbs are used in this text:

divertirse *to enjoy oneself, have a good time*
dormir *to sleep*
mentir *to (tell a) lie*
morir *to die*
preferir *to prefer, rather (i.e., I'd rather, etc.)*
sentir *to be sorry, regret*

As in all classes of stem-changing verbs, there is no way of recognizing a verb that belongs to Class II; but it should help to remember that verbs ending in –erir, –entir, and –ertir belong to this group. Such verbs are marked in this text as follows: sentir (ie, i); morir (ue, u).

III. Again, Class III contains only –ir verbs. In this group, e of the stem changes to i in all of the forms just given for Class II.

### pedir, to ask for, request

| | |
|---|---|
| *Pres. Ind.* | pido, pides, pide, pedimos, pedís, piden |
| *Pres. Subj.* | pida, pidas, pida, pidamos, pidáis, pidan |
| *Pret.* | pedí, pediste, pidió, pedimos, pedisteis, pidieron |
| *Past Subj.* | pidiera, *etc., or* pidiese, *etc.* |
| *Pres. Part.* | pidiendo |
| *Imperative* | pide (tú) |

Class III verbs, likewise, cannot be recognized at sight; however, many texts, including this one, mark them as follows: **pedir** (i).

In general, it may help to remember that stem-changing verbs never change in the imperfect, future, or conditional, and that Class I verbs change only in the present tenses.

## D. IRREGULAR VERBS

Only the irregular verbs that appear in the text are listed here, and only the irregular forms of those verbs. If a certain tense is not listed, just assume that the verb in question is regular in that particular tense. If a tense has both regular and irregular forms, the regular forms are printed in lightface type. If only the first form of a tense is given, followed by "etc.," it means that the rest of the tense "follows suit," according to the rules for the formation of that tense.

**abrir,** to open
*Past Part.*   **abierto**

**andar,** to go, walk
*Pret.*         **anduve, anduviste, anduvo, anduvimos, anduvisteis, anduvieron**
*Past Subj.*   **anduviera,** *etc., or* **anduviese,** *etc.*

**creer,** to believe; to think (*in sense of having an opinion*)
*Pret.*         creí, **creíste, creyó, creímos, creísteis, creyeron**
*Past Subj.*   **creyera,** *etc., or* **creyese,** *etc.*
*Past Part.*   **creído**
*Pres. Part.*  **creyendo**

**dar,** to give; to strike (*the hour of the day*)
*Pres. Ind.*   **doy,** das, da, damos, dais, dan
*Pret.*         **dí,** diste, dió, dimos, disteis, dieron
*Past Subj.*   **diera,** *etc., or* **diese,** *etc.*
*Pres. Subj.*  **dé.** des, **dé,** demos, deis, den

**decir,** to say, tell
*Pres. Ind.*   **digo, dices, dice,** decimos, decís, **dicen**
*Pret.*         **dije, dijiste, dijo, dijimos, dijisteis, dijeron**
*Fut.*          **diré,** *etc.*
*Cond.*         **diría,** *etc.*
*Pres. Subj.*  **diga,** *etc.*
*Past Subj.*   **dijera,** *etc., or* **dijese,** *etc.*
*Past Part.*   **dicho**
*Pres. Part.*  **diciendo**
*Imperative*   **di** (tú)

**escribir,** to write
*Past Part.*    escrito

**estar,** to be
*Pres. Ind.*    estoy, estás, está, estamos, estáis, están
*Pret.*    estuve, estuviste, estuvo, estuvimos, estuvisteis, estuvieron
*Pres. Subj.*    esté, estés, esté, estemos, estéis, estén
*Past Subj.*    estuviera, *etc., or* estuviese, *etc.*
*Imperative*    está (tú)

**haber,** to have
(See above, A. Basic Verbs. In addition to its use as an auxiliary, **haber** is used in the third person singular of each tense to mean "there is (are), there was (were)," etc. In this use, the present indicative has the exceptional form **hay;** all other tenses have the normal forms of **haber:** *Pret.* **hubo,** *Fut.* **habrá,** etc.)

**hacer,** to do, make
*Pres. Ind.*    hago, haces, hace, hacemos, hacéis, hacen
*Pret.*    hice, hiciste, hizo, hicimos, hicisteis, hicieron
*Fut.*    haré, *etc.*
*Cond.*    haría, *etc.*
*Pres. Subj.*    haga, *etc.*
*Past Subj.*    hiciera, *etc., or* hiciese, *etc.*
*Past Part.*    hecho
*Imperative*    haz (tú)

**ir,** to go
*Pres. Ind.*    voy, vas, va, vamos, vais, van
*Pret.*    fuí, fuiste, fué, fuimos, fuisteis, fueron
*Imperf.*    iba, ibas, iba, íbamos, ibais, iban
*Pres. Subj.*    vaya, vayas, vaya, vayamos, vayáis, vayan
*Past Subj.*    fuera, *etc., or* fuese, *etc.*
*Pres. Part.*    yendo
*Imperative*    ve (tú)

**leer,** to read
*Pret.*    leí, leíste, leyó, leímos, leísteis, leyeron
*Past Subj.*    leyera, *etc., or* leyese, *etc.*
*Past Part.*    leído
*Pres. Part.*    leyendo

**morir (ue, u),** to die
*Past Part.*    muerto

**oír,** to hear
*Pres. Ind.*    oigo, oyes, oye, oímos, oís, oyen
*Pret.*    oí, oíste, oyó, oímos, oísteis, oyeron
*Pres. Subj.*    oiga, *etc.*

| | |
|---|---|
| *Past Subj.* | **oyera,** *etc.,* *or* **oyese,** *etc.* |
| *Past Part.* | **oído** |
| *Pres. Part.* | **oyendo** |
| *Imperative* | **oye** (tú), **oíd** (vosotros) |

**poder** (ue), to be able, can, may

| | |
|---|---|
| *Pret.* | **pude, pudiste, pudo, pudimos, pudisteis, pudieron** |
| *Fut.* | **podré,** *etc.* |
| *Cond.* | **podría,** *etc.* |
| *Past Subj.* | **pudiera,** *etc.,* *or* **pudiese,** *etc.* |
| *Pres. Part.* | **pudiendo** |

**poner,** to put, place; to turn on (*a radio*)

| | |
|---|---|
| *Pres. Ind.* | **pongo, pones, pone, ponemos, ponéis, ponen** |
| *Pret.* | **puse, pusiste, puso, pusimos, pusisteis, pusieron** |
| *Fut.* | **pondré,** *etc.* |
| *Cond.* | **pondría,** *etc.* |
| *Pres. Subj.* | **ponga,** *etc.* |
| *Past Subj.* | **pusiera,** *etc.,* *or* **pusiese,** *etc.* |
| *Past Part.* | **puesto** |
| *Imperative* | **pon** (tú) |

**querer** (ie), to wish, want

| | |
|---|---|
| *Pret.* | **quise, quisiste, quiso, quisimos, quisisteis, quisieron** |
| *Fut.* | **querré,** *etc.* |
| *Cond.* | **querría,** *etc.* |
| *Past Subj.* | **quisiera,** *etc.,* *or* **quisiese,** *etc.* |

**reír,** to laugh

| | |
|---|---|
| *Pres. Ind.* | **río, ríes, ríe, reímos, reís, ríen** |
| *Pret.* | **reí, reíste, rió, reímos, reísteis, rieron** |
| *Pres. Subj.* | **ría,** *etc.* |
| *Past Subj.* | **riera,** *etc.,* *or* **riese,** *etc.* |
| *Past Part.* | **reído** |
| *Pres. Part.* | **riendo** |
| *Imperative* | **ríe** (tú) |

**romper,** to break

| | |
|---|---|
| *Past Part.* | **roto** |

**saber,** to know

| | |
|---|---|
| *Pres. Ind.* | **sé, sabes, sabe, sabemos, sabéis, saben** |
| *Pret.* | **supe, supiste, supo, supimos, supisteis, supieron** |
| *Fut.* | **sabré,** *etc.* |
| *Cond.* | **sabría,** *etc.* |
| *Pres. Subj.* | **sepa, sepas, sepa, sepamos, sepáis, sepan** |
| *Past Subj.* | **supiera,** *etc.,* *or* **supiese,** *etc.* |

**salir,** to go out, come out, leave, go away
*Pres. Ind.*   **salgo,** sales, sale, salimos, salís, salen
*Fut.*    **saldré,** *etc.*
*Cond.*   **saldría,** *etc.*
*Pres. Subj.*   **salga,** *etc.*
*Imperative*   **sal** (tú)

**ser,** to be
*Pres. Ind.*   **soy, eres, es, somos, sois, son**
*Pret.*   **fuí, fuiste, fué, fuimos, fuisteis, fueron**
*Imperf.*   **era, eras, era, éramos, erais, eran**
*Pres. Subj.*   **sea, seas, sea, seamos, seáis, sean**
*Past Subj.*   **fuera,** *etc., or* **fuese,** *etc.*
*Imperative*   **sé** (tú)

**tener,** to have
*Pres. Ind.*   **tengo, tienes, tiene,** tenemos, tenéis, **tienen**
*Pret.*   **tuve, tuviste, tuvo, tuvimos, tuvisteis, tuvieron**
*Fut.*   **tendré,** *etc.*
*Cond.*   **tendría,** *etc.*
*Pres. Subj.*   **tenga,** *etc.*
*Past Subj.*   **tuviera,** *etc., or* **tuviese,** *etc.*
*Imperative*   **ten** (tú)

**traer,** to bring
*Pres. Ind.*   **traigo, traes, trae, traemos, traéis, traen**
*Pret.*   **traje, trajiste, trajo, trajimos, trajisteis, trajeron**
*Pres. Subj.*   **traiga,** *etc.*
*Past Subj.*   **trajera,** *etc., or* **trajese,** *etc.*
*Past Part.*   **traído**
*Pres. Part.*   **trayendo**

**valer,** to be worth
*Pres. Ind.*   **valgo,** vales, vale, valemos, valéis, **valen**
*Fut.*   **valdré,** *etc.*
*Cond.*   **valdría,** *etc.*
*Pres. Subj.*   **valga,** *etc.*
*Imperative*   **val** (tú)

**venir,** to come
*Pres. Ind.*   **vengo, vienes, viene,** venimos, venís, **vienen**
*Pret.*   **vine, viniste, vino, vinimos, vinisteis, vinieron**
*Fut.*   **vendré,** *etc.*
*Cond.*   **vendría,** *etc.*
*Pres. Subj.*   **venga,** *etc.*
*Past Subj.*   **viniera,** *etc., or* **viniese,** *etc.*
*Pres. Part.*   **viniendo**
*Imperative*   **ven** (tú)

**ver,** to see
*Pres. Ind.*    **veo,** ves, ve, vemos, veis, **ven**
*Imperf.*     **veía,** *etc.*
*Pres. Subj.*   **vea,** *etc.*
*Past Part.*    **visto**

**volver** (ue), to return
*Past Part.*    **vuelto**

# VOCABULARIO

## A

**a** to, at; *indicates personal dir. obj.*
**abierto, –a** open(ed)
**abogado** lawyer
**abrigo** overcoat
**abril** *m.* April
**abrir** to open
**abuela** grandmother
**abuelito** (little, dear, poor, *etc.*) grandfather (*affectionate dimin. of* **abuelo**)
**abuelo** grandfather; **—s** grandfathers, grandparents
**aburrido, –a** bored (*with* **estar**); boring, dull (*with* **ser**)
**acabar** to finish; **— de** *plus inf.* to have just
**aceituna** olive
**acera** (side)walk
**acerca de** about, concerning
**acercarse (a)** to approach, draw near (to)
**acompañar** to accompany, go with
**acordarse (ue) (de)** to remember
**acostarse (ue)** to go to bed
**acostumbrado, –a** accustomed, used
**acostumbrarse** to become accustomed, get used
**acuerdo** agreement; **de —** agreed, I agree, *etc.*; **estar de —** to agree, be in agreement
**adelantar** to be fast (*watch or clock*)
**además** moreover, furthermore, besides; **— de** in addition to
**adentro** (on the) inside, within *adv.*
**adiós** good-bye
**admirado, –a** amazed (*with* **estar**)
**admirar** to admire
**¿ a dónde?** (to) where?
**adornado, –a** adorned, decorated
**aficionado, –a** *n.* enthusiast, "fan"; *adj.:* **ser — a** to be fond of
**afortunado, –a** fortunate, lucky
**agosto** August (*month*)

**agradable** agreeable, pleasant
**agua** (el *f.*) water
**aguardar** to wait (for); to expect
**ahí** there
**ahora** now
**aire** *m.*: **al — libre** in the open air
**al** to the *m.*; **— plus** *inf.* (up)on (*doing something*)
**alarma** alarm
**alcanzar** to reach, overtake
**alcoba** bedroom
**alegrarse (de)** to be glad (of)
**alegre** happy
**alemán, –ana** German
**alemán** *m.* German (*language*)
**Alemania** Germany
**alfombra** rug, carpet
**algo** something; anything (*in questions*); *adv.* somewhat
**alguien** somebody, someone; anyone (*in questions*)
**alguno (algún), –a** some; any (*in questions*)
**almorzar (ue)** to eat *or* have lunch
**almuerzo** lunch
**alrededor de** around
**alto, –a** high, tall; **en voz —a** aloud, orally
**alumbrar** to light
**alumno, –a** student, pupil
**allá** there; **más — de** beyond
**allí** there
**amable** amiable, kind
**amarillo, –a** yellow
**América** America; **la — Central** Central America; **la — del Sur** South America
**amigo, –a** friend
**andar** to walk, go; to run (*as a machine*)
**animal** *m.* animal
**aniversario** anniversary
**anoche** last night

**311**

**anteanoche** night before last

**anteayer** day before yesterday

**antes** *adv.* before(hand), formerly; **lo —
posible** as soon as possible; **— de** *prep.*
before; **— (de) que** *conj.* before

**antiguo, –a** old, ancient

**año** year; **tener (veinte) —s** to be
(twenty) years old; ¿ **Cuántos —s
tiene Vd. ?** How old are you ?

**aparato de radio** radio set

**apenas** scarcely, hardly, barely

**apetito: tener (mucho) —** to be (very)
hungry

**aplazar** to postpone, put off

**aprender (a)** to learn (to)

**aprovechar** to take advantage of, make
the most of

**apunte** *m.* note *(taken in class, etc.)*

**apurarse** to hurry

**aquel, aquella, –os, –as** that, those *adj.*

**aquél, aquélla, –os, –as** that (one), those;
the former *pron.*

**aquello** that (matter, *etc.*) *pron.*

**aquí** here; **— tiene(n) Vd(s).** here is, here
are; **— lo tiene(n) Vd(s).** here you
are; **de — (or hoy) en ocho** a week
from today; **de — (or hoy) en quince**
two weeks from today; **por —** around
here, in these parts; this way

**árbol** *m.* tree

**Argentina (la)** Argentina

**arquitecto** architect

**arreglar** to arrange, fix, adjust, put in order; **—se** to get ready, dress

**artista** *m. or f.* artist

**así** thus, so; **— es que** thus, therefore;
**— que** as soon as

**asiento** seat, place

**asunto** matter, affair, subject

**atención** *f.* attention; **con —** attentively

**atestado, –a** crowded

**atleta** *m. or f.* athlete

**atrasar** to be slow *(watch or clock)*

**aun** even

**aún** still, yet

**aunque** although, even though

**autobús** *m.* bus

**ave (el** *f.***)** bird, fowl

**avenida** avenue

**avión** *m.* airplane

¡ **Ay !** *exclamation of pain*

**ayer** yesterday

**ayuda** help, aid

**ayudar** to help

**azul** blue; **— claro** light blue

## B

**bailar** to dance

**baile** *m.* dance

**bajar** to go down, come down; **— (de)**
to get out (of) *or* off (from) *(a vehicle)*

**bajo** under

**banco** bench, seat

**baño** bath; **cuarto de —** bathroom;
**traje de —** *m.* bathing suit

**barato, –a** cheap, inexpensive

**basquetbol** *m.* basketball

**bastante** *adj.* enough, quite a bit (of);
**—s** enough, quite a few (of); *adv.*
quite, fairly, enough, rather, somewhat

**beber** to drink

**beisbol** *m.* baseball

**biblioteca** library

**bien** well; **está —** very well, (it's) all
right; **más —** (que) rather (than);
**muy —** fine; **que le vaya —** good luck

**billete** *m.* ticket; **— de ida y vuelta**
round-trip ticket

**blanco, –a** white

**boca** mouth

**boda** wedding

**bolsillo** pocket

**bondad** *f.*: **tenga(n) Vd(s). la — de** *plus
inf.* please . . .

**bonito, –a** pretty

**botella** bottle

**botón** *m.* button

**Brasil (el)** Brazil

**breve** short, brief

**brillar** to shine, sparkle

**buen(o), –a** good; **—as noches** good
night, good evening, hello; **—as tardes**
good afternoon, hello; **—os días** good
morning, good day, hello; **bueno** *adv.*
well; all right, O.K.

**burlarse (de)** to make fun (of)

**buscar** to look (for)

**buzón** *m.* mailbox

## C

**caballo** horse; **montar a —** to ride horseback

**cabo: al — de** at the end of, after

**cada** each, every

**café** *m.* coffee; café; **— solo** black coffee

**caja** box, chest; cashier's desk or window; **— de polvo** box of face powder

**calcetín** *m.* sock

**calendario** calendar

**caliente** hot, warm

**calor** *m.* warmth, heat; **hacer (mucho) —** to be (very) warm (*weather*); **tener (mucho) —** to be (very) warm (*feeling*)

**calle** *f.* street

**cama** bed

**camarero** waiter

**cambiar** to change, exchange

**cambio: en —** on the other hand

**caminar** to walk, move along, go

**camino** road; **ponerse en —** to start out, set out

**camión** *m.* truck

**camisa** shirt

**camote** *m.* sweet potato

**campana** (large) bell

**campeonato** championship

**campo** field; country (*as opposed to city*)

**Canadá** (el) Canada

**canasta** basket

**canción** *f.* song

**cansado, –a** tired (*with* **estar**); tiresome (*with* **ser**)

**cantar** to sing

**cantidad** *f.* amount, quantity

**canto** song

**cañón** *m.* cannon

**capítulo** chapter

**cara** face

**¡ caramba !** goodness gracious ! *etc.*

**Carlos** Charles

**carne** *f.* meat; **— de vaca** beef

**caro, –a** expensive, dear

**carta** letter

**casa** house; **a —** (to) home; **de —** (from) home; **en —** at home; **— de correos** post office

**casamiento** marriage; wedding

**casarse** to get married; **— con** to marry

**casi** almost

**caso** case; **en — (de) que** in case; **en todo —** anyway, in any case

**catorce** fourteen

**causa** cause; **a — de** because of, on account of

**cebolla** onion

**celebrar** to celebrate; **—se** to take place; to be celebrated (*holiday, etc.*)

**cena** dinner, evening meal

**cenar** to have dinner

**centro** center; downtown

**cepillar** to brush

**cerca de** near (to)

**cerrar** (ie) to close, shut

**certificar** to register (*a letter*)

**cerveza** beer

**cesta** basket

**cielo** sky

**cien(to)** a hundred

**ciencia** science

**cierto, –a** (a) certain (*before noun*)

**cigarrillo** cigarette

**cinco** five

**cincuenta** fifty

**cine** *m.* movies; movie theater

**ciruela** plum

**cita** date, appointment

**citado, –a: estar —** to have a date *or* appointment

**ciudad** *f.* city

**civilización** *f.* civilization

**claramente** clearly

**claro, –a** clear; **— (que)** of course; **azul — ** light blue

**clase** *f.* class; **sala de —** classroom; **¿ Qué — de ?** What kind of ?

**clásico, –a** classic(al)

**cocina** kitchen

**coche** *m.* coach, car, automobile; **en —** by car

**colocar** to put, place (*carefully*)

**color** *m.* color; **¿ de qué —?** what color ?

**collar** *m.* necklace

**combinación** *f.* combination

**comedor** *m.* dining room

**comenzar** (ie) to begin; **— a** plus *inf.* to begin to

**comer** to eat
**comestibles** *m. pl.* provisions, things to eat
**cómico, -a** comic(al)
**comida** meal
**como** like, as; *conj.* since, because; **—
de costumbre** as usual
**¿ cómo?** how? **¿ — le va?** how goes it?
**¿ — se llama Vd.?** what is your name?
**¡ — no!** of course! naturally!
**cómodamente** comfortably
**comodidad** *f.* comfort, convenience
**cómodo, -a** comfortable
**compañero, -a** companion
**compañía** company; **— constructora** construction company
**comparar** to compare
**completo, -a** complete; **por — completely**
**compositor** *m.* composer
**compra** purchase; **(ir) de —s** (to go)
shopping
**comprar** to buy
**comprender** to understand
**compromiso** date, appointment, engagement
**común** common; **por lo —** usually, ordinarily
**con** with
**concierto** concert
**condición** *f.*: **a — (de) que** on condition
that
**confusión** *f.* confusion
**confuso, -a** confused
**conmigo** with me
**conocer** to know (*be acquainted with*); to
meet (*be introduced to*)
**conocido, -a** well-known
**consistir en** to consist of
**construir** to build, construct
**contacto** contact
**contar (ue)** to tell, relate; to count
**contento, -a** pleased, happy, glad
**contestar** to answer
**continuar** to continue
**contrario: al —** on the contrary
**conveniente** proper, suitable, fitting, convenient
**convenir** (*conjug. like* **venir**) to be proper,
suitable, fitting, convenient; to suit

**conversación** *f.* conversation
**conversar** to converse, talk
**copiar** to copy
**corbata** (neck)tie
**cordialmente** cordially
**correctamente** correctly
**correo** mail; post office; **— aéreo** air
mail; **casa de —s** post office
**correr** to run
**corrija(n) Vd(s).** correct (*command*)
**corto, -a** short
**cosa** thing
**costar (ue)** to cost
**costumbre** *f.* custom, habit; **como de —**
as usual
**crecer** (*conjug. like* **conocer**) to grow
**creer** to believe; to think (*have an
opinion*); **creo que sí** I think so; **creo
que no** I don't think so
**crema** cream
**cual: el —, la —, los —es, las —es** who,
which, that, whom; **lo — which**
**¿ cuál?** what (one)? which (one)?
**cuando** when; **de vez en —, de — en —**
from time to time
**¿ cuándo?** when?
**cuanto: — antes** as soon as possible;
**en —** as soon as; **en — a** as for, in
regard to
**¿ cuánto, -a, -os, -as?** how much? how
many? **¿ —os años (tiene Vd.)?** how
old (are you)? **¿ a —os (del mes)
estamos?** what's the date?
**¡ cuánto, -a, -os, -as!** how much! how
many! what a lot of!
**cuarenta** forty
**cuarto** room; quarter; **y —** quarter-past
(*hour*)
**cuarto, -a** fourth
**cuatro** four
**cuatrocientos, -as** four hundred
**cubierto, -a** covered
**cubrir** to cover
**cuenta** bill
**cuerda: dar — a** to wind
**cuero** leather
**cuidado: con (mucho) —** (very) carefully; **tener (mucho) —** to be (very)
careful

**culpa** fault, blame; **tener la —** to be at fault, to be to blame

**cultura física** physical culture

**cumpleaños** *m.* birthday

**cumplir** to be (*certain age*): *e.g.,* **— los doce** to be(come) twelve years old

**cuñado** brother-in-law

**curar** to cure

**curso: estar en —** to be in progress, be going on

**cuyo, -a** whose (*never interrogative*)

## CH

**charlar** to chat, talk

**chico, -a** *adj.* small; *n.* boy, girl

**China** (**la**) China

**chiste** *m.* joke, jest, funny *or* witty saying

## D

**dar** to give; to strike (*with hour as subject*); **— con** to (happen to) meet *or* find; **— cuerda a** to wind; **— un paseo** to take a walk; **—se prisa** to hurry

**datos** *pl.* information, data

**de** of, from; about (*with* **hablar**); in (*with* **manera** *or* **modo**; *after superlative; between hour and part of day*); than (*between* **más** *and number, in affirmative sentences*); *used before year, in giving dates*

**debajo de** under, below, beneath

**deber** must, ought, should; to owe

**decidirse a** to decide to *plus inf.*

**décimo, -a** tenth

**decir** to say, tell; **es —** that is (to say); **querer —** to mean (*signify*)

**dedo** finger

**dejar** to leave, let, allow; **— de** *plus inf.* to stop (*doing something*); to fail to

**delante de** in front of

**delgado, -a** thin

**demasiado** too much

**dentro de** inside of, within; **— poco** shortly, soon, before long

**dependiente** *m. or f.* clerk (*in store*)

**deporte** *m.* sport

**deportivo, -a** sport(ing)

**derecho** (study of) law

**desagradable** disagreeable, unpleasant

**desayunarse** to eat *or* have breakfast

**descansar** to rest

**descanso: sin —** ceaselessly, without stopping

**descargar** to unload

**descompuesto, -a** out of order

**desde** from, since; **— luego** of course; **— que** since (*before verb*)

**desear** to desire, want; to wish (*someone something; with indir. obj.*)

**despedirse** (**i**) (**de**) to take leave (of), say good-bye (to)

**despensa** cupboard, pantry

**despertador** *m.* alarm clock

**despertarse** (**ie**) to awaken, wake up

**después** afterward, later; **— de** after; **— (de) que** after (*before verb*); **— de todo** after all

**detener** (*conjug. like* **tener**) to detain, delay; **—se** to stop (*when going somewhere*)

**detrás de** behind

**devolver** (**ue**) to return (*give back*)

**día** *m.* day; **hoy —** nowadays, these days; **— de Acción de Gracias** Thanksgiving; **— de fiesta** holiday; **buenos —s** good day, good morning, hello; **ocho —s** a week; **quince —s** two weeks; **todos los —s** every day

**diario** (daily) newspaper

**diccionario** dictionary

**diciembre** *m.* December

**dictado** dictation

**dicho** said

**diecinueve** nineteen

**dieciocho** eighteen

**dieciséis** sixteen

**diecisiete** seventeen

**diente** *m.* tooth

**diez** ten; **— y seis** sixteen; **— y siete** seventeen; **— y ocho** eighteen; **— y nueve** nineteen

**diferente** different

**difícil** difficult, hard

**dificultad** *f.* difficulty

**dinero** money

**¡ Dios mío !** Heavens ! My goodness ! *etc.*

**dirección** *f.* address; direction

BEGINNING SPANISH COURSE

**distancia** distance

**distinguido, –a** distinguished

**distinto, –a** different

**diversión** *f.* amusement, entertainment

**divertido, –a** amusing, entertaining

**divertirse (ie, i)** to have a good time, enjoy oneself; **que se divierta(n) Vd(s).** have a good time

**dividir** to divide

**doce** twelve

**dólar** *m.* dollar

**doler (ue)** to hurt, pain, ache; **me duelen los pies** my feet hurt

**dolor** *m.* pain, sorrow, grief

**domingo** Sunday

**don** *m. title of respect used with given names*

**donde** where

**¿ dónde ?** where ?

**doña** *title of respect used with given names*

**dormir (ue, u)** to sleep; **—se** to fall asleep, go to sleep

**dormitorio** bedroom, dormitory

**dos** two; **los —, las —** both

**doscientos, –as** two hundred

**droga** drug

**duda** doubt; **sin —** no doubt, undoubtedly

**dudar** to doubt; **— de** to doubt, distrust

**dueño** owner, manager, boss

**dulces** *m. pl.* candy, sweets

**durante** during

### E

**e** and *(before words beginning with* i *or* hi*)*

**Ecuador (el)** Ecuador

**echar: — a perder** to spoil, ruin; **— al correo** to mail; **— de menos** to miss *(someone or something that is not present)*

**edad** *f.* age; **¿ Qué — (tiene Vd.) ?** How old (are you) ?

**edificio** building

**ejemplo** example; **por —** for example, for instance

**ejercicio** exercise

**el** *m.s.* the; **— de** the one of, the one with; **— que** the one who, the one that; **— cual** who, which, that, whom

**él** he, it; him, it *obj. of prep.*

**eléctrico, –a** electric(al)

**ella** she, it; her, it *obj. of prep.*

**ellas** they; them *obj. of prep.*

**ello** it *obj. of prep. referring to whole idea or statement;* **— es que** the fact is (that)

**ellos** they; them *obj. of prep.*

**embargo: sin —** nevertheless, however

**emisora** (radio *or* broadcasting) station

**emitir** to give off, emit

**emparedado** sandwich

**empezar (ie)** to begin; **— a** *plus inf.* to begin to

**en** in, on; by *(with vehicle)*

**encantado, –a** delighted, charmed

**encenderse (ie)** to light, light up

**encima de** above, on top of

**encontrar (ue)** to meet, find; **—se con** to meet, find, come upon

**enero** January

**enfermedad** *f.* sickness, illness, disease

**enfermo, –a** ill, sick

**ensalada** salad

**enseñar** to teach, show

**entender (ie)** to understand

**enterarse** to find out

**entonces** then

**entrada** ticket, permit to enter; entrance

**entrar** to enter, come in, go in; **— en** to enter (into)

**entre** between, among

**enviar** to send

**equipaje** *m.* baggage

**equipo** team *(sports)*

**error** *m.* error, mistake

**escolar** *adj.* scholastic, school; **año —** school year

**esconder** to hide, conceal

**escrito, –a** written

**escuchar** to listen (to)

**escuela** school

**ese, –a, –os, –as** *adj.* that, those

**ése, –a, –os, –as** *pron.* that (one), those

**eso** *pron.* that (matter, *etc.*); **— es, — sí** that's it, that's right; **a — de** (at) about *(time of day)*; **por —** therefore, for that reason

**espacio** room, space

**espaldas** back
**España** Spain
**español** *m.* Spanish (*language*)
**español, -ola** Spanish
**espera: sala de —** waiting room
**esperar** to hope, expect, wait (for)
**espléndido, -a** splendid, wonderful
**esposa** wife
**esquina** (outside) corner
**estación** *f.* season; (railroad) station
**estado** state; **los Estados Unidos** the
United States
**estar** to be; **— bien (de salud)** to be well,
in good health
**este, -a, -os, -as** *adj.* this, these
**éste, -a, -os, -as** *pron.* this (one), these;
the latter
**estilo** style, kind; **por el —** of the (same)
kind
**esto** *pron.* this (matter, *etc.*)
**estudiante** *m. or f.* student
**estudiar** to study
**estudio** studio, study; **salón de —** study
(*room*), studio
**europeo, -a** European
**examen** *m.* examination, test
**excelente** excellent
**excursión** *f.* excursion, trip, outing
**existir** to exist
**éxito: tener —** to succeed, be successful
**explicar** to explain
**extrañar** to surprise; **no es de —** it's not
surprising

### F

**fácil** easy
**fácilmente** easily
**faltar** to be lacking; **(me) falta(n)** (I)
lack
**familia** family
**familiar** *adj.* family
**famoso, -a** famous
**favor** *m.* favor; **— de, hága(n)me Vd(s).
el — de** *plus inf.* please . . .; **¿ Me
hace(n) Vd(s). el — de** *plus inf.?* Will
you please . . . ? **por —** (if you) please
**favorito, -a** favorite
**febrero** February
**fecha** date (*calendar*)

**felicidad** *f.* happiness
**feliz** happy
**ferrocarril** *m.* railroad
**festejarse con** to feast on
**fiesta** festival, feast, party, holiday; **día
de —** *m.* holiday
**fin** *m.* end, finish; **al —, por —** finally, at
last; **en —** in short; **a fines de** at (*or*
toward) the end of (*a period of time*)
**fino, -a** fine
**firmar** to sign
**física** physics
**flor** *f.* flower
**fortuna: por —** fortunately, luckily
**francamente** frankly
**francés** *m.* French (*language*)
**francés, -esa** French
**frecuencia: con —** frequently
**frente a** opposite, facing
**fresco: hacer (mucho) —** to be (very)
cool (*weather*)
**fresco, -a** cool, fresh
**frijoles** *m. pl.* kidney beans
**frío: hacer (mucho) —** to be (very) cold
(*weather*); **tener (mucho) —** to be
(very) cold (*feeling*)
**frío, -a** cold
**frito, -a** fried
**fruta** fruit
**fuera de** outside of
**fuerte** strong
**futbol** *m.* football
**futuro, -a** future

### G

**gallina** hen
**gallo** rooster
**gana: de (muy) buena —** (very) gladly,
willingly; **tener —s de** *plus inf.* to feel
like
**ganar** to win, gain, earn
**gasolina** gasoline
**gastado, -a** ruined, spoiled
**gastar** to spend (*money*); to use, waste
**gato** cat
**general: en —** generally (speaking), in
general
**generalmente** generally, usually
**gente** *f.* people (*collectively*)

**gentío** crowd

**gozar** (de) to enjoy

**gracias** thanks; ¡ — a Dios! thank heavens! much(ísim)as — thank you very much

**gracioso, -a** funny, comic(al)

**gran** great (*used for* **grande** *before a singular noun*)

**grande** large, big; great (*before a noun*)

**gris** gray

**guante** *m.* glove

**guapo, -a** handsome, good-looking

**guisante** *m.* pea

**gustar** to please; **me gusta(n)** I like, *etc.*

**gusto** pleasure; **con much(ísim)o** — with great pleasure; **tener (mucho)** — **en** *plus inf.* to be (very) glad to, take (great) pleasure in

### H

**haber** ... to have ... *with past participle*

**había** there was, there were; there used to be (*impf. of* **hay**)

**habitante** *m. or f.* inhabitant, resident

**habla: de** — **española** Spanish-speaking

**hablar** to speak, talk

**habrá** there will be (*fut. of* **hay**)

**habría** there would be (*cond. of* **hay**)

**hacer** to do, make; to be (*weather*); *plus inf. or* **que** *and subjunctive* to have (*something done*), to make (*someone do something, something happen*), to cause (*something to be done*); —**se** to become; **hace** *plus length of time* ago; **hace** *plus pres. ind. or* **hacía** *plus impf. ind. and length of time, to show how long something has or had been going on:* **Hace una hora que está aquí** *or* **Hacía una hora que estaba aquí.**

**hambre** (**el** *f.*) hunger; **tener (mucha)** — to be (very) hungry

**hasta** until; even; — **que** until (*before verb*); — **la vista,** — **luego** so long, see you later; — **mañana** so long, see you tomorrow

**hay** there is, there are; — **que** *plus inf.* one must, it is necessary; **no** — **que** *plus inf.* one must not, should not,

ought not to; **no** — **de qué** don't mention it; you're welcome; ¿ **qué** — **de nuevo?** what's new?

**hecho: el** — **de que** the fact that

**helado** ice cream

**hermana** sister

**hermano** brother; —**s** brothers; brother(s) and sister(s)

**hermoso, -a** beautiful

**héroe** *m.* hero

**hierba** grass

**hija** daughter

**hijita** (little, dear, poor, *etc.*) daughter (*affectionate dimin. of* **hija**)

**hijo** son; —**s** sons; children (*i.e.,* "offspring," *etc.*)

**historia** story; history

**hoja** sheet (*of paper or metal*); leaf

¡ **Hola!** Hello! Hi!

**hombre** *m.* man; ¡ —! man alive!

**hombro** shoulder

**hora** hour; time (*of day*); ¿ **Qué** — **es?** What time is it? (**la**) — **de** time to, time for; **poner en** — to set (*watch or clock*)

**hospedarse** to take lodging *or* room

**hospital** *m.* hospital

**hoy** today; — **día** nowadays, these days; **de** — (*or* **aquí**) **en ocho** a week from today; **de** — (*or* **aquí**) **en quince** two weeks from today

**hubo** there was, there were; there happened (*pret. of* **hay**)

**huevo** egg

### I

**idioma** *m.* language

**iglesia** church

**igualmente** equally; same to you

**impermeable** *m.* raincoat

**importante** important; **lo más** — the most important (thing)

**importar** to matter, be important; ¿ **Qué importa?** What does it matter? What's the difference? What difference does it make?

**impuntual** not punctual

**incomparable** incomparable

## VOCABULARY

**independencia** independence
**indicar** to indicate, show, point out
**indudablemente** undoubtedly
**inglés** *m.* English (*language*)
**inglés, –esa** English
**insistir (en)** to insist (on)
**instalado, –a** located, installed
**inteligente** intelligent
**intención** *f.* intention; **tener la — de** *plus inf.* to intend to, mean to
**interés** *m.* interest; **tener — to** be interesting, be of interest
**interesante** interesting
**interesar** to interest
**interlocutor** *m.* announcer
**íntimo, –a** close, intimate
**invierno** winter
**invitado, –a** guest
**invitar** to invite
**ir** to go; **—se** to go away, leave; **— a** *plus inf.* to be going to
**italiano** *m.* Italian (*language*)
**italiano, –a** Italian

## J

**jamón** *m.* ham
**Japón (el)** Japan
**joven** young
**joven** *m. or f.* young man, young woman; **jóvenes** young men, young women, young people
**judías** string beans
**juego** game (*in general, as baseball, golf, etc.*)
**jueves** *m.* Thursday
**jugador** *m.* player
**jugar (ue)** to play; **— a** *plus def. art. plus name of sport* to play
**juguete** *m.* toy
**julio** July
**junio** June
**junto a** next to
**juntos, –as** together
**juventud** *f.* youth (*time of life*)

## K

**kilo(gramo)** kilogram (*2.2 lbs.*)
**kilómetro** kilometer (*.62 mile*)

## L

**la** the *f.;* **— cual, — que** who, which, that, whom; **— de** the one of, the one with; **— que** the one who, the one that; **— una** one o'clock
**la** her, it; you (**Vd.**)
**lápiz** *m.* pencil
**largo, –a** long; **a lo — de** along
**las** the *f.;* **— cuales, — que** who, which, that, whom; **— de** the ones of, the ones with; **— que** those who (that), the ones who (that); **— dos** *etc.* two *etc.* o'clock; **— dos** both
**lástima** pity, shame, too bad
**lavar** to wash
**le** him, you (**Vd.**) *m. dir. obj.;* (to) him, her, you (**Vd.**), it *indir. obj.*
**lección** *f.* lesson
**lectura** reading
**leche** *f.* milk
**lechuga** lettuce
**leer** to read
**legumbre** *f.* vegetable
**lejos** far
**lengua** language, tongue
**lentamente** slowly
**lento, –a** slow
**les** (to) them, you (**Vds.**) *indir. obj.*
**letra** handwriting; letter (*of alphabet*)
**letrero** sign
**levantarse** to get up
**libertador** *m.* liberator
**libre** free; vacant; **al aire —** in the open air
**librería** bookstore
**libro** book
**licencia de conductor** driver's license
**limonada** lemonade
**limpiar** to clean
**lista** menu, list
**listo, –a** ready (*with* **estar**); clever, alert (*with* **ser**)
**lo** him, it, you (**Vd.**) *m. dir. obj.;* **— cual, — que** which (*used in summing up an idea or statement*); **— que** what (*in sense of* that which)
**locutor** *m.* announcer
**los** them, you (**Vds.**) *m. pl. dir. obj.;* **—**

cuales, — que who, which, that, whom;
— de the ones of, the ones with, those
of, those with; — que those (the ones)
who (that); — dos both
luego then, next; — que as soon as;
desde — of course; hasta — so long,
see you soon
lugar *m.* place, locality
luna moon; — de miel honeymoon; hay
— the moon is out *or* shining
lunes *m.* Monday
luz *f.* light

### LL

llamar to call; to knock (*on a door*); —se
to be called *or* named
llanta (automobile) tire
llegada arrival, coming
llegado, –a: recién — *adj.* newly arrived;
*n.* newcomer
llegar to arrive; — a *plus inf.* to come to,
get to; — a ser to become, get to be
lleno, –a full, filled
llevar to take, carry; to wear (*clothing*);
— puesto, –a to wear, have on (*clothing*); —se to carry off, carry away
llorar to weep, cry
llover (ue) to rain
lluvia rain

### M

madre *f.* mother
maestro, –a teacher
magnífico, –a splendid, magnificent,
"swell"
mal badly
mal(o), –a bad (*with* ser); ill, sick (*with*
estar)
mandar to send; to command, order
manera way, manner; de diferente — in
a different way; de esta — (in) this
way; de — que so (that) (*indicating
result*)
mano *f.* hand
mantequilla butter
manzana apple; (city) block
mañana morning; de la — in the morning (*hour given*); por la — in the morning (*hour not given*)

mañana tomorrow; hasta — so long, see
you tomorrow; pasado — (the) day
after tomorrow
máquina machine; — de escribir typewriter
maquinaria machinery
maravilloso, –a wonderful, marvelous
marcharse to go away, leave
marido husband
martes *m.* Tuesday
marzo March
más more, most; *not translated, betw.
n. and adj., in exclamations beginning
with* ¡ Qué! (*e.g.* ¡ Qué hombre más
fuerte !); a — no poder to the utmost,
to the fullest extent; a — tardar at
the latest; no — que only, no more
than
matrimonio married couple; matrimony,
marriage
mayo May
mayor older, oldest; greater, greatest;
la — parte most, the majority
me me *dir. obj.;* (to) me *indir. obj.*
media: y — half-past
medianoche *f.* midnight
medias stockings, hose
medicina medicine
médico doctor (*M.D.*)
medida size, measure
medio, –a (a) half
mediodía *m.* noon; al — at noon
mejor *adv., adj.* better, best
memoria: de — by heart
menos less, least; fewer, fewest; before,
*etc., betw. hour and no. of minutes:* las
dos menos veinte; echar de — to miss
(*someone or something that is not present*); ni mucho — (not) by any means,
*etc.;* por lo — at least; a — que unless
menudo: a — often
mercado market
mes *m.* month
mesa table, desk
meter to put (*something into something
else*), insert
mi, mis my (*before n.*)
mí me *obj. of prep.*
micrófono microphone

**mientras (que)** while *conj.*

**miércoles** *m.* Wednesday

**mil** a (*or* one) thousand

**milla** mile

**millón: un — (de)** a million

**minuto** minute

**mío, –a** my (*after n.*), of mine; **el mío, la mía, los míos, las mías** mine *pron.*

**mirar** to look (at)

**misa del gallo** midnight mass

**mismo, –a** same (*before n.*); **lo mismo** the same (thing); **lo mismo que** the same as

**moderno, –a** modern

**modismo** idiom

**modo** manner, way, means; **de — que** so (that) (*to express a result*)

**mojarse** to become *or* get wet

**molestar** to bother, annoy

**momento** moment, minute

**moneda** coin

**montar: — a caballo** to ride horseback

**moreno, –a** dark, brunet(te)

**morir (ue, u)** to die

**moroso, –a** tardy, inclined to be late

**mostrar (ue)** to show

**mozo** waiter

**muchacha** girl

**muchacho** boy

**muchísimo** *adv.* very much

**mucho, –a, –os, –as** much, many, a lot (of), a good *or* great deal (of)

**mucho** *adv.* much, a lot, a good *or* great deal; **ni — menos** (not) by any means, *etc.*

**muerto, –a** dead

**mujer** *f.* woman; wife; **¡ —!** Heavens, woman!

**mundo** world; **todo el —** everyone, everybody

**música** music

**músico, –a** musician

**muy** very

## N

**nacer** (*conjug. like* **conocer**) to be born

**nacimiento** birth

**nación** *f.* nation, country

**nacional** national

**nada** nothing, (not) anything; (not) at all *adv.;* **— de particular** nothing much, nothing special; **de —** don't mention it; you're welcome; **no servir para —** to be no good, useless; **por —** for no special reason

**nadar** to swim

**nadie** no one, nobody, (not) anyone, (not) anybody

**naranja** orange

**naranjada** orangeade

**nariz** *f.* nose

**natación** *f.* swimming

**naturaleza** nature

**naturalmente** naturally, of course

**Navidad (la)** Christmas

**necesariamente** necessarily

**necesario, –a** necessary

**necesitar** to need

**negar (ie)** to deny

**negro, –a** black

**neumático** (automobile) tire

**nevar (ie)** to snow

**ni** nor; not even; **— mucho menos** (not) by any means, *etc.;* **— ... —** neither ... nor

**nieve** *f.* snow

**ninguno (ningún), –a** *adj.* no, (not) any

**ninguno, –a** *pron.* none, not one, (not) any, neither (one), (not) either (one)

**no** no, not; **¿ —?** isn't it so? *etc.*

**noche** *f.* night; **buenas —s** good night, good evening, hello; **de la —** at night (*hour given*); **por la —** at night (*hour not given*); **esta —** tonight

**Nochebuena** Christmas Eve

**nombre** *m.* name

**nos** us *dir. obj.;* (to) us *indir. obj.;* (to) ourselves *refl. pron.*

**nosotros, –as** we; us *obj. of prep.*

**nota** mark, grade; **sacar —s** to get marks *or* grades

**notar** to notice

**noticias** news

**novecientos, –as** nine hundred

**novela** novel

**noveno, –a** ninth

**noventa** ninety

**noviembre** *m.* November

**novio, -a** sweetheart, fiancé(e); **novios** sweethearts, engaged couple

**nube** *f.* cloud

**nublado: estar —** to be cloudy

**nuestro, -a** our, of ours *adj.;* **el nuestro, la nuestra, los nuestros, las nuestras** ours *pron.*

**nuevamente** again, anew

**nueve** nine

**nuevo, -a** new; **¿ Qué hay de —?** What's new? **de —** again, anew

**número** number

**nunca** never, (not) ever

### O

**o** or; **— ... —** either ... or

**ocasión** *f.* opportunity, occasion

**octavo, -a** eighth

**octubre** *m.* October

**ocupado, -a** busy, occupied

**ochenta** eighty

**ocho** eight; **— días** a week; **de aquí** (*or* **hoy**) **en —** a week from today

**ochocientos, -as** eight hundred

**oficina** office

**ofrecer** (*conjug. like* **conocer**) to offer

**oiga(n) Vd(s).** listen, *etc.; used to attract someone's attention*

**oír** to hear; **— cantar** to hear sing(ing)

**¡ ojalá (que) ...!** (*with past subjunctive*) would that ...! I wish that ...; (*with pres. subjunctive*) I hope that ...

**ojo** eye

**olvidar** to forget

**once** eleven

**oportunidad** *f.* opportunity, chance

**orilla** bank, shore

**oro** gold

**orquesta** orchestra

**otoño** fall, autumn

**otro, -a** other, another; **otra vez** again

**oyente** *m. or f.* hearer, listener

### P

**paciencia** patience

**padre** *m.* father; **—s** parents

**pagar** to pay (for)

**página** page

**país** *m.* country, nation

**pájaro** bird

**palabra** word

**pan** *m.* bread; **— dulce** coffee cake, sweet roll

**pañuelo** handkerchief

**papel** *m.* paper

**paquete** *m.* package

**par** *m.* pair

**para** for; by (*with indication of time-limit or "deadline"*); in order to; **— que** so that, in order that

**Paraguay (el)** Paraguay

**parecer** (*conjug. like* **conocer**) to seem; **—se a** to resemble, look like; **¿ Qué le parece?** What do you think (about it)?

**pareja** couple

**parejos, -as** even, equal

**pariente** *m. or f.* relative, relation

**parque** *m.* park

**parte** *f.* part; **formar — de** to belong to, be (a) part of; **la mayor —** most, the majority; **por todas —s** everywhere; **tomar —** to take part, participate

**particular: nada de —** not (*or* nothing) much, nothing special

**partida** departure

**partido** game, match (*meeting of teams or contestants in a sport; not the sport itself*)

**pasado, -a** last (*in giving dates:* **la semana pasada,** *etc.*); **pasado mañana** (the) day after tomorrow

**pasajero, -a** passenger

**pasar** to pass; to spend (*time*); to happen; **al —** on passing; **¿ Qué pasa?** What's the matter? What's happening? **¿ Qué pasará?** What (do you think) is the matter? **¿ Qué le(s) pasa?** What's the matter (with you)?

**Pascuas (las)** Easter *or* Christmas

**pasear(se)** to take a walk, stroll, ride *or* drive

**paseo** walk, stroll, ride, drive; **dar un —** to take a walk *or* ride

**pastel** *m.* pie, cake; **— de coco** coconut cake

**patata** potato
**patrio, -a** native
**pavo** turkey
**pecho** chest, breast
**pedir** (i) to ask (for), request
**peine** *m.* comb
**película** movie, film, "show"
**peligroso, -a** dangerous
**pelo** hair
**pena: valer la —** to be worth (the) while, worth the trouble
**pensar** (ie) to think; **—** *plus inf.* to intend; **— en** to think about
**peor** *adv., adj.* worse, worst
**pequeño, -a** small, little
**pera** pear
**perder** (ie) to lose, waste; to miss; **echar a —** to spoil, ruin; **pierda(n) Vd(s). cuidado** don't worry
**perfume** *m.* perfume
**periódico** newspaper
**perla** pearl
**permiso** permission
**permitir** to allow, permit
**pero** but
**perro** dog
**persona** person; **—s** people (*individually*)
**Perú** (el) Peru
**peruano, -a** Peruvian
**pesar: a — de** in spite of
**pescar** to fish
**pie** *m.* foot; **a —** on foot, afoot; **de —** standing
**piel** *f.* skin, hide, leather
**pierna** leg (*human*)
**pintar** to paint
**piñata** suspended balloon, toy animal, *or* pot filled with candy
**Pirámide del Sol** *f.* Pyramid of the Sun
**piso** floor, story (*of building*)
**placer** *m.* pleasure
**plátano** banana
**plato** dish, plate
**playa** beach, shore
**plaza** (public) square
**pluma** pen; **— fuente** fountain pen
**población** *f.* population
**pobre** poor; **los —s** poor people
**poco** little, not much; **a — de** a short

(little) while after; **dentro de —** soon, shortly, before long; **— a —** little by little, gradually; **un —** a little (bit), quite, rather, somewhat
**poco, -a** little; **al — rato** in *or* after a short (little) while; **hace — (tiempo)** a short time ago, not long ago; **pocos, -as** few
**poder** (ue) to be able, can, may; **a más no —** to the utmost, to the fullest extent
**polvo** dust; **caja de —** box of face powder; **hay (mucho) —** it is (very) dusty
**pollo** chicken
**poner** to put, place; to put on, show (*a movie, etc.*); to make (*with adj.*); to turn on (*a radio*); **— en hora** to set (*watch or clock*); **—se** to become (*with adj.*); to set (*sun*); to put on (*clothing*); **—se a** to begin to; **—se en camino** to start out, set out
**popular** popular
**por** by, for, around, along, through, on account of, because of, for the sake of, in exchange for; in (*the morning or afternoon; hour not given*), at (*night; hour not given*); **¿— qué?** why?
**porque** because
**portugués** *m.* Portuguese (*language*)
**portugués, -esa** Portuguese
**porvenir** *m.* future
**posada** religious Christmas festival in Mexico
**posible** possible; **lo antes —, lo más pronto —** as soon as possible; **todo lo —** everything possible
**posiblemente** possibly
**postre** *m.* dessert; **de —s** for dessert
**postrer(o), -a** last
**precio** price
**preciso: ser —** to be necessary
**preferir** (ie, i) to prefer; (I'd) rather, *etc.*
**pregunta** question
**preguntar** to ask, inquire
**premio** prize
**prenda de vestir** garment, article of clothing
**preocupado, -a** preoccupied, worried
**preocuparse** to worry

**preparar** to prepare; —**se** to get ready, prepare oneself

**presenciar** to witness, attend, be present at

**presentar** to present, introduce; —**se** to present oneself, put in an appearance, "show up"

**presidente** *m.* president

**prestar** to lend; — **atención** to pay attention

**primavera** spring (*season*)

**primero** *adv.* (at) first

**primer(o)**, **-a** first; **en primer lugar** in the first place; **lo primero** the first thing

**primo, -a** cousin

**principal** main, chief, principal

**principalmente** mainly, chiefly

**prisa: darse** — to hurry; **de** — quickly, hurriedly; **tener (mucha)** — to be in a (big) hurry

**probable** probable

**probablemente** probably

**probarse (ue)** to try on

**procurar** to try; to obtain

**profesor, -ora** teacher, professor

**programa** *m.* program

**promesa** promise

**prometer** to promise

**pronto** soon, quickly, promptly; **de** — suddenly; **lo más** — **posible** as soon as possible

**pronunciar** to pronounce

**propina** tip (*money*)

**propósito: a** — by the way, incidentally

**próspero, -a** prosperous; — **Año Nuevo** Happy New Year

**próximo, -a** next

**proyecto** plan, project

**publicarse** to be published

**puchero** dish of boiled meat and vegetables

**puerta** door

**pues,** ... well, ...

**puesto** job, position

**puesto:** — **que** since (*in the sense of* because)

**punto** period (*punctuation*); **en** — exactly, sharp (*time*)

## Q

**que** who, whom, which, that; **than** (*in most comparisons; see* **de**); to (*betw. expression of quantity and inf.:* **algo que comer** something to eat); for (because)

**¿ qué ?** what ? which ? *adj.;* what ? *pron.;* **¿** — **tal?** how goes it ? **¿ por** — **?** why ?

**¡ qué !** what (a) ! how ...! *before n. or adj. or adv.*

**quedar** to remain, be left, be; — **grande** *or* **pequeño** to be (too) large *or* small; —**se** to stay, remain (*of one's own accord*); —**se con** to keep, take (*a purchase*)

**quejarse (de)** to complain (of *or* about)

**querer (ie)** to wish, want; to like, love (*a person*); — **decir** to mean (*signify*)

**queso** cheese

**quien, quienes** who, that; he (those) who, the one(s) who; whom *obj. of prep.*

**¿ quién ? ¿ quiénes ?** who ? **¿ a** —**(es)?** whom ? *dir. obj.;* whom ? *obj. of prep.*

**quince** fifteen; — **días** two weeks; **de aquí** (*or* **hoy**) **en** — two weeks from today

**quinientos, -as** five hundred

**quinto, -a** fifth

**quisiera** I, he, she, you (**Vd.**) would like

**quitarse** to take off (*clothing*)

**quizá(s)** perhaps, maybe

## R

**radio** *m. or f.* radio; **aparato de** — radio set

**radioescucha** *m. or f.* (radio) listener

**rancho** ranch

**rápidamente** quickly, rapidly, fast

**rápido, -a** fast, rapid

**rato** short time, while; **al poco** — in *or* after a short (little) while; **un** — a (little) while

**razón** *f.* reason; **tener** — to be right (*not mistaken*); **no tener** — to be wrong (*mistaken*)

**realizar** to carry out, achieve; to realize (*e.g., a profit*)

**realmente** really

**recibir** to receive, get

**recién:** — **llegado** newly-arrived *adj.;* newcomer *n.;* — **casados** newlyweds

**recientemente** recently

**recordar (ue)** to remember

**recuerdos:** — **a la familia** regards (remember me) to the family; — **a todos** regards (remember me) to everyone; — **en casa** regards (remember me) at home

**red** *f.* net(work)

**refrigerador** *m.* refrigerator

**regalar** to give (*a present*); —**se (de)** to feast (on)

**regalo** gift, present

**registrado, –a** registered

**regresar** to return, go back, come back

**regreso** return; **al** — on the return (trip)

**regular** fair, not bad, so-so

**reír(se) (i)** to laugh; —**se de** to laugh at, make fun of

**religioso, –a** religious

**reloj** *m.* watch, clock; — **de bolsillo** pocket watch; — **de pared** wall clock; — **de pulsera** wrist watch

**remedio: no tiene** — it can't be helped; **no tener más** — **que** to have no choice but

**repasar** to review, study again

**repente: de** — suddenly

**resfriado** cold (*illness*)

**resfriado, –a: estar** — to have a cold

**respetar** to respect

**responder** to answer, reply, respond

**restaurante** *m.* restaurant

**reunirse** to meet, get together

**revisar** to examine, inspect

**revista** magazine

**rezar** to pray

**rico, –a** rich; **los ricos** rich people

**río** river

**robusto** strong, robust, rugged

**rojo, –a** red

**romper** to break

**ropa** clothes, clothing; — **interior** underwear

**ropero** wardrobe

**rosca** roll, biscuit

**roto, –a** broken

**rubio, –a** blond, light-complexioned

**ruido** noise

**rústico, –a** rural, rustic

## S

**sábado** Saturday

**saber** to know (*something one has learned*); *plus inf.* to know how to

**sabroso, –a** tasty, good-tasting

**sacar** to take out; to get (*marks or grades*)

**sala** (large) room; — **de clase** classroom; — **de espera** waiting room

**salir** to go out, come out, leave; — **bien (en un examen)** to pass (a test); —**mal (en un examen)** to fail (a test)

**salón** *m.* parlor, living room; — **de estudio** study (room), studio

**salud** *f.* health; **estar bien de** — to be in good health *or* well; **tener buena** — to have *or* be in good health

**saludar** to greet

**saludos** greetings

**sano, –a** healthy, sound

**se** oneself, himself, herself, itself, yourself, themselves, yourselves; *replaces* **le** *or* **les** *before 3d pers. dir. obj. pron.*

**sed** *f.* thirst; **tener (mucha)** — to be (very) thirsty

**seguida: en** — immediately, at once, right away

**seguidos, –as** consecutive, in a row

**seguir (i)** to follow; *plus pres. part.* to continue *or* go on (*doing something*)

**segundo** second

**segundo, –a** second

**seguro, –a** sure

**seis** six

**seiscientos, –as** six hundred

**sello** stamp

**semana** week

**semestre** *m.* semester

**sencillo, –a** simple, plain

**sentarse (ie)** to sit down

**sentir (ie, i)** to regret, be sorry; to feel; —**se** to feel

**señalar** to point (out), indicate

**señor** *m.* Mr.; sir; gentleman

**señora** Mrs.; madam; lady

**señorita** Miss; young lady

**septiembre** *m.* September

**séptimo, –a** seventh

**ser** to be; **llegar a —** to become, get to be

**serio, –a** serious

**servicio** service

**servir** (i) to serve, be useful; **no — para nada** to be no good, useless; **¿ En qué puedo — le ?** What can I do for you ?

**sesenta** sixty

**setecientos, –as** seven hundred

**setenta** seventy

**sexto, –a** sixth

**si** if, whether

**sí** yes

**sí** *pron.* oneself, himself, herself, itself, yourself, themselves, yourselves (*all, obj. of prep. other than* **con**; *with* **con**, *it becomes* **consigo**)

**sidra** cider

**siempre** always; **— que** whenever

**siete** seven

**siglo** century

**significado** meaning, significance

**siguiente** next, following

**silencio** silence

**silla** chair

**sillón** *m.* armchair, easy chair

**simbólico, –a** symbolic(al)

**simpático, –a** attractive, likable, pleasant, "nice"

**sin** without; **— que** *conj.* without

**sino** but (*betw. words that contradict each other*); **— que** but (*in same sense, before conjugated vb.*)

**sírvase** *plus inf.* please . . .

**sitio** place, locality

**situación** *f.* situation

**situado, –a** located, situated

**sobre** *m.* envelope

**sobre** about; above, on top of; **— todo** especially, above all

**sofá** *m.* (**sofás**) sofa, couch

**sol** *m.* sun; **hay** *or* **hace** (**mucho**) **— the** sun is out *or* shining; it is (very) sunny

**solamente** only

**solas: a —** alone

**soler** (ue) *plus inf.* to be accustomed to, in the habit of, usually

**solo, –a** alone; **café —** *m.* black coffee

**sólo** only; **con —** only, just

**sombra** shade; **a la —** in the shade

**sombrero** hat

**sonar** (ue) to sound, ring

**sonrisa** smile

**sopa** soup

**sordo, –a** deaf

**sorprender** to surprise

**sorpresa** surprise

**sótano** cellar, basement

**su**(s) his, her, your, its, their

**subir** to come up, go up; **— (a)** to get on(to), get in(to) (*vehicle*)

**suceder** to happen

**Sud América** South America

**sudamericano, –a** South American

**suelo** floor, ground

**sueño** dream; sleep; **tener** (**mucho**) **—** to be (very) sleepy

**suerte** *f.* luck; **por —** by chance, luckily; **tener** (**mucha**) **—** to be (very) lucky

**sufrir** to suffer

**suplementario, –a** supplementary

**suponer** (*conjug. like* **poner**) to suppose

**supuesto: por —** of course

**sur** *m.* south; **la América del Sur** South America

**surtido** stock, supply

**suyo, –a** his, her, its, your, their (*after n.*); of his, hers, its, yours, theirs; **el suyo, la suya, los suyos, las suyas** his, hers, yours, its, theirs *pron.*

**T**

**tal** such (a); **— vez** perhaps, maybe; **con — (de) que** provided that; **¿ Qué —?** How goes it ?

**también** also, too

**tampoco** nor, neither, (not) either, nor . . . either (*opp. of* **también**)

**tan** as, so *before adj. or adv.; not translated, betw. n. and adj., in exclamations beginning with* **¡ Qué!** (*e.g.* **¡ Qué hombre tan fuerte !**); **— . . . como** as . . . as

**tanto** *adv.* so much; **por lo —** therefore; **— como** as (so) much as

**tanto, –a, –os, –as** so much, so many; **— ... como** as (so) much (many) ... as

**taquilla** ticket window, box office

**taquillero, –a** ticket seller

**tardar: — en** *plus inf.* to be long in ...; **a más —** at the latest

**tarde** late; **hacerse —** *impers.* to become *or* get late; **más —** later (on)

**tarde** *f.* afternoon; **de la —** in the afternoon (*hour given*); **por la —** in the afternoon (*hour not given*)

**tarjeta** card; **— postal** post card

**taza** cup

**teatro** theater

**teléfono** telephone; **por —** by (on the) telephone

**televisión** *f.* television

**temer** to fear, be afraid

**temprano** early

**tener** to have, possess; **— que** *plus inf.* to have to; **tenga(n) Vd(s). la bondad de** *plus inf.* please ...

**tenis** *m.* tennis

**tercer(o), –a** third

**terminar** to finish, end

**terrible** terrible, awful

**tía** aunt

**tiempo** time, weather; **a —** on time; **hace poco (—)** a short time (short *or* little while) ago; **hacer buen —** to be good weather, a nice day; **hacer mal —** to be bad weather; **¿ Qué (tal) — hace?** What kind of day *or* weather is it? What's the weather?

**tienda** store; **— de comestibles** grocery store; **(ir) de —s** (to go) shopping

**timbre** *m.* stamp

**tinta** ink

**tinto, –a** red (*said mainly of wine*)

**tío** uncle; **—s** uncles, aunt(s) and uncle(s)

**tocador** *m.* dressing table, bureau

**tocar** to play (*an instrument or a selection*)

**todavía** still, yet

**todo, –a** all, every; **después de —** after all; **sobre —** especially, above all; **— el mundo** everyone, everybody; **—s** all, everyone; **recuerdos a —s** regards (remember me) to everyone

**tomar** to take; to have (*something to eat or drink*)

**tomate** *m.* tomato

**toronja** grapefruit

**torta** cake

**trabajar** to work

**trabajo** work; report, term paper, *etc.*

**traer** to bring

**traje** *m.* suit; **— de baño** bathing suit

**tranvía** *m.* street car, trolley

**trasladarse** to move (*change one's residence*)

**tratar: — de** *plus inf.* to try to; **—se de** to be a question *or* matter of

**trece** thirteen

**treinta** thirty

**tren** *m.* train

**tres** three

**trescientos, –as** three hundred

**triste** sad

**tu** your *fam. s.*

**tú** you *fam. s.*

**turrón** *m.* nougat

## U

**u** or (*before words beginning with* **o** *or* **ho**)

**último, –a** last (*of a series, etc.*)

**un, una** a, an

**único, –a** only

**universidad** *f.* university

**un(o), –a** one; **la una** one o'clock

**unos, –as** some, a few; about

**Uruguay (el)** Uruguay

**usar** to use

**usted (Vd.), ustedes (Vds.)** you *polite s. and pl.*

**útil** useful

**uva** grape

## V

**va: ¿ Cómo le(s) —?** How goes it?

**vaca** cow

**vacaciones** *f. pl.* vacation(s)

**vacío, –a** empty

**valer** to be worth; **— la pena** to be worth

(the) while, worth the trouble; **más vale** it is better

**vamos** let's go; **— a** *plus inf.* let's . . .

**variedad** *f.* variety

**varios, –as** *before n.* several

**vasito** small (drinking) glass

**vaso** (drinking) glass

**vaya: que le(s) — bien** good luck

**Vd., Vds.** *see* **usted**

**vecino, –a** neighbor

**veinte** twenty

**velocidad** *f.* speed, velocity

**vendedor** *m.* clerk, salesman, vendor

**vender** to sell; **—se** to be sold

**venir** to come

**venta** sale; **(estar) de —** to be for sale, on sale

**ventaja** advantage

**ventana** window

**ver** to see; **—se** to find oneself; **a —** let's see

**verano** summer

**veras: de —** really

**verbo** verb

**verdad** *f.* truth; **es —** it is true; **¿ (no es) —?** isn't it (so) ? *etc.*

**verde** green

**vestido** dress

**vestirse (i)** to get dressed

**vez** *f.* time (*single occasion*); **de — en cuando** from time to time; **tal —** perhaps, maybe; **otra —** again; **a veces** at times, sometimes; **muchas veces** often, many times

**viajar** to travel; **— en negocios** to be on a business trip

**viaje** *m.* trip; **— de negocios** business trip; **— de novios** wedding trip; **hacer un —** to take a trip

**viajero, –a** traveler

**vida** life; **así es la —** such is life; **la — de la ciudad** city life; **la — del campo** country life

**viejito** (little, dear, poor, *etc.*) old man (*affectionate dim. of* **viejo**)

**viejo, –a** old

**viene(n): que —** next *adj.*

**viento** wind; **hace (mucho) —** it's (very) windy, the wind is blowing (hard)

**viernes** *m.* Friday

**vino** wine

**visita** visit; **hacer una —** to pay a visit

**visitar** to visit

**víspera** day *or* night before

**vista: hasta la —** so long, see you later

**visto, –a** seen; **por lo —** apparently

**vivir** to live

**vocabulario** vocabulary

**volver (ue)** to return, go back, come back

**vosotros, –as** you *fam. pl.*

**voz** *f.* voice; **en — alta** aloud, orally

**vuelta: billete de ida y —** *m.* round-trip ticket; **estar de —** to be back

## Y

**y** and; past (*time of day*); **— cuarto** quarter-past; **— media** half-past

**ya** already; **¡ — lo creo!** of course! naturally! I should say so! **— no** no longer

**yo** I

## Z

**zapallo** kind of squash

**zapatería** shoe store, shoemaker's shop

**zapato** shoe

# VOCABULARY

## A

a, an un *m.*, una *f.*
able: to be — poder (ue)
about de (*with* hablar); acerca de (*concerning*); a eso de (*with time of day*)
address dirección *f.*
admire admirar
after *prep.* después de; *conj.* después (de) que
afternoon tarde *f.*
again otra vez, nuevamente, de nuevo
ago hace *plus unit of time:* two days ago hace dos días
all todo, –a, –os, –as; — right está bien; bueno, . . .
already ya
also también
always siempre
A.M. de la mañana
America: South — la América del Sur, Sud América
animal animal *m.*
and y; e (*before words beginning with* i *or* hi)
another otro, –a
any: (not) — ningún, ninguna *adj.; pron.* ninguno, –a
anybody, anyone: (not) — nadie
appointment cita; to have an — estar citado, –a
Argentina la Argentina
arrive llegar
article artículo; — of clothing prenda de vestir
as como; — (*adj. or adv.*) — tan . . . como; — much — *adv.* tanto como; — much . . . — *adj.* tanto, –a . . . como; — many — tantos, –as como; — for en cuanto a
ask (for) pedir (i)
at en (*a place*)
August agosto
aunt tía; —(s) and uncle(s) tíos

## B

back *n.* espaldas *pl.*
bad mal(o), –a
banana plátano
baseball beisbol *m.*
basket cesta, canasta
bathing suit traje de baño *m.*
be ser, estar; — (*feel*) warm, *etc.* tener calor, *etc.*; — (*reach or become a certain age*) cumplir los (*number of years*)
beautiful hermoso, –a
because porque; — of por, a causa de
bedroom alcoba
before *prep.* antes de; *conj.* antes (de) que
begin comenzar (ie), empezar (ie); — to empezar a, comenzar a, ponerse a *plus inf.*
believe creer
best *adj.* mejor, mejores; *adv.* mejor
better *adj.* mejor, mejores; *adv.* mejor
black negro, –a
blue azul
book libro
bored aburrido, –a
born: be — nacer (*conjug. like* conocer)
box caja; mail— buzón *m.*
boy muchacho; small — chico
Brazil el Brasil
break romper
breakfast: have — desayunarse
bring traer
brother hermano; —(s) and sister(s) hermanos
build construir
busy ocupado, –a
but pero; sino, sino que (*between words that contradict each other*)
butter mantequilla
button botón *m.*
buy comprar
by por; de (*with vb. of mental action*); para (*with indication of time-limit or "deadline"*)

## C

**call** llamar
**can** *vb.* poder (ue)
**car** coche *m.*
**card: post —** tarjeta postal
**carefully** con cuidado
**case: in —** en caso (de) que
**center** centro
**(a) certain** cierto, –a
**chair** silla
**children** niños
**city** ciudad *f.*
**class** clase *f.*
**close** cerrar (ie)
**cloth** tela
**cold: be (very) —** (*weather*) hacer (mucho) frío
**come** venir; **— back** volver (ue), regresar
**comfortably** cómodamente
**companion** compañero, –a
**compared** comparado, –a
**concert** concierto
**continue** continuar (ú), seguir (i)
**country** país *m.*, nación *f.; as opposed to city:* campo
**cousin** primo, –a

## D

**dance** baile *m.*
**dangerous** peligroso, –a
**daughter** hija
**day** día *m.*; **every —** todos los días; **good — buenos** días
**deal: a great —** much(ísim)o; **a great — of** much(ísim)o, –a
**decide to** decidirse a *plus inf.*
**deny** negar (ie)
**dictionary** diccionario
**different** diferente, distinto, –a
**difficult** difícil
**dining room** comedor *m.*
**disease** enfermedad *f.*
**do** hacer
**doctor** (*M.D.*) médico
**dog** perro
**dollar** dólar *m.*

**door** puerta
**doubt** dudar
**dress** vestido
**drink** beber
**during** durante

## E

**early** temprano
**easily** fácilmente
**easy** fácil
**eat** comer
**eight** ocho
**eighteen** dieciocho, diez y ocho; **to be- (come) —** cumplir los dieciocho *or* diez y ocho
**either: (not) —** tampoco (*opp. of* también)
**enjoy oneself** divertirse (ie, i)
**enough** *adj.* bastante
**entertaining** divertido, –a
**especially** sobre todo
**ever: (not) —** nunca
**every** cada; **— day** todos los días
**everyone, everybody** todos, –as; todo el mundo
**examination** examen *m.*
**exist** existir
**extremely** *adj. or adv.: add* –ísimo, –a, *or* –ísimamente *to adj. stem*

## F

**fail (a test)** salir mal (en un examen)
**family** familia
**famous** famoso, –a
**far** lejos
**fast** *adv.* rápidamente
**father** padre *m.*
**few** pocos, –as; **a —** unos, –as, algunos, –as
**fewer** menos
**find** encontrar (ue), hallar; **— out** saber (*pret., if in past*)
**fine** fino, –a (*quality*); muy bien (*health*)
**finish** acabar, terminar
**first** *adj.* primer(o), –a
**five** cinco
**foot** pie *m.*

football futbol *m.*

for para; por (*for the sake of, in exchange for*)

forget olvidar

forty cuarenta; **—-one** cuarenta y un(o), –a

four cuatro

frankly francamente

Friday viernes *m.*

friend amigo, –a

from de, desde

fruit fruta

fun: make **—** (of) burlarse (de)


**G**

game partido *match or contest; not the sport itself; latter is* juego

General el general; el *omitted in direct address*

German alemán *m.* (*language*)

get up levantarse

give dar; **—** back, return devolver (ue)

glad: be **—** (that) alegrarse (de que); be (very) **—** to tener (mucho) gusto en *plus inf.*

go ir; **—** away irse, marcharse, salir; **—** back, return volver (ue), regresar; **—** on, continue continuar (ú), seguir (i); **—** out salir

grandfather abuelo

grandparents abuelos

great gran, grandes *before n.;* a **—** deal *adv.* much(ísim)o; a **—** deal of much(ísim)o, –a

green verde

greet saludar


**H**

hair pelo

hand mano *f.*

handkerchief pañuelo

handsome guapo, –a, bien parecido, –a

handwriting letra

happy alegre, feliz, contento, –a

hard difícil

hat sombrero

Havana la Habana

have tener; haber (*used only with past part., in compound tenses*); **—** to tener que *plus inf.;* **—** breakfast desayunarse

he él; **—** who el que, quien

hear oír

hen gallina

her la *dir. obj.;* ella *obj. of prep.;* (to) **—** le *indir. obj.*

here aquí

him le, lo *dir. obj.;* él *obj. of prep.;* (to) **—** le *indir. obj.*

his *adj.* su(s) *before n.;* suyo, –a, de él *after n.;* of **—** suyo, –a, de él; *pron.* el suyo, la suya, los suyos, las suyas

home: at **—** en casa

hope esperar

horse caballo; ride **—**back montar a caballo

hospital hospital *m.*

hour hora

house casa

how? ¿ cómo ? **—** goes it? ¿ Qué tal? **—** much? ¿ cuánto, –a? **—** many? ¿ cuántos, –as?

how...! ¡ qué...! *before adj. or adv.*

hundred: a *or* one **—** cien *before n.*

hurry: be in a (big) **—** tener (mucha) prisa

hurt doler (ue) *with indir. obj.*


**I**

I yo

ill enfermo, –a

important importante

in en; de (*with superlative, or with part of day, when hour is given:* las dos de la tarde)

information datos *pl.*

inhabitant habitante *m. or f.*

insist (on) insistir (en)

intelligent inteligente

intend to pensar (ie), tener la intención de *plus inf.*

interesting interesante; be **—** tener interés

it lo, la *dir. obj.;* isn't **—** (so)? ¿ (no es) verdad ?

### J

**June** junio
**just: have** — acabar de *plus inf.*

### K

**knock** llamar
**know** conocer (*acquaintance*); saber (*matter of knowledge*); — **how to** saber *plus inf.*

### L

**language** lengua; idioma *m.*
**large** grande
**last** último, –a; — (*week, etc.*) pasado, –a: la semana pasada; — **night** anoche
**late** tarde
**later: see you** — hasta luego, hasta la vista
**latter: the** — éste, ésta, éstos, –as
**laugh** reír (í), reírse (í)
**leave** irse, marcharse, salir (*no obj.*); dejar, salir de (*with obj.*)
**lend** prestar
**lesson** lección *f.*
**let's** vamos a *plus inf.; pres. subj., 1st pl.;* — **see** (vamos) a ver
**letter** carta
**library** biblioteca
**life** vida
**light** luz *f.*
**lighted** encendido, –a
**like** *vb.:* **I** — me gusta(n); **I'd** — **to** quisiera *plus inf.*
**listen** escuchar; — **to** escuchar; *command* oiga(n) Vd(s).
**little** *adv.* poco
**live** vivir
**long** largo, –a
**longer: no** — ya no
**look** mirar; — **at** mirar; — **for** buscar; — **like, resemble** parecerse a (*conjug. like* conocer)
**lose** perder (ie)
**lot: a** — mucho; **a** — **of** mucho, –a, –os, –as
**luck** suerte *f.*
**lucky: be (very)** — tener (mucha) suerte
**lunch: have** — almorzar (ue)

### M

**magazine** revista
**main** principal
**make** hacer; poner (*with adj. of feeling, etc.*)
**man** hombre *m.*
**many** muchos, –as; **how** —? ¿ cuántos, –as ?
**March** marzo
**married** casado, –a; **get** — casarse
**marry** casarse con
**match** partido (*i.e., tennis match, etc.*)
**matter: What's the** — (**with you**)? ¿ Qué le(s) pasa ?
**may** poder (ue)
**me** me *dir. or indir. obj.;* mí *obj. of prep.;* **with** — conmigo
**meal** comida
**meet** conocer (*be introduced to*)
**million: a** — un millón de
**mine** el mío, la mía, los míos, las mías; **of** — mío, –a
**minute** minuto, momento
**miss** perder (ie) (*train, or opportunity, etc.*)
**Miss** (la) señorita
**modern** moderno, –a
**money** dinero
**month** mes *m.*
**more** *adj. or adv.* más
**most** *adj. or adv.* más; — **of** la mayoría de, la mayor parte de
**mother** madre *f.*
**move** trasladarse (*change residence*)
**movie** película; — **s** cine *m.*
**Mr.** (el) señor *m.*
**Mrs.** (la) señora
**much** *adj.* mucho, –a; *adv.* mucho; **so** — *adj.* tanto, –a; *adv.* tanto; **very** — *adv.* muchísimo
**musician** músico
**must** deber
**my** mi(s) *before n.;* mío, –a, –os, –as *after n.*

### N

**near (to)** cerca de
**need** necesitar
**neighbor** vecino, –a

### VOCABULARY

**never** nunca, jamás
**new** nuevo, −a
**newlyweds** recién casados
**newspaper** periódico, diario
**next** próximo, −a; que viene(n); siguiente; — **to** junto a
**night** noche *f.*; **at** — de la noche (*hour given*); por la noche (*hour not given*)
**nine** nueve
**no** no; *adj.* ningún, ninguna; — **longer** ya no
**not** no
**note** apunte (*taken in class, etc.*)
**now** ahora
**nowadays** hoy día

### O

**October** octubre *m.*
**of** de
**often** muchas veces, con frecuencia, a menudo
**old** viejo, −a; **How** — **is** (**are**)...? ¿ Cuántos años tiene(n) ...? ¿ Qué edad tiene(n) ...? — **man** viejo
**olive** aceituna
**on** el, los (*with days*); en
**one** un(o), −a; **no** — nadie
**only** *adj.* único, −a; *adv.* sólo, solamente, no más que
**opportunity** ocasión *f.*, oportunidad *f.*
**or** o; u (*before words beginning with* o *or* ho)
**orange** naranja
**other** otro, −a
**ought** deber
**our** nuestro, −a
**ours** *pron.* el nuestro, la nuestra, los nuestros, las nuestras; **of** — *adj.* nuestro, −a
**out: take** — sacar

### P

**paper** papel *m.*
**Paris** París *m.*
**pearl** perla
**people** gente *f.* (*collectively*); personas (*individuals*)

**play** jugar (ue), *plus* a, *then def. art. and name of game;* tocar (*music*)
**pleasant** agradable; simpático, −a (*said of people*)
**please** sírvase *plus inf.;* haga(n) Vd(s). el favor de *plus inf.;* tenga(n) Vd(s). la bondad de *plus inf.;* (**if you**) — por favor *with command form of vb.;* **Will you** (—)...? ¿ Me hace(n) Vd(s). el favor de...? *with inf.*
**P.M.** de la tarde, de la noche
**pocket** bolsillo
**poor** pobre; — **people** los pobres
**possible** posible; **as soon as** — cuanto antes, lo antes posible, lo más pronto posible; **everything** — todo lo posible
**prefer** preferir (ie, i)
**prepare** preparar; — (**oneself**) prepararse
**President** el presidente; el *omitted in dir. address*
**pretty** bonito, −a
**prize** premio
**probable** probable
**probably** probablemente; *or future or conditional of vb. in question*
**professor** profesor, −a; **Professor** el profesor, la profesora; *art. omitted in dir. address*
**program** programa *m.*
**promise** prometer
**provided that** con tal (de) que
**published: be** — publicarse
**put** poner; colocar (*place carefully*); meter (*put something into something else*); — **off** aplazar

### Q

**quarter-past** y cuarto
**quickly** pronto, rápidamente

### R

**radio** radio *f.;* (*set*) (aparato de) radio *m.*
**rain** llover (ue)
**raincoat** impermeable *m.*
**rapid** rápido, −a

**rapidly** rápidamente

**read** leer

**ready: get** — prepararse

**red** rojo, –a

**refrigerator** refrigerador *m.*

**remember** recordar (ue), acordarse (ue) (de); — **me to** recuerdos a

**rest** descansar

**restaurant** restaurante *m.*

**return** volver (ue) (*go back, come back*); devolver (ue) (*give back, take back*)

**rich** rico, –a

**ride horseback** montar a caballo

**right: be** — (*not mistaken*) tener razón

**ring** sonar (ue)

### S

**sad** triste

**sale: be on** *or* **for** — estar de venta

**same** mismo, –a; (**the**) — **to you** igualmente; **the** — (**thing**) lo mismo

**sandwich** emparedado; sandwich *m.*

**say** decir; — **good-bye** (**to**) despedirse (i) (de)

**school** la escuela

**season** estación *f.*

**see** ver; **let's** — (vamos) a ver; — **you later** hasta la vista, hasta luego; — **you tomorrow** hasta mañana

**seem** parecer (*conjug. like* conocer)

**send** enviar (í), mandar

**serve** servir (i)

**set** poner en hora (*watch or clock*); ponerse (*the sun*)

**seven** siete

**several** varios, –as, *before n.*

**sharp** en punto (*time*)

**shirt** camisa

**shoe** zapato

**shopping: go** — ir de compras, ir de tiendas

**short** corto, –a (*dimensions*); breve

**should** deber

**sick** enfermo, –a; **the** — los enfermos

**sign** firmar

**since** *conj.* puesto que, como

**sister** hermana

**sit down** sentarse (ie)

**six** seis

**sixteen** dieciséis *or* diez y seis; **be**(**come**) — cumplir los dieciséis *or* diez y seis

**sixty** sesenta

**sleep** dormir (ue, u)

**sleepy: be** (**very**) — tener (mucho) sueño

**small** pequeño, –a

**smile** sonrisa

**so** tan *before adj. or adv.;* — **much** *adv.* tanto; — **many** tantos, –as; — (**that**) de modo que, de manera que (*result*); para que (*purpose*)

**some** algún, alguna, –os, –as; unos, –as; *sometimes unexpressed*

**somebody, someone** alguien

**sometimes** a veces, algunas veces

**soon** pronto, dentro de poco; **as** — **as** así que, en cuanto, luego que; **as** — **as possible** cuanto antes, lo antes posible, lo más pronto posible

**sorry: be** — sentir (ie, i)

**Spanish** español *m.* (*language*); español, española; de español (*with book, class, teacher, etc.*)

**speak** hablar

**spend** gastar (*money*); pasar (*time*)

**sport** deporte *m.*

**standing** de pie

**start out** ponerse en camino

**station** estación *f.*; (**radio**) — emisora

**stay** quedarse

**still** *adv.* todavía, aún

**stop** detenerse (*conjug. like* tener)

**store** tienda; **clothing** — tienda de ropa

**story** cuento, historia

**street** calle *f.*

**strike** dar (*with hour as subject*)

**strong** fuerte

**student** alumno, –a; estudiante *m. or f.*

**study** estudiar

**successful: be** — tener éxito

**suit** traje *m.*; **bathing** — traje de baño

**summer** verano

**sun** sol *m.*; **the** — **is out** *or* **shining** hay *or* hace sol

**Sunday** domingo

**supply** surtido

**suppose** *fut. or cond., for probability:*

**Where do you suppose it is (was)?**
¿ Dónde estará (estaría) ?
**sure** seguro, –a
**surprise** sorpresa
**swim** nadar

**T**

**table** mesa
**take** tomar; llevar (*take from one place to another*); quedarse con (*a purchase*); **— out** sacar
**talk** hablar, charlar
**tall** alto, –a
**tasty** sabroso, –a
**teacher** maestro, –a; profesor, –ora
**telephone** teléfono
**television** televisión *f.*
**tell** decir (*give information, command*); contar (ue) (*a story*)
**ten** diez
**tennis** tenis *m.*; **— team** equipo de tenis
**test** examen *m.*
**than** que; de *betw.* más *and number, in affirm. sentence*
**that** *adj.* ese, esa; aquel, aquella; *conj.* que; *pron.* ése, ésa, eso; aquél, aquélla, aquello; **— is (to say)** es decir; **—'s it, —'s right** eso es
**the** el, la, los, las
**their** su(s) *before n.;* suyo, –a, de ellos, –as *after n.*
**theirs** el suyo, la suya, los suyos, las suyas; **of —** suyo, –a; de ellos, –as
**them** los, las *dir. obj.;* ellos, –as *obj. of prep.;* **(to) —** les *indir. obj.*
**then** entonces; luego (*next*)
**there** ahí (*near person addressed*), allí; **— is, — are** hay; **— was, — were** había
**these** *adj.* estos, –as; *pron.* éstos, –as
**think** creer (*opinion*); **I — so** creo que sí; **— about** pensar (ie) en
**third** tercer(o), –a
**thirty** treinta; **(ten) — (las diez)** y media
**this** *adj.* este, esta; *pron.* éste, ésta, esto
**those** *adj.* esos, –as; aquellos, –as; *pron.* ésos, –as; aquéllos, –as
**thousand: a —** mil

**three** tres; **— hundred** trescientos, –as
**ticket** billete; **round-trip —** billete de ida y vuelta; **— window** taquilla
**tie, necktie** corbata
**time** tiempo; vez *f.* (*single occasion*); hora (*time of day*); **from — to —** de vez en cuando, de cuando en cuando; **on — a** tiempo
**to** a; **— the** al *m.s.*
**today** hoy; hoy día (*nowadays*)
**tomato** tomate *m.*
**tomorrow** mañana; **(the) day after —** pasado mañana; **see you —** hasta mañana
**tonight** esta noche
**too** también (*also*); demasiado; **— much** *adv.* demasiado; *adj.* demasiado, –a; **— many** demasiados, –as; **— bad** lástima
**toy** juguete *m.*
**trip** viaje *m.;* **business —** viaje de negocios; **wedding —** viaje de novios
**try on** probarse (ue)
**two** dos; **— hundred** doscientos, –as; **— thousand** dos mil; **— weeks** quince días
**typewriter** máquina de escribir

**U**

**uncle** tío; **—(s) and aunt(s)** tíos
**United States** los Estados Unidos
**university** universidad *f.*
**unless** a menos que
**until** *prep.* hasta; *conj.* hasta que
**us** nos *dir. or indir. obj.;* nosotros, –as *obj. of prep.*
**use** usar
**used (to)** acostumbrado, –a (a)
**useful** útil
**usually** generalmente, por lo común

**V**

**vegetable** legumbre *f.*
**very** muy; mucho *in weather expressions with* hacer, *and* mucho, –a *in those of feeling with* tener; **— much** muchísimo
**visit** visitar

# W

**wake up** despertarse (ie)

**walk** andar (a pie), caminar

**want** querer (ie), desear

**warm: be** (*feel*) (**very**) — tener (mucho) calor; **be** (**very**) — (*weather*) hacer (mucho) calor

**wash** lavar(se)

**Washington** Wáshington

**waste** perder (ie), gastar

**we** nosotros, –as

**wear** llevar; *sometimes* llevar puesto, –a

**week** semana, ocho días; **two —s** quince días

**well** bien; bien (de salud) (*health*)

**wet: get** — mojarse

**what** lo que (*that which*)

**when** cuando; —? ¿ cuándo?

**where** donde; —? ¿ dónde? (**to**) —? ¿ a dónde?

**which** lo que *or* lo cual, *to sum up whole preceding idea or statement;* — (**one**)? *pron.* ¿ Cuál? — (**ones**)? ¿ Cuáles? —? *adj.* ¿ Qué?

**while** rato; **a** (**little, short**) — un rato; *conj.* mientras (que)

**white** blanco, –a

**who** que; quien, quienes; el (la, los, las) que; el cual, la cual, los cuales, las cuales; quién, quiénes *in indir. questions;* —? ¿ quién? ¿ quiénes?

**whom** que; quien, quienes; el (la, los, las) que; el cual, la cual, los cuales, las cuales; quien, quienes *obj. of prep.;* quién, quiénes, a quién, a quiénes *in indir. questions;* —? ¿ quién? ¿ quiénes? *obj. of prep.;* ¿ a quién? ¿ a quiénes? *obj. of vb.*

**whose** cuyo, –a; —? ¿ de quién?

**wife** mujer *f.;* esposa

**win** ganar

**window** ventana

**windy: be** (**very**) — hacer (mucho) viento

**winter** invierno

**wish** querer (ie)

**with** con; — **me** conmigo

**without** *prep.* sin; *conj.* sin que

**work** trabajar

**write** escribir

# Y

**year** año; **be** (**41**) **—s old** tener (cuarenta y un) años

**yes** sí

**yesterday** ayer

**yet** todavía

**you** usted (Vd.) *pol. s.;* ustedes (Vds.) *pol. pl.;* tú *fam. s.;* vosotros, –as *fam. pl.; all the foregoing as subject of vb. or obj. of prep.;* le, lo, la, las; te, os *dir. obj.;* (**to**) — *indir. obj.:* le, les, te, os

**young** joven

**your** su(s) *before n.;* suyo, –a, de Vd., de Vds. *after n.; def. art., with parts of body, articles of clothing*

**yours** el suyo, la suya, los suyos, las suyas; el (la, los, las) de Vd(s).; **of** — suyo, –a; de Vd(s).

# INDEX

**337**